우리 문화재 수난일지 9

우리 문화재 수난일지 9

2016년 11월 27일 초판 1쇄 인쇄
2016년 11월 30일 초판 1쇄 발행

글쓴이 정규홍
펴낸이 권혁재

편집 김경희
출력 CMYK
인쇄 한일프린테크

펴낸곳 학연문화사
등록 1988년 2월 26일 제2-501호
주소 서울시 금천구 가산동 371-28 우림라이온스밸리 B동 712호
전화 02-2026-0541~4
팩스 02-2026-0547
E-mail hak7891@chol.net

책값은 뒷표지에 있습니다.
잘못된 책은 바꾸어 드립니다.

ISBN 978-89-5508-362-0 94910
ISBN 978-89-5508-353-8 (SET)

우리 문화재 수난일지

9

정규홍

학연문화사

▌목차

朝日修好條規

大日本國與

大朝鮮國素敦友誼歷有年所今

欲重修舊好以固親睦是以日本國政府簡特命

全權辨理大臣陸軍中將兼參議院議官開拓長官黑田淸

隆特命副全權辨理大臣議官上議院副議長井上馨朝鮮國江

華府朝鮮國政府簡列中樞府事申櫶副摠管尹滋

承各遵所奉論旨議立條款開列于左

, 第一款

朝鮮國自主之邦保有與日本國平等之權嗣後兩

朝日修好條規見

우리 문화재
수난일지

1936년 1월 14일

1936년 1월 14일에 일본 사찰 조계사에서 온돌방에 불을 너무 과하게 지펴 화재가 발생했는데 본당은 무사했으나 기타 건물들이 상당수 소실되었다.[1] 이때 주지실로 사용하던 회상전 건물도 소실되었다.[2]

『동아일보』 1936년 1월 15일자 기사

1936년 1월 22일

도쿄대학 고고학연구실의 《토성리출토품전관》

1936년 1월 22일 도쿄제국대학 문학부 고고학연구실에서 《토성리출토품전관土城里出土品展觀》이 개최되었다. 이 진열품은 1935년도 조선고적연구회 주최 고적조사 중 특히 도쿄제대 문학부 고고학연구실 관계자에 의하여 발굴한 평양부 외 토성리 토성 출토품 일부를 진열 전시하였다.[3] 그 중 얼마를 그들 연구

---

1 『東亞日報』 1936년 1월 15일자.
2 岡田貢, 『京城の沿革と史蹟』, 京城府廳, 1941.
3 1935년도에 일본학술진흥회의 후원금을 받아 9월 1일부터 11월 상순까지 실시했다. 당시 발굴은 석암리255호분, 석암리 257호분, 정백리 4호분, 남정리 53호분, 도제리 50호분 그

실로 반출했는지는 정확히 알 수 없으나,《토성리출토품전관》의 진열품은 전, 와당, 와증, 와추瓦錘, 방추차紡錘車, 오수전五銖錢, 전범錢范, 검필劍珌, 철족鐵鏃, 동정銅鼎, 와정瓦鼎, 동작銅勺 등이라고 한다. 이러한 것은 "도쿄제국대학 문학부 고고학연구실에서 1935년도 조선고적연구회 주최의 고적조사 중 특별히 도쿄제국대학 문학부 고고학연구실 관계자에 의하여 발굴한 평양부외 토성리 토성 (낙랑군 치지) 출토품 일부를 진열했다"[4]고 하는 것으로 보아 연구에 필요한 중요한 유물을 상당수를 가져갔을 것으로 추정된다.

1936년 2월 20일

동해중부선 공사 중 유물 발견

2월 20일에 경주 내동면 배반리 신라 제31대 신문왕릉에서 동북 약 700m 떨어진 논(동해중부선 광궤개량공사장)에서 지하 약 1척쯤에서 동검銅劍, 동모銅鉾, 동제검병銅製劍柄, 구리그릇 등이 발견되다.[5]

『매일신보』 1936년 3월 2일자 기사

리고 토성지를 발굴하였다. 토성지는 駒井, 澤俊一, 田窪眞吾, 野守健, 原田淑人이 담당했으며, 출토품으로는 銅鏃, 鐵釘, 瓦甑, 瓦鼎, 玉類, 封泥 기타 총150여 점이나 되었다(朝鮮古蹟研究會, 『昭和10年度 樂浪古墳 古蹟調查概報』, 1936).

4 「土城里出土品展觀」, 『日本美術年鑑』, 美術研究所, 1937年度版, p.156.

5 「彙報」, 『考古學雜誌』 제26권 제9호, 1936년 9월, p.53.

1936년 2월

광업으로 파괴되는 백제의 유적 보존회에서 당국에 진정

3월에 이르러 광업주 이명복(허가번호 12549호)은 금성산을 광구로 하여 발굴하고, 경성 김영덕(허가번호 12582호)은 금암리 고분군 부근을 대대적으로 발굴하여 부여의 고분지대는 곧 파괴될 지경에 있어 광업권의 허가를 취소할 것을 진정하다.[6]

충남 예산군 덕산면 상가리석탑 매각 사건

보덕사석탑

예산군 덕산면 옥계리에 거주하는 백철현은 그 동리에 있는 석탑을 개인의 사유물로 하여 1936년 2월에 군산에 거주하는 일본인에게 매각하였다. 이 사실을 탐지한 보덕사 주지가 현장에 나아가 외지의 반출을 저지하였으나 백철현은 자신의 사유물이라고 우기며 군산으로 운반하였다. 당시 행정관청에 제출하는 보고

---

6 『每日申報』 1936년 3월 1일자.

는 본사를 경유하도록 하였기 때문에[7] 보덕사 주지는 본사인 마곡사의 주지에 게 이 사실을 보고하고 도움을 요청하였다.

이 석탑의 반출 경위에 대해 마곡사 주지가 조선총독부사회과장에게 보낸 1936 년 3월 12일자 '사찰당우에 근접한 석탑 매각 운반에 관한 건'[8]은 다음과 같다.

마발麻發제25호

소화昭和11년 3월 12일

선교양종대본산마곡사禪敎兩宗大本山麻谷寺

주지住持 송만공宋滿空

조선총독부사회과장　　　　전殿

사찰당우에 근접한 석탑 매각 운반에 관한 건

본 도 예산군 덕산면 옥계리에 현주現住하는 백철현白喆鉉이라고 하는 자는 상당한 자산가로서 또 지방의 우수한 유지인데 동리同里에는 원래 5층석탑 이 있어 이의 책임보호자 없음을 기화奇貨로 하여 좌기와 같이 자기의 소유 물인 것 같이 소화11년(1936) 2월 25일 군산부내에 거주한다고 하는 일본 인 모氏名不詳에 금일백원金壹百圓으로 매각하여 즉일卽日 파괴 운반하였음, 그 시時에 예산군 덕산면 보덕사 주지가 전기前記의 사실을 문지聞知하고 곧 현장에 나가 차석탑此石塔은 원래 사찰에 유서 깊은 유물로 사료되며 일 개인의 소유물이 아닐지라도 이 지방의 고적물에 상위相違없음은 명확하니

7　조선총독부 관보, 1913년 10월 27일자.
8　金禧庚 編,「韓國塔婆研究資料」,『考古美術資料』第20輯, 考古美術同人會, 1969, pp.123-124.

이를 개인 소유물이라고 주장하여 매각 운반함은 타당하지 못하다고 제지
制止하였으나 자기의 소유물이라고도 주장하는 백철현白喆鉉은 언言을 좌우
左右하며 드디어 즉일即日 운반을 하였다는 보덕사 주지로부터의 보고가 있
었음으로 이에 보고하오니 어정사어처분御精査御處分 있으시기를 바랍니다.

기記

一. 매각인 주소　　　충청남도 예산군 덕산면 옥계리

　　　성명　　　백철현

一. 매수인 주소　　　군산부 이하 불상不祥

　　　성명　　　모氏名不祥

一. 매매년월일　　　소화11년 2월 25일

一. 금액　　　현금 백원百圓

一. 물품　　　오층석탑

備考　　보덕사와 옥계리석탑이 있는 지점과의 거리는 겨우 16정町 정도임

1936년 4월 충청남도지사가 학무국장에게 보낸 '석탑반출石塔搬出에 관한 건'에 의
하면, 석탑을 매수한 자는 계약상의 매수인은 군산의 이부업(당26세)이고 실제의 출
자자이며 매수한 자는 군산부의 모리 키구고로森菊五郎란 일본인이라고 하고 있다.[9]

이 자는 1906년에 한국에 건너와 군산에서 모리상점森商店이라는 간판을 걸
고 무역상을 하면서 정미소 3개소를 운영하였다. 군산곡물조합장을 맡아 주로
한국의 쌀을 일본으로 수출하는 업을 하였으며 1919년부터는 농장에까지 손을

9　金禧庚 編, 「韓國塔婆研究資料」, 『考古美術資料』 第20輯, 考古美術同人會, 1969, pp.125-126.

대어 김제, 익산, 옥구, 논산 등지의 농토를 매입하
여 대농장을 운영하기도 했다. 군산 미곡계의 제1
인자로 일본에 까지 알려진 거물이다.[10]

모리 키구고로(森菊五郎)

당시 일본인들은 우리나라 폐사지 등에 있는 석
조물 등을 옮길 때 교묘하게 법망을 빠져나가기 위
해 서류상의 계약서에는 한국인을 앞세워 서명하게
하는 예가 허다하였다. 모리 키구고로森菊五郎도 이
같은 교묘한 방법으로 법적인 책임을 피하기 위하
여 푼돈을 주고 한국인을 앞에 내세워 석조물을 사
게 하여 자신의 정원으로 옮긴 것이다.

이후 마곡사 주지의 신고가 있고 총독
부에서 이를 원지原地에 복원할 것을 명령
했다. 이에 따라 백철현은 자신의 잘못을
시인하고 1936년 5월 13일까지 원지에 복
원하겠다는 맹약서를 제출했다.

1936년 5월 27일 충청남도지사가 학
무국장에게 보낸 '석탑반출에 관한 건'과
1936년 전라북도지사가 학무국장에게 보

예산군청에 보관되었을 때의 모습
(『문화유적분포지도 : 예산군』 2001)

10 朝鮮公論社 編纂, 『在朝鮮內地人紳士名鑑』, 朝鮮公論社, 1917, p.555.
    保高正記, 『群山開港史』, 1925, pp.214~216.
    鎌田正一, 『朝鮮の人物と事業』, 1936.

내 '석탑반출에 관한 건'에는 1936년 5월 20일에 예산군청에 옮겨졌음을 기록하고 있다.

1937년에 간행한 『충청남도 예산군誌』에도 "1936년 군의 모씨한테 매각하였는데, 당국에서 지시하여 현재 군청경내에 치했다"라고 하고 있음으로 군청에 옮겨져 보관하고 있었음은 틀림없는 것 같다. 이로써 1937년에 예산군청에 옮겨진 후 2000년에 이르러 현재의 위치인 보덕사 정원에 안치하게 되었다.

모든 부재가 제대로 갖추어졌으면 충분히 보물로 보호를 받을 법도 한데 일부 부재의 분실로 인하여 안타깝게도 지방문화재자료로 지정되어 있다.

가야사지에서 옮겨온 석등
(화사석을 제외한 나머지는
새로운 석재를 보완한 것이다)

충청남도 예산군 덕산면 상가리[11]에는 보덕사라는 작은 사찰이 있다. 이 사찰은 가야산 가야사의 후신이라 할 수 있다. 흥선 대원군이 여도월呂道月이란 승을 시켜 가야사를 소진시키고 그곳에 남양군의 묘를 조영하였다. 후에 김벽담金碧潭이란 승에게 명하여 남연군묘에서 약 1km 떨어진 가야산 동록에 절을 짓게 하고 보덕報德한다는 뜻으로 보덕사라 하였다.

---

11 본래 덕산군 현내면의 지역으로서 가야골 위쪽이 되므로 위가야골, 위개골, 또는 상가야동, 상가라 하였는데, 1914년 행정구역 개편에 따라 중가리 일부와 사점리를 병합하여 상가리라 해서 예산군 덕산면에 편입되었다(『우리고장 충남』, 충청남도교육위원회, 1988).

보덕사 석상

군청에 소재할 때의 석탑사진을 보면 이 석상은 석탑 앞에 나란히 세워져 있다.
석탑과는 관련이 없어 보이는데 2000년 석탑을 옮겨 올 때 함께 옮겨온 것이다.

『매천야록』에는, "1864년 이후 나라에서는 국비를 들여 대덕산에 절을 짓고 이름을 보덕사라 했다. 토목土木에 금을 치하여 극히 웅장하고 화려하게 하였다. 그리고 논밭도 하사하고 보화도 후하게 주었다" 하는 것으로 보아 처음에는 아주 화려하게 장식했었던 것으로 보이는데 현재는 아주 작고 아담한 절로 변해있다.

이 보덕사의 뜰에는 현재 2000년에 예산군청으로부터 옮겨온 아담한 석탑 1기가 있다.

이 석탑 옆에 세워진 안내판에는 다음과 같이 해설을 붙이고 있다.

예산읍 3층석탑

지정별 : 문화재 자료 제175호

지정일 : 1984년 5월 17일

위치 : 예산군 덕산면 상가리227

원래 덕산면 상가리 가야사지伽倻寺址에 있던 것을 1914년 일본인이 몰래 내가려다가 보덕사 주지 김관용 스님의 항의로 다시 회수하여 군청 내에 보관하게 되었다. 지대석은 4매의 판석으로 조성하였으며, 한 변의 길이가 210센치이다. <중략>

원래 5층석탑이었던 것이 현재 3층만 남아 있어 1층과 2,3층은 급격하게 작아지고 있다. 각 층의 지붕들은 3단의 받침을 하고 있으며, 처마는 비교적 날렵하게 곡선을 그리고 있다. 상층부는 복발과 노반만이 남아 있다.

이 내용은 1988년 이후 2001년에 출간한 여러 책자[12]에 거의 동일하게 나타나 있다.

그러나 여기에는 일부 부적절한 부분이 보이고 있다. 먼저 안내판에는 석탑의 명칭을 '예산읍3층석탑'이라 하고 있는데, 원래는 5층석탑이었기 때문에 현재 남아 있는 층수만을 가지고 3층석탑이라 하는 것은 무리가 있다. 또 석탑 앞에 지명을 넣어 '예산읍'을 붙이고 있는데, 이는 보덕사로 옮겨 오기 전에 예산읍에 있었다고 해서 붙인 것이다. 이 석탑의 원 소재지가 가야사지이기 때문에 경천사지석탑의 예와 같이 '가야사지석탑'이라든가 아니면 가야사지가 덕산면 상가리이고 현재의 소재지도 상가리의 보덕사이기 때문에 '상가리석탑'이라 하는 것이 무리가 없을 것으로 보인다.

12 『충청남도 지정문화재 해설집』, 충청남도, 2001; 『문화재해설』, 충청남도, 1990; 『우리고장 충남』충청남도교육위원회, 1988; 『문화유적분포지도: 예산군』, 충청남도, 2001; 『충남지역의 문화유적 제9집』, 백제문화개발연구원, 1995.

다음으로 석탑의 원지 이반경위에 대해, "가야사지에 있던 것을 1914년 일본인이 몰래 내가려는 것을 보덕사 주지 김관용 스님의 항의로 다시 회수"한 것으로 기술하고 있다. 그런데 이 내용의 출처가 명확하지 않다. 1912년 4월 「충청남도 각 말사末寺 주지취직인가住持就職認可」를 보면,[13] "덕산군 현내면縣內面 보덕사報德寺 김응월金應月"이라 기록하고 있다. 이후 1916년까지의 「각 말사 주지취직인가」에는 보덕사 주지취직인가 건이 보이지 않는 것으로 보아 최소한 1914년의 보덕사 주지는 김응월이라는 스님이었다고 볼 수 있다. 따라서 안내판에 나타난 반출연대와 주지스님의 명이 일치하지 않아, 1914년에 일본인이 반출했다는 연대는 신빙성이 떨어진다.

가야사는 『신증동국여지승람』 덕산현의 '불우' 조에 단순히 "가야산에 있다"라고만 기술하고 있다. 그 창건연대는 불명이나, 잔존 유물들로 볼 때 고려시대의 대찰로 추정되고 있다.

1937년에 간행한 『충청남도 예산군지禮山群誌』 '덕산면 가야사' 조에는 (글씨가 흐려 판독하기가 어려우나 그 대략은 다음과 같다)

고려 말기에..... 옥계리 와룡담臥龍潭에서 월봉月峰까지 1리에 이른 대사大寺이었으나 지금은 사적寺跡만 있으며, 군청전郡廳前에 석탑이 남아 있다.

「주」 가야사에 돌궐突厥이라는 승이 있었는데 성욕난폭性慾亂暴하여 부녀자를 침범侵犯하는 등의 악행을 저질러.... 징병사鄭兵使 차룡且龍이 돌궐을 죽여 , 동시에 폐사가 되었다고 한다. 동시에 경내의 5층석탑도 붕괴됨, 지금으로

13 『朝鮮佛敎月報』 第3號, 1912년 4월.

부터 수십 년 전 본면本面 옥계리 백철현 씨가 조립組立하여, 1936년 군의
모씨한테 매각하였는데, 당국에서 지시하여 현재 군청경내에 치置했다.[14]

라 기술하고 있어, 조선시대 후반에 들어와 한때 폐사에 이르렀다가 조선말기
에는 작은 사찰로 그 명맥을 이어온 것으로 추정된다. 이후 가야사는 흥선대원
군에 의해 남연군 묘지가 조영되면서 사찰의 모든 목조물들은 소진되어 폐사
가 되고 이곳의 석탑도 원지의 이탈을 면할 수가 없었다.

이를 1차로 이반한 자는 덕산면 옥계리에 거주하는 지방유지 백철현이란 자
로, 백철현은 1915년경에 도괴되어 있는 석탑 부재를 수습하여 3층으로 구성하
고 자신의 소유물로 취급해왔다. 안내판에 나타난 '1914년 일본인이 반출을 시
도했다'는 것은 백철현이란 자가 1915년경에 가야사지에서 석탑 부재를 옮겨 3
층으로 구성한 시기의 오인이 아닌가 추정된다.

『매천야록』에는 "대원군은 일찍이 이건창에게 부친의 장례를 치를 때에 있
었던 일들을 말한 적이 있는데 탑을 쓰러트리니 그 속에는 백자 두 개와 단다
團茶 두 병, 사리주 3매가 있었다고 하였는데 사리주는 작은 머리통만하여 밝게
비쳤다. 침수되어 물이 가득했어도 푸른 기운이 물을 뚫고 끊이지 않게 번쩍번
쩍 빛나는 것 같다고 말했었다고 한다" 라고 기록하고 있다.[15]
『황성신문』 1906년 9월 8일자에 게재한 「대동고사大東古事」에는 "가야사는 덕

14 『忠淸南道 禮山群(誌)』, 禮山郡 敎育會, 1937년 3월.
15 黃玹, 『梅泉野錄』 李章熙 譯, 大洋書籍, 1973.

산군 가야산에 있으니 사에는 철첨鉄尖 석탑이 있으니 사면에 석감石龕이 있어 석불을 안치했으니 매우 기교奇巧하여 속칭 금탑金塔이러라" 하고 있다.

『매천야록』의 기록과『황성신문』의 기록에서 현재 보덕사에 옮겨져 있는 석탑과 비교해 보면『황성신문』의 내용에는 사면에 감실을 만들고 석불을 안치했다고 하는데 현재 보덕사에 옮겨진 석탑은 감실을 마련할 수 있는 규모의 석탑과는 거리가 있고 그러한 흔적이 보이지 않는다. 현재의 탑은 기단과 비교하여 체감율을 볼 때 1층 탑신은 원래의 것으로 보이고 있으며, 보통 감실은 1층탑신에 만드는 것이 보통인데 감실 흔적이 보이지 않는다.

따라서 현재 보덕사에 있는 석탑이 원 가야사에 있던 탑이라고 단정하기에는 의문이다.

남연군묘(이곳에는 원래 석탑이 있었다고 전해진다)

1936년 3월 4일

경주 황오리 98번지 고분 조사

경주 울산 간의 광폭철도선개량공사를 1935년, 1936년의 양년도에 걸쳐 진행 중에 정지의 일부가 경주 고분지대를 관통하게 되었다. 본 조사의 고분은 황오리고분군의 하나로 경주신역 부근에 있고, 조만간 파괴될 운명에 처해 있어 이전에 학술조사를 하게 된 것이다. 고분의 위치는 황오리 98번지에 속하고, 그 봉토 외형은 후세에 많이 파괴 삭취되었다. 3월 4일부터 16일에 걸쳐 사이토 타다시齋藤忠가 조사를 행하였는데 인부 연수 76인이 투입되었다.

이 고분은 적석목곽식 구조를 가진 것으로 동일 봉토 내에 2개의 곽이 병존한 부부총이었다. 유물은 곽상槨床안치의 유해부를 중심으로 있었으며, 유해의 머리는 동으로 누워있어 동방의 빈 곳에 토기류를 두고 유해부에 이식, 경식, 대도 등 부부 매장시의 원형을 보존하고 있었다. 지부肢部 부근에 철제이기鐵製利器 등을 부장했다.

출토 유물은 한 곽에서는 금제이식, 금제수식 1대, 유리옥 및 구옥이 있는 경식 1연, 구옥 4과, 은제지환 1개, 은제천 1대, 환두대도, 철제리기, 마구류잔결, 토기등이 있었고, 또 다른 곽에서는 금동관잔결 일괄, 금제이식 2대, 금제수식 1대, 경식 1연, 심엽형과대금구心葉形銙帶金具, 은제요패구잔결銀製腰佩具殘缺, 환두대도 2개, 기타 철제리기鐵製利器 및 토기류 그 외 많은 유물이 출토되었다.[16]

---

16 齋藤忠「慶州に於ける古墳の調査」,『昭和11年度古蹟調査報告書』, 朝鮮古蹟研究會,

황오리 98번지 고분

『매일신보』1936년 3월 18일자에는 다음과 같은 기사가 있다.

考古學上의珍品
新羅遺蹟發堀

【大邱】경북동해중부
선개축공사중（慶北東海
中部線改築工事中）심라
시대（新羅時代）의 찬란
한문화의 유품（遺品）이
많이 발굴되여 고고학자들
에게비상한흥미를 주고
있는중인데 얼마전지금
으로부터 一천三백년전
익사천왕사（四天王寺）초
석（礎石）이평에서 파낸
지몇날되지아니한 지난
五일오후 경주황오리（慶
州皇吾里）보一리에서 공사
중도다음과같은 진품이
다수발굴되여 발굴경주
고적보존회에 보관중인
라는데 三국시대의 고관
대작의분묘임모양이며
로 고학연구에 귀중한재
료가되어 사게에큰센세
이순을 주고있었다한다
發掘된珍品
純金製耳飾二對、句玉附
瑠璃製一連、大刀三柄、
銀飾指環一個、銀縷飾
斷片、同釧飾金具斷片、鐵
釜一個、銅椀二個其他銅
製品土器 多數

『조선중앙일보』1936년 3월 22일자 기사

동해 중부선 부근의 대수확,

동해중부선 광궤개수공사에서 유물이 속속 발굴 등전 총독부박물관장, 삼

전杉田 촉탁, 경주보존회 등은 황오리의 감포와 포항가도의 교차점에서 약

1937;「慶州近況」,『考古學雜誌』26-9, 1936년 9월, p.53-54;「調査計劃と其の實施の經
過」,『昭和11年度古蹟調査報告』, 朝鮮古蹟硏究會, 1937;『朝鮮中央日報』1936년 3월 22
일자;『東亞日報』1936년 3월 18일자.

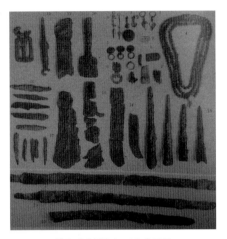
황오리 98번지 고분 출토물

300미터 떨어진 곳에서 남북 2개의 고분이 발견되어 12일에 중심부에 다달았는데 남쪽응 3월 4일부터 발굴 개시하여 15일 오후까지 전부 발굴을 완료하여 동 분묘에서 발굴된 것은 순금제이식 2대, 구옥, 유리옥 1련, 대도 3본, 은제지륜 2개, 은제 요절단편, 철부 1개, 동椀 1개 기타 동제품, 토기 다수가 발견되었다.

1936년 3월 8일

사천왕사지로부터 사천왕상전 발견

경주 내동면에 있는 사천왕사지 일부가 공사구역에 속하게 됨으로써 본부에서 스기야마 노부조杉山信三 촉탁을 파견하여 의해 강당지 등의 일부가 조사되었는데 1936년 3월 8일 후지타藤田 고적조사위원이 임지에 함께 했을 때 사천왕사 강당지로 추정되는 곳에서 녹유사천왕상 하반부파편을 발견했다.[17]

---

17 「彙報」, 『考古學雜誌』 제26권 제9호, 1936년 9월, p.54; 「四天王寺址と新金冠塚」, 『考古學』 제7권 제3호, 1936.

1936년 3월 15일

《조선고대미술품전람》 및 즉매회卽賣會가 1936년 3월 15일부터 18일까지 일본의 시모노세키下關의 가라토唐戶백화점에서 개최되었으나 목록은 알 수 없다.[18]

1936년 3월 16일

경주 부근 광궤철도선개설 공사를 하게 되면서 고적지대를 관통하게 되어 1936년 3월 16일 경주군 내동면 구정리의 구거수축溝渠修築場 공사 중 석포정石庖丁, 석부류石斧類가 발견되었다.[19]

1936년 3월 29일

전라북도 정읍군 내장면 월조암月照庵을 폐지하다.[20]

---

18 美術研究所, 「古美術展覽會及展觀」, 『日本美術年鑑』, 1937.
19 「彙報」, 『考古學雜誌』 제26권 제9호, 1936년 9월, p.52.
20 『朝鮮總督府官報』 1936년 3월 29일자.

1936년 4월 8일

계룡산에서 도굴된 많은 것은 1936년 4월 9일부터 일주일간에 걸쳐 오사카
大阪의 한큐백화점阪急百貨店에서 전시가 되어 일본열도를 들뜨게 하였다. 전시
의 명칭은《조선신출토고도일품전朝鮮新出土古陶逸品展》이라 했으며, '어내일御内
日'까지 정하여 선전하였다.[21]

1936년 4월 20일

무열왕릉비편 발견

1936년 4월에는 최남주가 무열왕릉 묘역에서 '중례中禮'라 새겨진 무열왕릉비편
을 발견하였다. 이에 대해 해방 후 사이토는 "1936년 4월 20일, 경주고적보존회의
최남주 씨에 의해 발견되었다고 한다. 무열왕릉의 묘역으로부터 발견된 것이어
서, 무열왕릉비의 단편인 것은 명백한 것이다. <중략> 최남주 씨가 무열왕릉 묘역
에서 발견했다고 하는 것은 의심할 여지가 없는 것이다"[22]라 하고 밝히고 있다.

스에마츠 야스카즈末松保和도 해방 후에 와서 '무열왕릉비석 단편(1개)'[23]에

21 小田榮作,『朝鮮 新出土 古陶逸品』, 春海商店, 1936.
22 齋藤忠,『古都慶州と新羅文化』第一書房, 2007, p.209.
23 武烈王陵碑身는 조선 때 慶州府尹으로 있던 李楨의 한 관속이 무열왕의 비신을 깨트려
     자기 선조묘에 쓰려 하는 것을 당시 풍기군수로 있던 退溪 선생이 엄히 금했다는 기록이

대해 "1936년 4월 20일, 최남주 씨 발견"이라고 기술하고 있다. 『매일신보』
1936년 4월 24일자에는 다음과 같은 기사가 있다.

경주 무열왕릉의 비편을 발견, 사학연구상 호자료
신라 제29세 무열왕릉비는 지금 귀부와 이수만 현존하여 그 묘공妙工에는
유람객의 이목을 놀라게 하고 있으나 중요한 비신은 어느 시대에 유실되었
는지 알지 못하고 있던바 우연히 지난 4월 20일 경주고적보존회 촉탁 최남
주崔南柱 씨가 나라奈良사범학교 생도를 안내차로 무열왕릉에 이르렀을 때
왕릉 경내에서 동 비석편(장 3촌 5분 광 3촌 두께 2촌)을 발견하였다는데 同
비는 지금으로부터 약 1275년 전에 설립된 것이라 하며 필적은 당시의 김인
문金仁問의 필적이라 한다. 이번 최 촉탁의 발견은 금후 동 비 파편 또는 전
체 발견에 호자료가 될 뿐만 아니라 역사 연구에도 자료가 되었다 한다.

『매일신보』 1936년 4월 24일자 기사

무열왕릉비편 '中禮'

있어 그 이후에 없어진 것으로 추정된다(李相鉉, 「金春秋와 財買井」, 『일요신문』 1977년
1월 30일지; 大坂金太郎, 「新羅武烈王陵碑に就て」, 『朝鮮』, 1931년 11월).

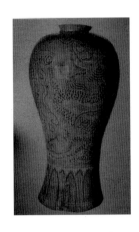

1936년 4월

1936년 4월 강화군 부내면 관청리의 수전水田 중에서 청자상감운룡문병을 발견하다.[24]

극비에 붙여진 사코 가게노부(酒匂景信)의 전 경력이 판명되다.

사코 가게노부酒匂景信의 전 경력이 판명된 것은 1936년 4월 발행의 대지공로자전기편찬회편對支功勞者傳記編纂會編의 『대지회고록對支回顧錄』 하권에서 나타난다.

사코 가게노부酒匂景信는 1880년(명치13년) 청국 파견장교로 파견되었는데, 1879년도에 12명이 파견된대 비해 1880년도에는 사코 가게노부酒匂景信와 다마이玉井 소위 두 명만이 파견되었다. 이는 먼저 파견되었던 나가세長瀬, 사가라相良 두 중위가 귀조歸朝함에 따라 보충 교대조로 파견된 것이다.[25]

『대지회고록對支回顧錄』 하권에 따르면, 사코 가게노부酒匂景信는 유시幼時에는 번교藩校에서 공부하고 한학漢學에 조예造詣가 깊었다. 1871년(명치4년) 8월 어친병징병御親兵徵兵으로 상경하여 근위보병 제2대대에 편입하였으며, 1874년

---

24 『博物館陳列品圖鑑』 제12집, 1938.
25 村上勝彦, 「解說 隣邦軍事密偵과 兵要地誌」, 『朝鮮地誌略』, 1981.

에 육군사관학교가 개설되자 바로 응시하여 1875년 2월에 사관생도가 되었다. 1877년 7월에 육군소위로 임관하였다가, 1878년 사관학교로 복귀하여 특과생으로 다시 1년을 연학研學하고, 1879년 8월 참모본부 추임으로 옮겼다. 1880년 9월 청국에 파견되어 다마이玉井와 함께 상해를 건너 북경 및 우장에 있기를 전후 4년 동안 북지北支 및 만주의 병요지지 자료수집 및 조사를 했다. 1884년 5월 포병대위로 진급과 함께 나고야名古屋포병 제3연대 중대장으로 임명되었으며, 1886년 6월 근위포병 연대장으로 옮겼다. 미야자키宮崎縣종합박물관에 사코酒匂의 경력을 확인할 수 있는 36통의 사령류辭令類 자료가 있다고 한다.[26]

비문의 유래는 비문연구에 있어서 가장 초보적인 단계이자 비문의 진실성을 밝히는 가장 중요한 사항이기도 하다. 그러나 1883년 광개토대왕비문을 입수한 일본 육군참모본부는 이에 대한 모든 사항을 날조하여 꾸며내거나 숨겨왔으며, 심지어는 비문을 가져온 자에 대해서도 철저하게 비밀에 붙여왔다.

가장 먼저 광개토대왕의 비문 해독에 착수한 아오에 슈淸江秀는『동부여영락태왕비명지해東夫餘永樂太王碑銘之解』란 논저의 권수卷首에 '부언附言' 하여, "차경此頃 모신문某新聞에 이르길, ……석면을 깨끗이 닦았을 때 마침 일본인日本人 모某가 이곳에 있어 이를 석탑石搨하여 갖고 돌아 왔다" 라고 하고 있다.

1888년 10월에 육군참모본부 편찬과원의 요코이 타다나오橫井忠直는「고구려고비고」(회여묵본)를 집필하면서 또 다른「고려고비고」 2본을 만들었다. 그 중 1본은 현재 교토대학도서관京都大學圖書館에 소장되어 있으며, 또 다른 1본은 뮤규가이도

26 『對支回顧錄』(佐伯有淸,『廣開土王碑と參謀本部』, 吉川弘文館, 1976, pp.210~215).

서관無窮會圖書館에 소장되어 있는데 말미末尾에 모두 "명치입일년십월 횡정충직식 明治卄一年十月 橫井忠直識"이라 기록하고 있다. 그 중 뮤규가이본無窮會本 「고려고비고 高句麗古碑考」는 "일고구려고비탑본자, 요우사코대위 청국만유중소획야—高句麗古碑搨本 者, 僚友酒勾大尉 淸國漫遊中所獲也"라 하여 직접적인 이름을 거론하고 있다. 그런데 교 토대학본의 「고려고비고」에서는 "일고구려고비탑본, 요우모씨청국만유중소획야 —高句麗古碑搨本, 僚友某氏淸國漫遊中所獲也"라 하여 이름은 밝히지 않고 요우僚友로만 기 록하고 있다.[27] 이를 보면 아오에 슈淸江秀와 요코이 타다나오橫井忠直가 함께 참모 본부에서 비문해독에 참여하고 있지만 요코이 타다나오橫井忠直만이 사코酒勾의 이 름을 알고 있었으며 동료인 아오에 슈淸江秀에게 조차 숨기고 있음을 알 수 있다.

특히 아오에 슈淸江秀가 그의 해독에서 '부언附言'한 내용은 참모본부로부터 들은 것이 아니라 "모신문某新聞"에 실린 내용을 인용한 것으로 이는 비문에 대 한 최초의 발설發說로서 비문 연구에 있어서 큰 관심의 대상이 아닐 수 없다.

사에키 아리키요佐伯有淸는 『고대 동아시아 금석문논고金石文論考』에서 밝히 길, 최근에 도쿄대학 문학부 학생 고다니 히사카주小谷壽量 씨가 알아내었는데, 이 모신문은 1884년(명치17)년 6월 29일부 '도쿄요코하마마이니치신문東京橫浜 每日新聞'이라는 것이 밝혀졌다고 한다. 이 기사의 전문全文은 다케다 유키오武田 幸男의 『비문지유래기碑文之由來記』고략考略 -광개토왕비발견의 실상-』(『에노키 박사송수기념동양사논총榎博士頌壽記念東洋史論叢』)에 게재되어 있는 바,

만주 성경성과 조선국의 경계인 압록강 상류에 예부터 물밑에 묻혀있던

---

27 佐伯有淸, 『廣開土王碑と參謀本部』, 吉川弘文館, 1976, pp.74~78.

한 대석비大石碑가 있는데, 차경此頃 성경장군이 들은 바, 다수의 인력을 들여 조금씩 파들어 갔다. 석면을 깨끗이 씻었을 때 일본인 모가 이곳에 있어 이를 석탑石搨하여 가지고 돌아와 목하 참모본부에 장장藏 하였다. <중략> 또 비석을 파낼 때 별도로 길이 8촌 폭 4, 5촌 정도의 기형奇形의 와瓦 1개를 얻었다. 와의 횡면좌우橫面左右에 '원대왕지묘안여산고여구願大王之墓安如山固如丘'의 11자가 각해 있다고 한다.[28]

이 기사의 내용을 아오에 슈淸江秀는 『동부여영락태왕비명지해東夫餘永樂太王碑銘之解』에서 '부언' 하여 인용한 것이 1884년 7월인데, 도쿄요코하마마이니치신문東京橫浜毎日新聞에 이 기사가 게재된 것은 1884년 6월 29일로, 아오에 슈淸江秀의 『동부여영락태왕비명지해』가 거의 완성단계에 이르렀을 쯤으로 추정된다. 이는 아오에 슈가 신문기사를 보기 전까지는 비문을 가져온 자에 대해서 아무런 정보를 가지고 있지 않았다는 것을 말하는 것으로, 참모본부에서 아오에 슈에게까지 철저하게 비밀로 하였음을 알 수 있다.

그런데 아오에 슈淸江秀에게까지 비밀로 할 정도라면 당시 비문을 가지고 온 자에 대해서 알고 있는 사람은 사코酒勾와 요코이 타다나오橫井忠直를 비롯한 1, 2명 정도일 것으로 보이는데 이것이 어떻게 신문에까지 누설되었는지 의문이 아닐 수 없다. 이것은 참모본부의 의도와는 상반되는 것이기 때문에 참모본부원이 누설했다고는 보기가 힘들다.

---

28 武田幸男,「碑文之由來記」考略 -廣開土王碑發見の實相-」,『榎博士頌壽記念東洋史論叢』에 揭載, 佐伯有淸,『古代東アジア金石文論考』平成7年 '第7 廣開土王碑文硏究余論.'

그런데 사코酒匂의 경력을 보면, 사코酒匂가 '귀조歸朝'의 명을 받은 것은 1883년(明治16)년 10월 4일이고 광개토대왕의 비문을 가지고 일본에 돌아온 시기는 이에 가까운 시기로 보이며, 사코酒匂가 참모본부의 출사出仕를 면免한 것이 1884년 6월 2일이므로[29] 신문의 기사는 그 이후가 된다. 따라서 최초로 외부에 광개토대왕릉비문의 입수가 알려진 것은 사코酒匂가 참모본부요원에서 벗어난 시기인 고로, 사코酒匂로부터 일부 누설된 것이라는 추정을 배제할 수 없다. 특히 직접 실견實見하지 않고는 알 수 없는 비문에 대한 일부의 내용[30]과 입수한 와瓦에 새겨진 문자 등을 기술했다는 것이 이를 뒷받침하고 있다.

그러나 비문 입수자인 사코酒匂의 존재가 나타난 것은 1888년 10월 11일 궁내성에서 요코이 타다나오橫井忠直, 아오에 슈淸江秀, 가와다河田剛, 마루야마丸山作藥, 이노우에井上賴국) 등이 모인 가운데 사코酒匂를 직접 불러 쌍구본雙鉤本의 순번을 정정하는 과정에서 확인된다. 당시 비문을 가져온 자에 대하여 처음에는 사가와 대좌佐川大佐로 기록했다가 이를 다시 사코 대좌酒匂大佐로 정정한 것을 보면 사코酒匂에 대하여 요코이 타다나오橫井忠直만이 알고 이를 비밀에 붙여 오다가 순번의 정정과정에서 사코酒匂가 현장에 나타남으로서 실제의 인물이 밝혀진 것을 알 수 있다. 그러나 절대 함구령을 내렸음인지, 회여록이 출판되기에 앞서 1888년 11월에 나온 『여란사화如蘭社話』에서는 "마침 모가 그 비를 탁본하여 돌아 왔다"라고 하고 있으며, 이어 광개토왕비문을 최초로 공식적으로 소개한 요코이 타다나오橫井忠直의 「고구려비출토기」에서는 "일본인 모가 마침 이곳을 유람하다가 하나를 구하여

---

29 佐伯有淸, 『古代東アジア金石文論考』 平成7年 '第7 廣開土王碑文硏究余論', p.98.
30 신문기사에는 高句麗 東明王의 碑文으로 誤認하고 있다.

돌아왔다" 라고 하고 있다. 1891년 스가 마사토모菅政友는 "이는 명치17년 모씨가 청국에 가서……"라고 하고 있으며, 1893년 나카 미치요那珂通世는 「고구려고비고」 에서 "이 비가 세상에 나온 것은 메이지明治15, 16년경으로 동17년 황국인皇國人 모 씨가 청국의 비가 있는 지역에 도착해 탁본을 얻어 가지고 왔다" 라고 하고 있다.

그러나 제국박물관(도쿄국립박물관)소장 사코 쌍구본 원본이 요코이 타다나 오橫井忠直 등의 연구를 거쳐 1888년 12월 이전에 「영락대왕비문석접永樂大王碑 文石摺」 이라 제題하여 사코 가게노부酒匂景信의 이름으로 메이지왕明治王에게 헌 상獻上한 문서文書가 미야자키현宮崎縣종합박물관에 소장되어 있다. 이 문서에는 분명히 "육군포병대위 사코 가게노부陸軍砲兵大尉 酒匂景信"의 이름이 나타나 있 으나[31] 이것이 그간의 학자들의 기록에 나타나지 않은 것은 의도적으로 그 이 름을 비밀에 붙이고 있음을 알 수 있다.

1898년 미야케 요네키치三宅米吉는 「고려고비고高麗古碑考」 에서 "메이지明治17 년 육군포병대위 사코酒匂 씨가 그곳에 이르러 그 1본—本을 얻어 가지고 왔다" 라고 하면서 처음으로 관직과 이름을 거명하였으나 완전한 이름은 밝히지 않 았다. 미야케 요네키치三宅米吉는 이 기술에 대해 "이상 제국박물관소장「고려고 비본래유高麗古碑本來由」 및 아세아협회 인행印行『회여록會餘錄』 제5집에 근거했 다" 라고 하고 있으며, 사에키 아리키요佐伯有淸는 도쿄국립박물관소장의「고려 고비본래유高麗古碑本來由」에 대해 "출현出現을 기대期待"[32]한다고 하는 것으로 보 아 이것이 아직은 미공개로 보인다.

31 星野良作,『廣開土王碑 硏究の軌迹』, 平成3年, 吉川弘文館, pp.90-91.
32 佐伯有淸,『廣開土王碑と參謀本部』, 吉川弘文館, 1976. p.60.

그리고 사에키 아리키요佐伯有清의 조사에 따르면, 와세다대학도서관早稻田大學圖書館 에는 '메이지明治17년 갑신甲申 12월 요코이 타다나오橫井忠直 述'이라 말미에 기한 「고려고비고」와 「고구려고비문」 또 「고려고비본지래유」라 제한 기록이 함께 철해져 소장된 사본寫本이 있는데, 여기의 「고려고비본지래유」에 "이 고비본은 메이지明治17년 육군 포병대위 사코酒匂모가 지나 여행 중에 구구購求하여 돌아온 것임"이라고 기해 있다고 한다. 그런데 이것은 미야케 요네키치三宅米吉가 참고한 제국박물관소장「고려고비본래유」와 그 내용이 동일 한 것으로 보고 있어,[33] 제국박물관소장 「고려고비본래유」도 요코이橫井의 기록으로 추정된다. 미야케 요네키치三宅米吉는 당시 제국박물관 학예원이었던 점[34]을 고려하면 비장되었던 이 사본을 충분히 볼 수 있는 기회가 있었을 것으로 보인다. 따라서 미야케 요네키치三宅米吉는 요코이 타다나오橫井忠直가 공개하지 않고 있던 내용을 찾아내어 발설한 셈이다.

나카 미치요那珂通世는 1893년에 「고구려고비고高句麗古碑考」를 『사학잡지』에 발표한 이후, 『외교역사外交繹史』를 저술하면서 '권지4'에 또다시 「고구려고비고」를 실으면서,

고구려광개토왕비문의 석접원본石摺原本은 궁내성도서료의 소장으로 있으

---

33 佐伯有清은 三宅米吉이 參照했다는 帝國博物館 所藏 「高麗古碑本來由」에, "明治17년 陸軍砲兵大尉 酒匂氏가 이곳에 이르러...."라는 것과 早大本의 「高麗古碑本之來由」의 '來由'와 "이 古碑本은 明治17年 陸軍砲兵大尉 酒匂某가 支那 旅行 中에..."라는 것이 同一하며, 또 三宅이 酒匂大尉가 金 약간을 土人에게 주고 古塼瓦 10개를 얻었다는 기술도 동일한 점을 들어 同內容本이 確實하다고 한다(佐伯有清, 『廣開土王碑와 參謀本部』, 1976, 吉川弘文館, pp.64-65).
34 星野良作, 『廣開土王碑研究の軌迹』, 吉川弘文館, 平成3년, p.91.

며 그 등본謄本은 현재 제국박물관에 진열되어 있다. 그 사진석판寫眞石版으로 축사縮寫한 것은 아세아협회亞細亞協會의 잡지 회여록會餘錄 제5집明治22년 6월 3일 출판)에 재록載錄되었다. 메이지明治17년 육군포병대위 사고酒勾모가 유역游歷의 명을 받들어 조선 지나여행에, 압록강을 거슬러 올라가 비가 있는 곳에 닿아 접본摺本을 득하여 가지고 돌아왔다.[35]

라고, 『사학잡지』에 발표한 내용을 수정하고 있다. 이 내용은 미야케 요네키치三宅米吉의 발설 이후에 미야케 요네키치三宅米吉에 따른 것이거나, 미야케 요네키치三宅米吉의 발설을 근거로 추적하여 찾아낸 것으로 보인다.

한국에 광개토대왕비문이 처음 전해 온 것은 대한광무大韓光武9년(1905)으로 『황성신문』1905년 10월 30일자에 게재한 「고구려광개토대왕비명서기高句麗廣開土大王碑銘敍記」와 11월 1일~6일자에 「고구려광개토대왕비명 부주해高句麗廣開土大王碑銘 附註解」가 소개된 것인데, 이는 당시 도쿄에서 유학 중이던 박용희朴容喜이라는 사람이 입수하여 전해 온 것이다. 여기에서는 놀랍게도 "일본 보병대위 사고酒句 씨가 1본一本을 탑취撮取하여 왔다" 라고 하고 있다. 그 후『황성신문』1909년 1월6일자에 게재한 「독고구려영락대왕묘비담본讀高句麗永樂大王墓碑謄本」에, 일본세계잡지에 기재되어 있는 내용을 인용하여, "종내終乃에 일본 사가와佐川 씨가 발견이탑사지發見而榻寫之하고" 라고 하고 있다. 『대한매일신보』1909년 2월 26일지 「한국의 제일호걸대왕第一豪傑人王」 이라는 논설에는 "일인 시기와佐川 씨가 발견하고 청유淸儒 영희가 판독"이라 하였으며, 1909년 2월에 간행

35 那珂通世,『外交繹史』,『那珂通世遺書』, 1915, 故那珂通世博士功績紀念會, p.479.

한 『서북학회월보西北學會月報』에도 "일본 사가와佐川 소좌가 우연히 이곳을 지나다가 발견"이라고 한결같이 '사가와佐川'로 기록하고 있다.

미야케 요네키치三宅米吉의 발설 이후 완전한 이름이 공식적으로 거명된 것은 그로부터 한참 후인 1918년 일본 역사지리학회 제109회 예회에서 퇴역 육군중장 오시가미 모리소押上森藏가 호태왕비의 발견자는 사고 가게아키酒匂景明 씨라고 이름을 거론하였다.[36] 오시가미 모리소押上森藏는 육군사관학교 제2기생으로 사코의 1년 후배가 되고, 사코酒匂가 귀국한 1883년에는 육군참모본부 과료課僚이었기 때문에[37] 그 내용을 알고 있었을 것이며 이러한 발설은 무심코 그의 입에서 나왔을 가능성이 높다.

사코 가게노부酒匂景信의 이름이 밝혀지게 된 과정을 보면 처음에는 '일본인 모씨'로 완전히 은폐했다가, 그 다음에는 '사가와佐川'[38] → '사코우酒匂' → '사고酒匂' → '사코 가게아키酒匂景明' 등으로 전해지다가 1936년에 와서야 '사코 가게노부酒匂景信'임이 밝혀졌다. 그러나 이것도 1970년대에 와서야 학자들에 의해 정식 거명되었다.

이처럼 사코 가게노부酒匂景信의 이름을 비밀에 붙이거나 다른 가명假名으로 기록한 것은 여기에 공개할 수 없는 이유가 있었기 때문이다. 특히 비문의 유래와 제작에 대한 추구를 방지하기 위해서라고 볼 수밖에 없다.

---

36 『歷史地理』第32卷5號, 1918년 11월, 彙報 '本會109回例會', p.80.

37 李進熙, 『廣開土大王陵碑의 研究』.

38 金永萬은 「增補文獻備考本 廣開土大碑銘에 대하여」, 『新羅伽倻文化』 12에서, '佐川'의 음은 「sagwa」'酒匂'의 음은 「sakawa」이므로 音相似로 인하여 표기의 착오로 보인다고 한다.

1936년 5월 1일

경주 충효리 도굴고분 조사

1935년 2월 하순, 경주읍 충효리에 있는 1기의 고분이 어떤 자로부터 도굴을 당했다는 보고를 받고 3월 1일 경찰서원과 함께 현장을 시찰하고 당시 소견으로 고분은 횡혈식 석실을 가진 것으로 상정부 가까이에 구멍을 뚫어 도굴자가 침입한 흔적이 있다고 하고 내부는 전부 산란하였으며, 오직 현실 입구에 용문 조각을 한 석주가 있었다.

경주읍 충효리에 있는 1기의 고분은 1935년 2월 하순에 도굴된 고분으로, 사이토 타다시齋藤忠가 1936년 5월 1일부터 3일에 걸쳐 조사를 했다. 고분은 횡혈식 석실을 가진 것으로 상정부 가까이에 구멍을 뚫어 도굴자가 침입한 흔적이 있었으며 내부는 전부 산란하여 겨우 소철정을 발견하는데 그쳤으며, 오직 현실 입구에 용문조각을 한 석주가 있었다.[39]

용문조긱석주

39 齋藤忠,「慶州に於ける古墳の調査」,『昭和11年度古蹟調査報告書』, 朝鮮古蹟研究會, 1937.

1936년 5월 4일

개국사지 석등을 개성박물관으로 옮기다.

개국사지 석등

이 석등은 고유섭에 의해 개국사지 석등임
이 밝혀졌다.

4월에 경기도 개풍군 청교면 남교동의 한
사지로부터 인근에 거주하는 일본인 다카하
시 센지로高橋善次郎가 거대한 석등을 발견하
였다. 바로 개성박물관에 신고하여 박물관에
서 조사한 후 이건하기 위한 허가원을 총독
부에 제출하여 5월 4일에 개성박물관으로 옮
기게 되었다.[40]

이 석등은 고유섭에 의해 개국사지 석등임
이 밝혀졌다. 개국사는 935년(고려 태조 18)에 창건된 고려 10대 사찰의 하나
이나 조선시대에 폐사가 된 것으로 알려져 있다.

다음과 같은 관련 기사가 있다.

개성부외 청교면 덕암리 일대는 고려초 시대의 남계원이라는 대가람의 빈
터로 지금은 일본내지인의 이민촌이 되어 있는데 그곳에 사는 고교선차랑

---

40 『박물관진열품도감』 제16집.

高橋善次郎의 소유지 가운데 한 개의 석등이 고개만 내밀고 땅속에 쓰러져 있던 것을 개성박물관원이 실지 조사를 해본 결과 이것이 지금은 사라진 당대의 찬란한 예술을 엿볼 수 있는 석조물인 것을 알게 되어 곧 개성박물관으로 옮기어 영구히 보관하고자 총독부에 허가원을 제출하였다고 한다. 그런데 전기 석등은 장이 6척가량, 폭이 4척가량 되는 거대한 석등이라 한다(『동아일보』1936년 4월 14일자).

개성부외 남교동에서 7백년 된 석등 발굴,
박물관에 보관 계획

개성부에서는 약 30정 가량 떨어져 있는 풍덕군 청교면 덕암리 남교동 고교선차랑高橋善次郎 씨 소유 논 가운데에 파묻혀 있는 7백 년 전 석등을 발굴하여 개성박물관에 영구히 보관할 목적으로 10일 총독부에 허가원을 제출하였던바 이 석등은 충렬왕 9년 7월에 개수를 하였고 높이가 5척 8촌에 폭이 4척 가량되는 웅대한 석등으로 바침돌과 가운데 석주에는 연꽃을 화려하게 조각하였다 하며 석등이 매립되어 있는 곳은 남계원이라는 옛 절터라는데 개성은 왕궁이 있었던 역사 깊은 구도이니 만큼 외국에서 사신이 왕래할 때에 석등에 불을 켜서 절을 밝히고 서신 같은 것을 전달하였더 역원驛院이었다고 한다(사진은 발굴된 현장 광경)(『조선중앙일보』1936년 4월 13일자).

1936년 5월 11일

강원도 양양군 도천면 신흥사新興寺 부근 국유림에서 5월 10일부터 산불이 나서 신흥사 사유림에까지 미쳐 11일 신흥사 부속건물 내원암內院庵 1동이 전소되었다.

1936년 5월 22일

을지문덕묘산수보회 창립

5월 22일에 조만식曺晚植, 최윤옥崔允鈺, 금병연金炳淵, 금성업金性業의 발기로 을지문덕묘산수보회乙支文德墓山守保會가 기독교청년회관에서 창립되다.[41] 그간에 을지문덕의 묘소가 파괴되어 이를 새로이 수보하자는 뜻에서 을지문덕묘산수보회가 창립되었는데 『동아일보』 1935년 10월 3일자에는 다음과 같은 기사가 있다.

<전략> 그의 인도로 우리는 을지문덕의 묘를 찾아가는 것이다. 태평외리 뒤에 있는 밭을 지나니 송림이 나온다. 산도 가히 높지도 아니한데 길도 없는 곳으로 우리는 나뭇가지를 잡아가며 약 반시간을 올라갔다. 씨는 한 장군석을 가리키며 이것이 여기 넘어져 있던 것을 자기가 일으켜 세운 것이라고 한다. 거기서 십수 보를 더 올라가니 거기에는 상석床石이 놓여 있는 뚜렷한 안 기의 무덤이 있다. 돈씨는 그 뒤로 돌아가며 발로 통통 구르더니 "여기

---

41 『東亞日報』 1936년 5월 20일, 24일자.

가 을지공의 묘올시다" 하고 말한다. 우리는 놀라지 아니할 수 없었다. 민족을 멸망에서 구하여준 위인을 이와같이 대우하고 어찌 잘되어갈 리가 있겠는가? 이 땅은 지금 강서군 느차면 2리 현암산(혹은 현암)이다. 그 앞에 높이 솟아있는 산은 백양산이라 한다. 그런데 을지문덕의 묘는 표면으로는 볼 수 없게 되고 다만 뚜렷이 나타나게 된 것은 이 상석床石이 있는 묘이다.

이 묘는 이씨가의 묘로 상석에 나타난 기록에 의하면 신묘년에 무덤을 쓴 것으로 나타나 있다.[42]

즉 1871년에 이씨가에서 을지문덕의 묘가 욕심이 나 을지문덕의 묘를 파괴하고 이곳에 전주 이씨의 무덤을 쓴 것이다. 당시에도 을지문덕의 후손가에서는 대표 2명을 뽑아 평양에 있는 묘주 이씨에게 항의를 했으나 죽도록 얻어맞기만 했다고 한다. 이 같은 이야기는 1930년 11월에 간행한 『별건곤』에 게재한 이윤재의 「을지문덕묘 참배기」에 자세히 나타나 있다.[43]

42 『東亞日報』1935년 10월 1일자.
43 李允宰,「乙支文德墓 參拜記 」,『별건곤』제34호, 1930년 11월.
　　<전략> 여기까지 오기는 왓스나 묘가 어대인지를 알 수 없서 좀 방황할 판이다. 문득 이 왕에 들어두엇던 것이 기억된다. 乙支文德의 후손이 頓氏로 묘의 부근에 산다함이다. 이에 金君과 의론하고 頓氏부터 찾기로 하엿다. 그리하여 이름은 모르고 그저 『頓書房의 댁이 어대오』하고 한집 두집 물어가서 마침내 頓氏 한분을 맛낫다. 서로 명함를 교환하니 그는 頓宗珏氏! 내가 乙支公의 묘소에 참배하러 왓다는 뜻을 말한즉 그는 얼굴에 넘치는 듯한 깃븜으로 우리를 마지순다.　·面如舊로 이야기늘 시작히엿다.
　　『乙支公의 후손이 어찌하여 頓氏로 되엇습니까』
　　『네 그는 우리 木川頓氏의 族譜에 그럿케 된 내력이 잇슴니다』
　　『그러면 어느 때부터 乙支氏가 頓氏로 되엇나요』
　　『高麗 仁宗때인가 봄니다. 公의 10대손 乙支遂와 그 아우 達이 妙淸의 亂에 전공이 잇슴으로 頓氏伯을 *封하고 賜姓頓하엿는데 그 때부터 頓哥가 되엇슴니다』

『頓氏는 성을 다른 대서는 매우 보기 드문데 아마 이 동리에는 여러 댁이 사시겟지오?』

『이 동리에는 불과 다섯집 박게 업습니다. 모도 농사나 하고 지내고 형세가 매우 미천합니다』

『乙支公의 묘소가 여기서 멀리 잇습니까』

『멀지 안습니다. 저 玄巖山이야요. 가보서야 아무 것도 불 것이 업습니다』

『미안하지마는 묘소까지 좀 가티 가주시면 어떠합니까』

『네, 가고말고요』

하고 곳 일어서서 길인도를 하여 준다.

乙支文德의 묘가 잇는 玄巖山은 江西, 大同을 두고을을 접경한 江西郡苏次面二里에 속한 땅이다. 과히 놉지 아니한 나즈막한 산인데 東은 白楊山이 마주 보이고, 北은 太平洞을 사이하여 大寶山이 건너다 보이고, 西는 天津山이 가리워 잇고, 南은 二里란 동리가 잇다. 人跡不到인 것처럼 길이 업슴으로 콩밧골로, 松林사이로 헤매어 우에까지 올랏다. 아니나 다를가 乙支公바의 묘는 간 곳이 업고 바로 그 자리라는 곳에 웬 딴사람의 묘만 우뚝 솟아 잇다. 어허 참 숨이 막히어 말이 나오지 안는다. 그 床石에 刻字한 것을 보니 『全州李氏之墓』라 大字가 써 잇고, 그 아래에 『諱廷愚生于壬寅卒于辛未七月』이라 하엿스며 그 끗헤는 자손들의 이름을 버리어 적엇다. 나는 頓君을 돌아보며

『이건 어찌 이럿케 되엇소?』

하고 물으니 그는 한숨을 쉬며 『우리 先山을 우리가 잘 수호하지 못하여 이 꼴을 만들어 노앗스니 조상께 죄되는 것은 말할 수 업거니와 세상 사람압헤서도 부끄러워 얼굴을 들고 다닐 수 업습니다』

『이 일이 비단 당신네의 수치로만 알 것이 아니라 우리 전 조선 사람의 수치되는 바입니다. 대관절 이 묘를 여기 쓸 때에 웨 가마이들 게시엇든가요!』

『웨 가만이 잇섯겟습니까. 이 묘를 쓴 지는 산 40년 전인데 우리 宗中에서는 적극적 저항할 작정으로 대표 두사람을 뽑아 墓主 李氏가 잇는 平壤으로 보냇드립니다. 그러나 간 사람들은 죽도록 볼기만 엇어맛고 아무 효과도 업시 돌아오고 말앗스며 또 申訴할 수도 업시 지금까지 지내온 것임니다. 그 때 시대만해도 우리가티 세력업고 미천한 사람으로 양반이란 사람들에게 눌려지내는 것이 의례껀 일이니까요』

『여기에 무슨 憑考될 만한 유물이나 업습니까』

『내가 어렷슬 때에 여기 碑石도 잇고 將軍石도 여러 개가 잇섯다는 말을 들엇습니다. 지금은 다 업서지고 다만 將軍石 한 개만 남어 잇는데 그나마 땅 속에 깁히 뭇치어 잇고 머리만 조금 들어난 것을 往年에 郡守가 와서 보고 그것을 파내어 이 아래 空地에다가 세워 두엇습니다』

『이 산이 누구의 소유로 되어 잇습니까』

『여러 사람의 소유로 되엇습니다. 저것이 金氏의 산소, 저것이 玄氏의 산소, 저것이 張氏의 산소이니 각기 제 소유가 된 것입니다』

『古蹟調査會에서나 혹은 官府에서 알아보는 일은 업습니까』

1936년 5월 23일

조선보물고적 명승 천연기념물이 추가 지정되다. 보물은 제236호에서 제269호, 고적은 제57호에서 제64호, 천연기념물은 제27호에서 제29호까지 지정되다.[44]

1936년 5월 25일

조선고적연구회이사장 이마이다 기요노리(今井田淸德)가 도쿄박물관에 유물 기증

1936년 5월 25일자로 〈조선고적연구회이사장 이마이다 기요노리가 궁내대신 마츠히라松平에게 보낸 원서願書〉를 보면 조선고적연구회에서 해마다 수집한 유물 중에서 대표적인 것을 선택하여 제실박물관 진열품으로 헌납한 건이 보이고 있다. 그 유물은 낙랑, 신라, 백제 및 임나의 것이라고 하며 목록은 나타

『舊韓國 隆熙 3년에 純宗皇帝께서 北狩하실 때에 先烈들의 墳墓와 祠宇를 죄다 차즈섯는데 그 때 觀察使가 사람을 보내어 乙支公의 묘를 조사하엿스나 이럿케 된 것만 보고『模糊』라는 두자로 回報한 까닭에 결국 乙支公의 묘가 세상에 인정되지 못하고 말앗습니다. 그빅게는 占蹟調査會에서라든시 自府에서라든시 물오 모는 일노 업섯습니다』
이럿케 서로 이야기 할 때에 별안간 하늘로서 굵은 빗방울이 듯는다. 나는 이에서 잠간 머리를 숙여 침묵하엿다. 아아 당년 乙支公의 偉功을 생각하고 大高句麗의 雄圖를 생각하니 心緒가 자못 不平하여 진정하기 어려웟다. 나는 一掬의 눈물을 뿌리어 公의 任天의 英靈을 吊하고 천천히 걸음을 옴기엇다.
44 『朝鮮總督府官報』1936년 5월 23일사.

나 있지 않다.[45]

『제실박물관연보(昭和11年 1月~12月)』(1937)을 보면 한국 유물을 기증 받은 건은 보이지 않고, 역사부 제11구의 신수품에는 고분 출토물(유물 번호 4522~4655)과 와전(유물 번호 4656~4899)을 대량으로 구입한 것으로 나타나 있다. 이 속에는 낙랑, 신라, 백제, 가야 유물들이 포함된 것으로 보아 기증받은 것을 구입 처리 한 것이 아닌가 여겨진다.

1936년 5월

청주문묘 창고에 보장하여 둔 천금록天襟錄 외 수십 권의 귀중서가 도난당한 것이 발견되었다. 3년 동안 3명의 직원이 바뀌었으나 정식 인계가 없었으므로 분실된 시기는 알 수 없다.[46]

평양 대동군 율리면 판장리 소재의 고분을 수 명의 농민들이 도굴하여 거울鏡, 토기 기타의 유물들을 도굴하고 있는 것을 중화 방면에 훈련하려 갔던 평양 77연대의 장병들이 발견하고 도굴을 중지시킨 다음 평양박물관 고이즈니小泉

45 大韓民國政府, 『對日請求 韓國藝術品』, 「附錄」 편, 1960, pp.375~382.
46 『每日申報』 1936년 5월 7일자.

관장에게 보고하다.[47]

청주의 남석교南石橋를 시가지 확장으로 철거하다.[48]

1936년 6월 4일

경주 황오리서 유물 발견

6월 4일 경주읍 황오리 동해중부선 공사장 동방 지하 약 4척의 장소에서 청동제대세반靑銅製大洗盤 1개, 화로형용기 1개, 박산로 1개, 용기 1개, 철제용기 1개, 로 모두 조선시대의 것으로 경주박물관에 보관하다.[49]

1936년 6월 6일

6월 6일 오후 5시부터 7일 아침 사이에 황해도 안악군 안악면 연곡리 소재 고찰 연등사에 도둑이 침입하여 법당에 안치한 높이 1척2촌의 목제제석보살상을 훔쳐갔다.[50]

---

47 『每日申報』1936년 5월 13일자.
48 『東亞日報』1936년 5월 29일자.
49 『每日申報』1936년 6월 10일자.
50 『釜山日報』1936년 6월 10일자.

1936년 6월 14일

6월 14일 나주 일봉암日封庵에서 관음보살 1좌를 도난당하다.[51]

1936년 6월 17일

발견 유물(『매일신보』 1936년 7월 9일자)

고려시대 진귀한 유물 발견

황해도 평산군 신암면 월봉리 신의균은 지난 6월 17일 근처 자기소유의 논에서 일을 하다가 괭이 끝에 이상한 촉감을 감지하고 파들어 가 지하 3척되는 지점에서 고물을 발굴하여 남천경찰서에 이송 보관했다. 이 물건은 고려시대에 동리 월봉사에서 사용하였던 고물로서 종 3개, 동제금고 1개, 기타 유물인데, 종에는 '정우십일년 계미사월초삼일삼중문해조납월봉사貞祐十一年 癸未四月初

51 『東亞日報』 1936년 6월 25일자.

三日三重文解造納月峰寺'라는 명문이 새겨져 있다.[52]

이 유물들은 총독부박물관으로 옮겨져『박물관진열품도감』(1937)에 실려 있다.[53]

새로 발견된 고려종(『박물관진열품도감』 제9집)

1936년 6월 26일

《조선출토고도전관》

1937년 6월 26일부터 28일까지 일본의 청산고수정青山高樹町의 하루 우미春海라는 곳에서 《조선출토고도전관朝鮮出土古陶展觀》이라는 전람회가 열렸다. 이 경

---

52 『每日申報』 1936년 7월 9일자.
53 朝鮮總督府博物館,『博物館陳列品圖鑑』 제9집, 1937.

매회에는 조선의 계룡산, 당진, 장흥, 보성 등 각지에서 새로 출토된 분청사기, 고려자기 등이 진열되었다.[54]

1936년 6월

홍정구洪正求가 보성전문학교에 고서 1,550여 책과 유물 255점을 기증하다.[55]

서봉총금관을 비롯한 유물이 기생의 몸을 장식한 사건이 폭로되다.

평양박물관에서는 일반 민중들에게 고적에 대한 애호심을 배양하기 위해 1935년 9월 10일을 '고적애호일'로 정하고 강연과 좌담회를 열었다. 동시에 조선총독부박물관과 교섭하여 총독부박물관에 보관 중인 서봉총 출토 유물 일체를 빌려와 1주일간 특별진열하고 전람회를 개최하였다. 평양부내의 각 학교의 교직원과 학생 그리고 유지들이 관람을 하였다. 관람회가 끝난 후 빌려온 유물들은 총독부박물관으로 돌려주어 별문제가 없었다.

---

54 美術硏究所,『日本美術年鑑』, 岩波書店, 1937년 11월.
55 『東亞日報』1936년 6월 23일자.

그런데 다음해 1936년 6월에 와서 문제가 터졌다. 평양의 기성권번箕城券番에 소속한 차릉파車綾波라는 기생이 금관을 쓰고 요대, 귀걸이, 팔찌 등 총독부박물관에서 빌려온 서봉총 출토 유물을 착용하고 찍은 사진이 시중에 나돌고 있었던 것이다. 이것이 문제가 되어 점차 파문이 커졌으며 당시의 사진은 『부산일보』 1936년 6월 29일자와 『조선일보』 1936

평양박물관 서봉총 유물 전시 상태
(『매일신보』 1935년 9월 12일자 기사)

년 6월 23일자에 게재되었다. 문제의 사진은 평양부립박물관 측에서 촬영한 것으로, 부산일보 기사에는 전람회가 끝난 후 총독부박물관으로 반환하기 바로 전날 기생 차릉파에게 금관, 요대, 이식 등 전부를 착용케 하고 찍었다고 한다.

『부산일보』 6월 29일자 기사는 다음과 같다.

금관의 파문波紋, 박물관의 실태?

(평양전화) 「신라의 금관」을 쓴 평양 기성권번의 명기 차릉파의 사진이 시중 여기저기에서 보여, 동 사진은 평양부립박물관에서 촬영한 것으로 박물관 당국이 이 국보 금관을 기생에게 쓰게 해 사진촬영을 한 일이 문제가 되어 점차 큰 파문이 일고 있다.

문제의 사진을 촬영한 것은 작년 9월 10일 전국 일제로 제1회 고적애호일

『부산일보』 1936년 6월 29일자

을 거행하는 것에 있어서 평양박물관에서는 경성박물관에 교섭 결과 경성에 있는 2개의 금관 중 빼어난 경주 노서리 소재 서봉총 출토의 금관 대부를 받아 특별전시를 하여, 부내 각 학교 직원, 학생을 비롯한 지식인들을 초대하여 엄중한 감시하에 관람시킨 것

으로 이것을 경성에 반환하기 전날에 촬영한 것이라고 일컬어지고 있는 이 사진은 금관뿐만 아니라 부속된 순금의 띠, 목걸이, 귀걸이 등 전부를 걸치고 있는 것으로 그 총 중량은 2관 800문 정도나 되는 황금과 보석은 눈을 휘둥그레하게 하고 경주박물관에 국보로서 움직일 수 없는 「신라의 금관」에 뒤이은 우수 귀중한 금관으로, 고이즈미 평양박물관장이 일찍이 본부의 촉탁으로 경주고분 발굴 때도 1926년 9월 내방한 황태자 구스타프 아돌프 전하도 고이즈미 씨 등과 하루 발굴을 함께 한 것으로 전하에 관련한 서전의 서瑞와 봉황의 봉鳳을 따서 서봉총이라 명명한 고분에서 발굴한 것이다. 이 사진촬영이 비난받아 마땅한가 그렇지 않은가 와는 별도로 하고 아무튼 평양의 지식인 간에 빈번하게 논란이 되어져 문제는 점차 표면화 되려 하고 있다.

『부산일보』기사에는 특별전시가 끝나고 총독부박물관으로 돌려주기 바로 전날 사진을 촬영한 것이라고 한다. 그런데 이에 반해『조선일보』기사에 의하면 금관을 빌려와 평양박물관 진열실에 진열하기 4,5일 전인 9월 5,6일경에 고이즈미 아키오小泉顯夫가 도쿄에서 온 친구를 초대하여 요정에서 기생들과 술잔치를 벌리었다. 그 자리에서 고이즈미는 자신이 책에 넣을 사진 자료로 서봉총 유물을 여자의 몸에 착용케 하여 사진을 촬영하겠다는 의사를 말하고 그 술자리에 초대된 기생 차릉파를 선택하였다. 사진촬영은 술자리가 있었던 다음날 즉 유물이 일반에게 공개되기 전인 9월 6, 7일경으로 기생 차릉파를 박물관으로 불러 박물관에서 촬영한 것으로 기술하고 있다.

당시 고이즈미는 사진을 촬영한 후 그 자리에 있었던 사람들에게 일체 발설하지 말 것을 당부하였다고 한다. 그러나 비밀은 지켜지기 어려워 이 이야기가 조금씩 퍼져나가 사진까지 시중에 돌게 되었딘 것이다. 고귀한 금관이 어찌 일개 기생의 머리 위에 올려놓게 되었느냐고 분노하는 사람들이 불러나게 되었다.『조선일보』1936년 6월 23일자에서 밝히고 있는 그 경로는 다음과 같다.

작년 가을 9월 10일부터 약 1주일간을 두고 개최되었던 고적애호일에 평양박물관에서 특청을 하여 고적이 많은 평양의 인사에게 그것을 소개하여 고적에 대한 인식을 깊이 하려고 하였딘 깃이다.
그린데 바로 평양박물긘상으로 있는 고이스미 씨는 총독부박물관의 촉탁으로 있는 고고학자로 대정15년 전기 서봉총의 발굴을 담당하였던 사람이라 서봉총의 금관에 대해서는 남다른 인연도 있어 금관을 평양에까지 빌려가게 되었는데 더 편의가 앞섰던 모양이다. 그리하여 그 때 고이즈미 씨가 상경하여 자신이 순시 하나를 대동하고 가져다가 평양박물관에 진열케 되었던 것인데 진열하기 4, 5일전인 9월 5, 6일경 평양시내 모 일본 내지인 요정에 전기 고이즈미 씨가 동경서 왔다는 자기 친구를 소개한 연회가 열리었다. 그 자리에 4,5명의 기생을 불렀을 때 그 자리에서 고이즈미 씨가 "내가 발굴하였던 금관을 이번 평양에 가져온 기회에 여자에게 씌우고 사진을 박아서 후에 발행할 책에 넣을 터인데 합당한 여자가 없어 기생 중에서 한 사람을 택하려 한다"고 하고 그 적당한 여자로 지명된 것이 그 주석에 불리어 왔던 평양의 미인 기생으로 이름 있는 차릉파이었다. 기생 차릉파는 배운데 없이 길어난 여자이라 그 옛날의 고귀한 임금의 순금왕관을 쓴다는 호기심이 없지 않았고 그 자리에 앉았던 다른 기생들도 왕관을 쓰게 되는 차릉파의 그 순간이 몹시 부러워 웃는 말의 차닥거리도 많았던 모양이다.

그 밤이 밝은 날 약속하였던 오전 10시경 차릉차는 자동차로 을밀대 밑 박물관에 달려갔다. 박물관에서는 고이즈미 관장 이하 관원 4,5명에 수위 간수 등 십수 명이 모여 30분 이상을 걸리어 요대와 패물을 허리에 느리고 목에 걸고 최후의 왕관까지 머리 위에 올려놓은 후 동 박물관 연구실 내에서 기성도箕城圖를 배경으로 박물관에 비치하였던 사진기로 고이즈미 씨 자신이 셔터를 눌러 천수백년 전 가신 임금의 금관을 일개 천비, 기생의 머리 위에 올랐던 그 자취를 다시 천세에 남기는 운명을 지게 된 것이다. 그 때 그 자리에 모인 인간들은 기생더러 "왕후 공주가 되었으니 지금 죽어도 한이 없겠습니다" 느니, "옛 사람의 것을 쓰고 사진을 백이면 불길하다" 느니 웃음의 노래도 많았다고 한다.

그리고 그 자리의 고이즈미 씨는 "이 왕관은 경주 어떤 기생집 부근에서 발굴되었었는데 지금도 기생이 쓰고 사진을 백이게 되니 왕관과 기생과는 어떤 인연이 있나보다"고 말한 바도 있었다고 한다. 그러고 나서 얼마 후 고이즈미 씨는 기생에게 "세상의 오해가 있을 듯하니 그 사진을 백었다는 말은 하지말라"고 부탁도 했던 모양이나 그 만큼 사진을 백이기까지 주석에서 떠들었고 또 박물관에서 떠들었던 만큼 소문은 새어나고 마침내는 감추었다는 사진조차 항간에 나와 이야기꺼리가 된 것이다.

이 같은 기사가 나가고 한국인의 분노가 일자 고이즈미는 기생의 몸에 서봉총의 금관을 비롯한 유물로 치장을 하고 사진을 촬영한 이유에 대해, 다른 뜻이 없고 단순히 연구 자료로 쓰려고 했다고 한다. 그 이유는 고이즈미 자신이 그 고분을 발굴했던 관계상 "상세한 보고서를 제출하여야 할 책임이 있는데 유

『조선일보』, 1936년 6월 23일자

품을 그것만 사진 백이는 것보다는 사람에게 실물을 씌어놓고 백이는 것이 더 효과가 있을 것이라고 생각하기 때문이다"라고 했다. 하필 기생을 택한 이유에 대해서는 "보통 평양 여자들은 긴 치마를 입지 않기 때문에 기생을 택했던 것"이라고 했다. 마지막으로 그는 사진은 박물관에서 촬영했고 외부에는 나갈리가 없는데 외부에 나갔다면 가짜일 것이라고 변명을 했다.

고이즈미가 연구를 목적으로 그 같은 행위를 했다는 점에 대해 조선일보는 다음과 같이 비난하고 있다.

1. 먼저 고고학상 귀중품이라는 점으로 보아 보통 시에 진열도 잘 안하는 만대에 남길 것을 그처럼 손을 대어 사람에게 입혀가지고 사진을 백이도록까지 할 수 있을까. 물론 고이즈미 씨는 고고학자이라 이런 점은 보통 이상으로 신중할 것이라고는 생각할 수 있으나 그처럼 사람의 몸에 걸치어 사진을 박이도록까지 손으로 주물러대는 것이 온당할까.

1. 또 고이즈미 씨는 연구의 목적으로 그러했다한다. 학자 연구라는 말에는 경의를 표할 수 있으나 그럴듯해 보이지 않는다. 물론 금관과 부속품의 실물이 얼마나 크다는 점을 밝히기 위해 사람에게 걸치게 하고 관을 머리에 씌운 다는 것도 있음직하나 거기까지 필요할까. 또 그럴 필요가 있다면 택한다는 인물이 하필 기생이요. 기생을 택하는데 주석에서 그렇게 택할 것이냐 도대체 기생을 택한다는 것이 도저히 수긍할 수 없는 일이다.

1. 그리고 신라에는 여왕으로는 선덕여왕, 진덕, 진성의 세 분 뿐이고 또 그 같은 찬란한 금관은 신라 통일 훨씬 후 고구려의 문화를 수입 후의 것이었으리라는 점에서 전기 금관은 결코 여왕의 것이 아니었으리라는 것은

반드시 고고학자의 증언을 빌지 않아도 알 수 있는 것이니 그 금관을 함부로 여자를 택해서 씌우되 기생을 택한 것이냐

이런 점에서 볼 때 고이즈미 씨가 연구 자료로 그 같은 사진을 백이었다는 점은 학자적 태도로 결코 온당하였다고 볼 수 없는 일이므로 물론 적어도 그 같은 세계적인 가치를 자랑하는 귀중품으로 년대조차 불분명은 하다하되 왕관으로 지칭되는 그 유품을 그렇게 취급하는 것은 어디까지나 불근신하다는 비난을 피할 수 없을 것이다.[56]

금관을 쓴 기생의 사진이 나돈다는 소문이 돌자 총독부로서도 난감한 일이었다. 총독부 학무국 사회과장 김대우는 "그런 귀중한 보물을 기생의 머리에다 씌우고 사진을 백였다네요. 그 사진이 어디 있소? 그런 귀중한 것은 손으로 만진다는 것도 함부로 못하는 것인데 경경히 사람에게 씌우고 사진까지 박았는데 기생에게 씌웠다는 것은 온당하다고 볼 수 없는 일이요. 그리고 작년 9월에 평양박물관에 빌려갔었다는 금관은 진품이 아니고 현재 총독부박물관에 진열해 둔 모조품이 아닌가 생각되는데 진품은 진열도 잘 안하는 것이요 설사 그것이 모조품이라 해도 그렇게 경경히 취급할 수 없는 것이요. 당시의 서류와 사진을 백였다는 것은 조사하여 만일 그렇다면 충분히 주의시킬 터이요" 하며 퍼져가는 파문을 가라앉히려 했다.

고이즈미는 빌려갈 때는 그가 직접 수위 한 명을 대동하고 가져가시는 돌려줄 때는 평양박물관 관원만을 보내는 무성의마저 보였다.

---

56 『朝鮮日報』 1936년 6월 23일자.

고이즈미가 서봉총 출토 유물을 싸가지고 기성권번으로 가서 당시 이름난 기생 차릉파의 몸을 서봉총 출토 유물로 치장케 하여 술을 따르게 하고 질펀하게 논 것인지, 아니면 술자리 다음날 박물관으로 차릉파를 불러 치장하게 하고 촬영을 했는지는 명확하지 않다. 그러나 이러한 행위를 은밀히 행했다는 것은 한국인의 분노를 사기에 넘칠 뿐만 아니라 피지배국의 고대유물에 대해 그들이 얼마나 가볍게 여기는 지를 잘 보여주는 단면이라 할 수 있다.

문제의 정도로 보아 평양박물관장 고이즈미는 비난받아 마땅할 뿐 아니라 당연히 파면되어야 할 것이다. 하지만 고이즈미는 시말서까지는 썼는지 모르지만 관장직을 그대로 해방 때까지 유지하였다.

해방이 되자 그는 바로 떠나지 못하고 1년간 박물관에 남아 신 박물관장 황오黃澳의 박물관 운영을 도우다가 1946년 8월 13일 미발표 조사 자료를 몽땅 들고 평양을 탈출하여 38선을 넘어 의정부-서울-부산으로 하여 일본으로 떠났다.

최남주에 의하면, "고이즈미는 평양박물관장으로 발령이 나자 이에 불만을 품고 보고서(서봉총 발굴보고서)도 작성하지 않았다"고 한다. 그래서 서봉총에 대한 구체적인 발굴보고서는 끝내 발표되지 않았다. 고이즈미가 차릉파의 사진과 관련하여 '책자 운운' 하는 것은 서봉총 발굴 직후 작성하지 못한 보고서를 만들려고 했는지는 의문이다. 해방 후 고이즈미는 서봉총 관계 자료를 비롯한 미발표 자료를 몽땅 싸가지고 일본으로 돌아간 후 하나도 내놓지 않았으니 아직도 서봉총은 많은 것이 미상이다.

1936년 7월 4일

지리산 쌍계사가 지진으로 피해를 입다.

경남 하동군 화개면 지리산을 중심으로 7월 4일 오전 6시경에 약 30초간 지진이 일어나 그 부근 일대의 가옥, 담장, 교량 등 10여 처가 파괴되고, 그 중심지대인 쌍계사雙磎寺 내의 대웅전, 팔상전, 육조정상탑전 기타 불전 등 50여 개소가 전복된 것은 없으나 건물이 틀어지고 기와가 깨어지고 벽이 탈락되고 주초가 물러앉았다. 특히 진감선사대공탑비眞鑑禪師大空塔碑는 이번 지진으로 많은 파선이 생기고 수개의 파편을 떨어져 나갔으며 도괴될 위험에 처했다.[57] 『동아일보』 1936년 7월 11일자에는 다음과 같은 기사가 있다.

남조선 지진! 쌍계사 석탑이 도괴, 대웅전 등 대소 건물도 붕괴
지난 4일 오전 6시 2분 남조선 지방을 엄습한 희유의 지진 피해에 대하여 그 후 조사 중이던 바 10일에 이르러 진원지의 중심이라고 보이는 경남 하동군 화개면

피해 전의 쌍계사 진감선사내공탑비
(『부산일보』 1926년 10월 31일자)

---

57 『每日申報』 1936년 7월 10일자.

고창 쌍계사의 국보 진감선사의 대공탑이 뒤가 부러져서 무너졌고 대웅전 기타의 대소 건물 다수가 도괴 또는 반괴되어 경내 일판이 참담한 큰 피해를 입은 것이 판명되었다는데 총독부에서는 근간 조사원을 파견하여 자세히 조사할 터이라 한다.

1936년 7월 6일

남의 산소에 세운 석물을 절취한 범인 검거

7월 6일 양주경찰서에서는 고물 절도범 4명을 체포했는데, 이들 4명은 양주군에 거주하는 자들로 6월 8일에 양주군 주내면 산북리의 윤 모의 선대 산소 앞에 있는 석등을 절취하여 경성 남대문통 모 고물상점에 매각하였다.[58]

1936년 7월

대동군 대동강면 석암리 박모 외 4명은 석암리 제271호 고분을 6월 19일 오전 10시부터 이튿날 오전 2시까지 파들어 갔으나 목적을 달성하지 못하고 평양 경찰서원에게 검거되었다. 『매일신보』 1936년 7월 8일자에는 다음과 같은 기사가 있다.

---

58 『每日申報』 1936년 7월 8일자.

귀금속에 눈 어두워 낙랑시대 고분 도굴

5명 일당이 대동군 석암리 제271호 도굴

대동군 대동강면 석암리 박동하는 동리에 사는 박상만, 박춘삼, 박춘단, 김병걸 등과 석암리 136번지 제271호 고분을 비밀리 발굴하여 귀금속 등을 정취하기로 공모하고 지난 음력 5월 1일 오전 10시 고분을 발굴하기 시작하여 이튿날 오전 2시까지 4,5척 깊이가 되도록 파들어 갔으나 목적하던 보물을 발굴할 수 없으므로 팠던 자리를 다시 메우고 시침을 떼고 있다가 경찰의 탐문한바 되어 모두 평양서에 검거되었는데 근래에 평양부근의 귀중한 낙랑시대나 고구려시대의 고적이 이러한 우매한 사람들의 도굴로 인멸泯滅되는 일이 적지 아니하므로 특히 엄벌하리라 하며 범인들은 여죄가 있을 것이라 하며 엄중 취조 중이다.

진귀한 석기와 불상. 평양박물관서 입수

평양박물관에서는 우연히 골동상을 통하여 고대의 석기시대 유물과 고구려 불상 하나를 입수하였다.

40여 종의 석기는 성천군 성천면 석전리에서 발견된 것이라 전할 뿐이다. 고구려불상은 금동제불상 두부로 안주군 안주면 신안주 부근에서 출토된 깃이라는데 종래 고구려불상은 한천면 폐사에서 발굴된 니불, 석불 등은 있으나 금동

제는 이번에 발견된 것과 합쳐 불과 3,4체 뿐이다.[59]

안동별궁 철거

안동별궁安洞別宮은 고종 18년(1881)에 지은 별궁으로서 그 소재지가 북부 안국방安國坊의 소안동小安洞이었음으로 하여 안동별궁으로 호칭하게 된 것으로 지금의 안국동 풍문여고 경내에 있었다.

1910년에 경복궁을 대대적으로 훼철하면서 경복궁 내의 원랑에 있던 궁인들을 안동별궁으로 옮기게 하여,[60] 이후 주로 궁녀들이 이곳에서 생활했다. 1936년 7월에 와서는 이를 훼철하게 된다. 훼철에 앞서 이곳에 있던 궁인들을 퇴출시키게 되는데『동아일보』1936년 6월 3일자에는 다음과 같은 기사가 있다.

안동별궁도 헐려 별궁 일부엔 주택이 들어설 모양
유서 깊은 안국정 별궁에서 변화 많은 한 세월을 덧없이 보내는 50여 명의 나인 중에서 나이 많은 여관女官 24명이 도퇴가 되기로 되었다. 그 밖의 현직 여관 26명은 별궁안 일부에 가옥을 신축하고 그대로 머물기로 할 터이라는데 이번 도퇴된 여관들은 금월 내로 도구를 챙겨 각각 방향도 없이 헤어지리라 한다.
그 같은 여관의 정리는 이왕직 재정사정도 없지 아니하였으나 그보다도

---

59 『每日申報』 1936년 7월 7일자.
60 『皇城新聞』 1910년 5월 3일자.

안동별궁의 대부분을 방매하는 동시에 그를 기회로 여관들의 정원을 줄이어 그의 생활비를 지출 절약하고자 하기 때문이라 한다.

그러니 오랫동안 별궁을 지켜오던 금번 도퇴된 여관은 별안간에 실직을 당하기 때문에 살 길은 막연하다고 한다.

궁인들을 내보내고 곧바로 기지와 건물을 입찰에 붙이게 된다. 당시 신문에는 다음과 같은 기사가 있다.

안동별궁 일부는 헐려 점포와 학교기지로,
2일에 이왕직에서 입찰을 해
유서 깊은 안국정 별궁은 기보한 바와 같이 큰 길 가의 일부를 점포기지로 그 다음을 새로 설립될 휘문보통학교의 기지로 각각 매각케 된다.
점포기지로 매각될 부분 700여 평은 일반 경쟁 입찰에 부치게 되어 오는 2일 오후 1시에 이왕직 회계과에서 입찰하리라는 것이다. 그리고 그 뒤를 이어

헐리게 되는 안동별궁(『동아일보』 1936년 7월 1일자)

학교기지도 분할 매각케 됨으로 불원간 별궁의 기지는 헐리게 되리라 한다. 원래 별궁은 순명황후純明皇后가 입내入內하실 때에 예식을 거행하던 곳으로 이제 헐리는 별궁은 장안 사람들의 감구지화를 일으키고 있다(『동아일보』 1936년 7월 1일자).

안국정의 '안동별궁' 15만원에 낙찰
최창학 씨에게 낙찰되어 대창흥업사옥을 신축
오랜 역사가 있고 유서가 깊은 안동별궁이 팔린다는 소문이 한 번 세상에 전해지자 이것을 싸고돌던 토지 '브러커'들의 암약暗躍이 자못 번거롭더니 최근에 이르러 여러 가지 소문을 걷어차고 이 별궁은 금광왕이라는 최창학 씨에게로 낙찰되었다.
즉 전부 4천7백여 평의 기지 중 4천여 평은 벌써 휘문의숙의 신재단으로 되 동 부속보통학교 기지로 결정되었고 나머지 768평에 대하여는 지난 2일 입찰하기로 되었던바 마침내 15만 2천9백1원50전으로 낙찰되었다고 한다. 즉 매매 평균 200원 가량으로 전기와 같이 최창학 씨에게 낙찰된 것이며 최창학 씨는 동씨가 경영하는 대창흥업회사의 건물을 이 기지에 다시 세우리라 한다(『조선중앙일보』 1936년 7월 12일자).

결국 안동별궁은 3분하여 흩어지게 되는데, 잡지 『삼천리』에 실린 「장안 갑부 추수 조사」라는 제하의 글에는 다음과 같이 기술하고 있다.

안동별궁安洞別宮은 어찌 되나

이왕직, 최창학, 민대식에 삼분三分되어

옛날의 그때에는 「대소인원개하마大小人員皆下馬」라는 존엄과 숭경崇敬받고 있던 관궐의 하나로 안동별궁이라면 왕자 기타 왕족 중에서도 종실종친의 화촉의 성전을 베풀고 만수의 약約을 맺든 기쁨의 전각경축殿閣慶祝의 각우閣宇로서 순종께서의 화촉성전華觸盛典을 최후로 이후 문을 다처 소슬한 바람 속에서 춘우추풍春雨秋風 수십 성상星霜을 지나오더니 최근에 와서는 내인(궁중시녀)의 우거偶居로 되어 있더니 그것마저 시운時運의 소치所致로 시정인市井人의 손으로 팔려 넘어가게 되어 이미 그 매신賣身의 경우와 자태를 들어내고 있어 무심한 행객行客으로 하여금 다시 두 번 돌아보게 한다.

정화당正和堂, 경연당慶衍堂, 현광루顯光樓의 주란화각朱欄華閣은 옛날의 자최를 남김이 없이 토공土工의 손에 모다 헐려가 버렸는데 이제 그러면 이 별궁을 헐어 내인 그 터基址에는 무엇이 들어앉는가?

금광왕으로 그 이름이 경향에 나붓기는 천만장자 최창학崔昌學 씨가 도로 정면 수백 평을 매수하야써 수만 원의 공비로 금광회사 건물을 신축하는 일방一方 「삘딍」을 건축한다 하며 그 배후에 일부 수천 평은 민대식閔大植씨 모당母堂이 던진 33민원으고 기급을 심느 보동헉교가 진축되리라 하니 또 그 후민 수백 평민은 의연 이왕직 소유관으로 궁내에 거집하던 내인의 주택을 새로 건축하여 빌궁은 이세 그 몸이 삼분늬어 구일舊日의 위치를 차저 볼 길이 없게 되었다 한다. 아무튼 얼마 후에는 거기 큰 건물이 임립林立할 것이다.[61]

61 「三千里機密室, 長安甲富 秋收 調査」, 『삼천리』 제8권 제12호, 1936년 12월.

안동별궁의 딸림 건물로 확인된 경기도 원당 한양 골프장 구내의 현광루와 경연당(자료 : 문화재청)

안동별궁이 삼분되면서 1937년에 4월에 개교한 휘문보통학교에서는 옛 건물을 한 동안 그대로 사용 한 것으로 보이는데,[62] 그 이후 안동별궁의 건물의 행방에 대한 경로는 명확하지 않다.

2006년 2월 8일 문화재청의 현지 조사에서 밝힌 내용을 보면, 경기도 고양시 소재 모 골프장 내 건물은 안동별궁의 현광루 및 경연당과 건물형태나 배치, 규모 등이 동일한 것으로 나타났다. 또한 서울 우이동 소재 건물은 규모와 형태 등을 볼 때, 안동별궁의 정화당으로 알려진 건물과 같은 것이나 본래의 모

---

62 신설되는 휘문보교 신학기부터 개교, 32만원 재단도 확립되어 舊安洞別宮跡에서
얼마 전부터 휘문의 큰 재단이 생기어 휘문보통학교가 탄생하게 되었다 함은 이미 보도한 바이어니와 <중략> 금년 4월부터 개교를 하고자 만반의 준비를 갖추고 안국정 별궁터를 이미 기지로 매수하였으므로 금춘은 우선 옛 건물을 그대로 사용하고 2학급을 수용하기로 되었다는바 남녀 학동을 한 학급에 70명씩 될터이라는 바 교장은 방금 물색 중에 있으나 전하는 바에 의하면 貞洞公普 교장 홍범식씨 설이 가장 유력하고 재단은 지난 번 32만원의 기부가 있었으므로 그것으로 재단법인을 만들게 될 터이라고 한다 (『每日申報』 1937년 1월 3일자).

습을 많이 잃어버린 것으로 조사되었다. 한편 안동별궁 터로 알려진 풍문여고에도 부속건물로 보이는 한옥 건물 1동이 남아 있는 것을 확인하였으나, 이 역시 내부구조가 많이 변형되어 있었다.[63]

구례 화엄사 석경 조사

전남 구례 화엄사 각황전은 몹시 황폐화 되어 1927년에 기둥이 내려앉아서 건물이 기울고 지붕이 파손되어 비가 새는 상태까지 왔었다. 당시 임시 조치는 취했으나 1933년에 대폭우로 인하여 전복될 위험이 생기게 되었다. 1934년 5월에 화엄사 주지 정병헌, 감무 김영렬이 화엄사 각황전을 수리하기 위하여 조선총독부 사회과에 진정서를 제출하고 각 방으로 중수운동을 벌려 1936년에 해체수리를 하게 되었다.[64] 『매일신보』 1936년 4월 10일자에는 다음과 같은 기사가 있다.

거찰 화엄사 신장新粧, 역사깊은 각황전 개축, 공사비 15만원 계상
지리산 화엄사는 조선 31본산이며 전선 유일의 화엄경의 본원으로서 이 화엄경문을 석면에 조각하여 벅으로 한 각황전은 3백어 년이라는 장구한 풍우한실로 붕파崩破의 위경危境에 있으므로 주지 징농헌 씨는 군민들과 협력하여 삭년에 본부에 신성하엿던비 1936년노부터 5개년사업으로 공비

---

63 문화재청 새소식란, 2006년 2월 8일자.
64 『동아일보』, 1934년 5월 20일자; 1934년 7월 13일자.

화엄사 각황전

15만원으로 개축하기로 결정되어 목하 동경제대 교수 등도 藤島 공학박사를 위시하여 본부 소천小川 기수를 초빙한 후 현장을 시찰하고 가급적 현상 그대로 개축하여 영구히 조선의 고건물로 이를 지정하기로 한바 지방민으로서도 물심

양면으로 성원과 관심이 다대할 것이라 한다.

해체수리의 총감독에는 후지시마藤島亥治郎가 임명되어 지휘를 하였다. 건물을 해체한 후지시마는 "건물의 하층을 해체하고 마루 널을 벗겨 냈더니 기단 위에 화강암 돌이 아름다운 원형으로 다듬은 훌륭한 신라 창건시의 초석이 죽 있는 데는 한편 놀랍고 기뻤다. 초석은 부분적으로 검게 그을른 자리가 있어서 필시 임진왜란 때 탄 상처로 생각되었다. <중략> 뒷벽이나 좌우 벽을 가득 채운 화엄경석은 그야말로 작은 파편으로 산재해 있었다."[65]고 한다.

이 같은 화엄사 석경을 가야모토 가메지로榧本龜次郎가 정리를 했는데 가야모토는 1936년 7월 18일 경성을 출발, 이튿날 전남 구례군 마산면 화엄사에 이르렀다. 이래 7월 31일까지 화엄사 화엄경석 잔결 정리에 종사하고 8월 1일 귀임했다.

1936년 8월 3일자로 복명한 내용을 보면 가야모토가 정리한 것은 경석 수

---

65 藤島亥治郎, 『韓의 建築文化』, 1986, pp.306-307.

14,204개로, 한경석잔결漢經石殘缺 14,140개, 범경석梵經石 잔결 31개, 조문석彫文石 잔결 33개로 나타나 있다.[66]

1936년도 조사계획 수립

1936년도에는 일본학술진흥회에서 다시 3년 간 조선고적조사에 대해 매년 8천원의 보조금과 궁내성에서의 보조금을 더하여 사업계획을 새롭게 하기에 이른다. 이 계획은 일본학술진흥회의 방침에 따라 후지타 료사쿠, 하라다 요시토, 우메하라 스에지, 오바 쓰네키치 등이 중심이 되어 조사계획을 수립하고 1937년 7월에 준비에 착수하여 9월에 실시되었는데 그 계획은 크게 세 가지에 역점을 두었다.

1. 고구려시대 유적의 발굴조사
2. 고구려시대 유적의 지리적 조사
3. 백제시대 고분의 발굴조사

이상의 세 가지 역점사업에서 제1의 조사는 오바 쓰네키치의 지휘 아래 고구려시대 고분의 구조 양식의 연구와 벽화 발견에 그 목표를 두었다. 따라서 이 계획은 벽화고분의 소재지로 알려져 있는 평안남도 대동군 임원면 및 시족면을 조시지역으로 선정하여 1937년 9월 10일에 직업을 개시하여 11월 1일까지

---

66 「전라남도 구례 華嚴寺 覺皇殿 華嚴經石 조사 복명서」, 『조선충독부박물관 공문서』, 목록번호 : 96-431.

21기의 고분을 조사하는 것으로 계획이 수립되었다.

제2의 조사는 후지타 료사쿠가 담당하여 고구려 유적의 분포 상태를 조사하여 고대 읍, 부락, 성지, 고분, 사지 등의 관계를 밝히는데 역점을 두었다.

제3의 조사는 우메하라 스에지가 담당하여 실시하는 것으로 계획하였다.[67]

「매일신보」 1936년 9월 1일자 기사

1936년 8월 27일

8월 27일 밤의 폭풍우로 지리산 화엄사의 사리탑 앞의 축대가 무너지고 사리탑까지 도괴의 위험상태에 이르렀다.

1936년 9월 10일

고구려 고분 조사

1936년도에는 고구려고분의 구조 양식연구와 벽화발견을 목표로 종래 벽화고분 소재지로 알려진 평양 동북에 해당하는 대동군 임원면 내지 시족면을 조사구역으로 선정하고 작업은 오바 쓰네키치小場恒吉와 조수 아리미츠 교이치有光敎一, 사

---

67 『日本美術年鑑』, 岩波書店, 1937, p.181.

와 순이치澤俊—[68]에 의해 9월 10일부터 10월 30일까지 실시 20기의 고분을 발굴하여 그 중 벽화고분 2기를 발견 촬영과 병행하여 모사模寫하였다.[69]

임원면 고분군

총 21기를 발굴 시도하여 그 중 11기는 중도에 중지하고 1기는 도굴되었으며 나머지 9기를 발굴 조사했다.

토포리제1호분

68 1914년 7월에 朝鮮總督府 臨時雇員으로 들어와 1916년 내무부 겸 총독부 관방총무국에 근무, 1920년 12월부터 관방문서과에 근무, 1922년 조선총독부 임시교과용 도서편집사무촉탁, 1923년 12월 조선총독부 고적조사과 사무촉탁에 임명되었다(朝鮮總督府, 『朝鮮總督府施政25周年紀念表彰者名鑑』, 1935).
69 「高句麗古墳調査」, 『昭和11年度 古蹟調査報告』, 朝鮮古蹟研究會, 1937, pp.2-3.

내리 제1호분 천정

고산리 제1호분 벽화

고산리 제1호분 벽화

고산리 제2호분

조사 결과는 대략 다음과 같다.[70]

	위치	조사자	조사 고분	출토 유물
1936년 9월 10일 ~10월 30일	평남 대동군 시족면	小場恒吉, 有光敎一	토포리 제1호, 2호, 3호, 6호분 (4, 5, 7호분 발굴 중지)	토포리 제1호분 -철정 십수개, 鐵製裝飾 토포리 제2호분-金銅金具 2매, 鐵釘 수개
1936년 9월 10일 ~10월 30일	평남 대동군 시족면	小場恒吉, 有光敎一	남경리 제1호(2 호분 발굴 중지)	1호분 벽화 흔적
1936년 9월 10일 ~10월 30일	평남 대동군 시족면	小場恒吉, 有光敎一	호남리 제1호, 2호분	小環珞, 도기편
1936년 9월 10일 ~10월 30일	평남 대동군 시족면	小場恒吉, 有光敎一	내리 제1호분(2, 3 호분 발굴 중지)	내리 1호분-벽화, 鐵製鐶, 鐵釘
1936년 9월 10일 ~10월 30일	평남 대동군 임원면	小場恒吉, 有光敎一	상오리 제1호분, 제2호분, 제3호분	작업 중지
1936년 9월 10일 ~10월 30일	평남 대동군 임원면	小場恒吉, 有光敎一	고산리 제1호, 제2호, 제3호분	고산리제1호분-벽화

관련하여 다음과 같은 신문기사가 있다.

지하에 잠자고 있는 고구려 문화의 정화

평양을 중심으로 일대 지하에 묻혀있는 천고의 지보 고구려문화의 유물

---

70 小場恒吉, 「高句麗古墳の調査」, 『昭和11年度古蹟調査報告』, 朝鮮古蹟研究會, 1937.
    총21기를 발굴시도, 그 중 11기는 중도에 중지하고 1기는 도굴, 나머지 9기를 발굴조사
    「高句麗古墳調査槪要」, 『靑丘學叢』 제26호, 1936년 11월.

은 지하에 일대 전당을 형성하고 있는바 전당의 발굴을 평양박물관에서는 금추부터 대대적으로 행하리라는데 그 발굴은 고구려문화의 정수를 비장하고 있는 대동군 임원면 대성산 산록 고분을 중심으로 하게 되리라 한다. 그런데 이 지방 고분의 태반은 무심한 지방민의 도굴을 당하고 있는바 박물관에서 그 벽화의 유실을 방지하기 위하여 분묘입구를 밀폐하는 등 지방민의 건드림을 극력 방지 중이고 고분벽토는 약용이 된다는 미신으로써 일찍이 순천고분이 전멸되다시피한 전례가 있음으로 박물관에서는 그 감독을 엄중히 하는 중이고 이번 발굴 때문에 봄에 중지된 낙랑발굴은 역시 금추에 소범위에 국한되리라 한다(『매일신보』1936년 6월 14일자).

대성산 고구려고분 대대적 발굴 준비

대정5년 관야, 곡정 양씨에 의하여 발굴이 개시된 대성산록 고구려 고분은 금추를 기하여 대대적 발굴을 행하기로 되어 발굴대인 흑판, 빈전, 양 박사와 원전 동대교수는 금명일 동경을 출발하여 래양할 예정이고 이보다 앞서서 낙랑발굴연구소장 소장 씨는 선발대로 벌써부터 래선하여 방금 경주에 체재중인데 이번 발굴에 있어서는 특히 석실의 구조, 벽화의 조사, 유품의 수집 등이 그 주요 연구제목이고 관야 박사 일행이 최초의 발굴을 행하여 극채색의 도기, 금동제의 족 등이 발견된 이후로 무심한 지방민의 발굴이 심하여 태빈이 유린당하고 말았으나 근본적으로 파멸을 당한 형편은 아니므로 고고학상 연구대상이 될만한 것이면 파편조각이라도 극히 신중히 할터이라 하며 발굴과 병행하여 낙랑고분의 발굴도 동시에 행하기로 되었다(『매일신보』1936년 9월 3일자).

낙랑연구소에서는 20여 일 전부터 소장 외 2명이 대동군 시족면 토포리, 불당리 등에 산재한 낙랑고분을 발굴 5기 중 4기가 벌써 착수되었고 연일 인부 20명을 독려하고 있다(『매일신보』 1936년 9월 26일자).

소장 낙랑연구소장, 소천 평양박물관장 등은 얼마 전부터 장수원 근처의 고구려고분 발굴에 있었으나 하등의 소득이 없었으므로 다소 실망 중에 12일 발굴예정 고분 중 최후로 남은 한 기의 동벽에서 벽화가 출현되기 시작하여 방금 청룡의 두부와 안부가 보이도록 공사가 진행되었고 20일까지에는 공사가 종료되리라는데 이것은 금년 중 최대 수학이라 한다(『매일신보』 1936년 10월 16일자).

9월 상순부터 소장 낙랑연구소장, 유광 등에 의하여 발굴하고 있는 대성산하 고분발굴을 진행 중에 있으나 소기의 수확이 없으므로 실망한 중에 계속하던 중 최후의 1기에서 기대하던 벽화가 출현하여 발굴대는 쾌재를 연발하며 진행시키고 있는 중 벽화의 전모가 점차 명확히 드러나면서 원색이 생생한 청룡 2두가 엄연히 대립하여 천여 년 전 고구려 예술가의 신묘한 필치를 그대로 전하는 숭엄한 자태를 나타내었는데, 원색이 생생한 점은 강서고분보다 앞서는 것이라 하며 발굴은 대체에 있어서 20일까지 종료할 터이고 금후 수일간은 학술연구를 수행함으로써 금년 발굴공작 중 최대 수확을 거둔 것이라 한다(『매일신보』 1936년 10월 23일자).

고구려고분 발굴공사 종료

지난 월부터 계속 중인 대성산 고구려 고분 발굴공사는 귀중한 벽화가 처처 발현되어 금년 발굴사업 최대의 수확이라고 구가謳歌되고 있는 중 공사가 진행됨에 따라서 벽화의 전모가 나타나서 벽화는 다만 청룡뿐만 아니라 인물 화상 2인도 출현되었는데 동 고분의 가치는 고고학상 무한한 광채를 발휘하는 것으로서 귀중한 연구 자료가 되는 것임으로 명년도에 공사를 완성시키기로 하고 동 발굴대에서는 금추의 발굴은 이로 종식시키고 보존 설비를 가한 후 다시 매몰을 행하는 중이다. 또한 명년도의 발굴은 계속하여 대성산록 고구려 비경 발현에 노력할 터이라 한다(『매일신보』1936년 10월 31일자).

대성산 고구려총 일반에 공개 계획

금년도 고구려고분 발굴공작의 최대 수확인 대성산고분 벽화는 채색이 선명하여 2천여년전 고구려 문화를 여실히 전하고 있으며 평양박물관으로부터 불과 10리여의 거리에 있음으로 이것을 공개하면 상당한 참관자를 유치할 수 있음으로 동 박물관에서는 명년도 예산에 의하여 설비 보존비를 요구할 계획이라 한다. 또한 동 고분은 그 벽화 중에는 길광吉光이라는 문자가 그대로 남아 있음으로 길광총吉光塚이라 명명命名하게 되었고 장산 묘지 근처에도 고구려 고분 한 기가 발견되었는데 아직 발굴을 당한 형적이 없을 뿐만 아니라 상당히 대규모의 것으로 명년도에 발굴을 행할 예정이고, 상상하는 바와 같이 벽화가 발견되면 이 고분도 동시에 공개할 작정이라 한다(『매일신보』1936년 12월 10일자).

1936년 9월 14일

부여 군수리사지 조사

1935년도부터 조선고적연구회 사업으로[71] 백제의 구도 부여 부근의 백제 불교 유적조사까지 그 조사범위를 넓혀 1차적으로 도쿄제실박물관 감사관 이시다 시게 사쿠石田茂作, 관원 세케네 류오關根龍雄, 총독부 촉탁 겸 당시 경주박물관장 사이토 타다시齋藤忠 등이 중심이 되어 부여 군수리의 폐사지를 1936년까지 2회에 걸쳐 조사 발굴하게 되었는데 이는 백제 사원지에 대한 정식조사로는 최초라 할 수 있다.

1차 조사는 1935년 9월 29일부터 10월 11일까지 13일간 인부 연인원 150인을 동원하여 조사를 하였으며, 금번의 2차 조사는 1936년 9월 14일부터 10월 14일까지 만 1개월에 걸쳐 행해졌다.[72]

이 폐사지는 마을의 동쪽 도로에 근접한 구릉지 일대에 해당하는 것으로 이 구릉지는 대체로 가운데에서 남쪽에 걸쳐서는 작은 소나무 숲을 이루고 있고 서쪽 반은 개간되어 밭이 되어 있었으며 동쪽과 북쪽의 두 방향도 역시 밭을 이루고 있었다.

---

71 1936년도부터 학술진흥회에서 다시 3개년간 조선의 고적조사에 대하여 년 8천원을 보조하기로 하여 본 사업을 계획적으로 수행할 수 있게 했다. 종래에 거의 돌아보지 않던 고구려 및 백제의 유적에 력주하여 유적의 범위를 단순히 고적에 한하지 않고 고대의 불교유적 등에 이르기 까지 전면적으로 분포 배치 등을 조사하기로 방침을 세워 매년 보고서를 공간하기로 했다(「調査計劃と其の實施の經過」, 『昭和11年度古蹟調査報告』, 朝鮮古蹟研究會, 1937).

72 「調査計劃と其の實施の經過」, 『昭和11年度古蹟調査報告』, 朝鮮古蹟研究會, 1937.

군수리 폐사지 조사과정

　발굴조사 결과 건물지의 중앙기단 부근에서 여러 고와古瓦와 금동방울, 금동제
화형금구金銅製靴形金具, 철못 등을 발견하고 북쪽 기단에서는 인동문이 있는 금동
광배金銅光背의 잔편을 발견하였다. 또 남쪽기단의 조사에서는 목탑지의 흔적으로
보이는 기단 위의 7개의 방형 불탄 기둥자리를 발견하였다. 이곳 목탑지에서는
지표면 약 4척되는 위치에서 금동보살상(보물 제330호), 납석제여래좌상(보물 제
329호), 철기七支刀, 토기, 금환, 작은 구슬 등 상당수의 유물을 발굴하였다.[73]
　이때 불상이 발굴되던 상황을 사이토齋藤忠은 다음과 같이 기술하고 있다.

　흙은 차츰 온기가 차오기 시작했다. 50센치를 더 파내려 가서 다시 1미터
　가까이 파내려 갔다. 나는 온몸 전체가 흙투성이가 되면서도 좁은 빈판 흙

73　石田茂作, 「夫餘軍守里 廢寺址 發掘調査」, 『昭和11年度 古蹟調査報告』, 朝鮮古蹟硏究
　　會, 1937.

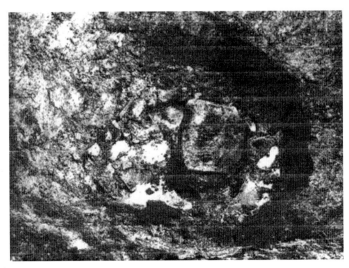

군수리 남방기단(塔址)중앙부 발굴상황(昭和10年度古蹟調査報告)

에 무릎을 굻고 이 흙을 조금씩 파나갔다. 조금씩 고인 물을 작은 그릇으로
떠내기도 하며 혹은 양손으로 곱게 흙만을 파내는 등 고생을 하면서 작업
을 진행시켜 나갔던 것이다. 그런데 1미터 20센치 쯤 밑에서 손을 흙 속에
넣은 나의 오른손에 잡힌 것이 있었다. 진흙투성이가 된 불상인 듯 했다. 나
는 조용히 이것을 양손에 들면서 위에 올라와서 깨끗한 물로 흙을 씻었다.
백제불의 특색을 잘 갖추고 있는 훌륭한 금동보살상金銅菩薩像이었다. 이어서 30
센치 쯤 아래서 다시 납석제蠟石製로 된 여래상如來佛을 건져내었다. 삽 따위는
사용하지 않고 손으로 흙을 걷어내는 조사방법이 이들 불상을 상하지 않게 검
출檢出하는데 성공한 것이다. 1400년 동안이나 진흙 속에 묻혀 있던 2구二軀의
불상은 밝고 맑은 가을 햇살아래 다시 현세에 모습을 나타내게 된 것이다.[74]

74 齋藤忠,『古代韓國文化와 日本』(孫大俊譯), 圓光大學校出版局, 1981, p.86.

그들은 이 발굴에서 상당히 신중을 기울인 흔적을 볼 수가 있다. 그런데 그들의 이 발굴의 결론을 보면 그 이유를 알 수가 있다.

　　이 유적은 단순히 가람배치가 밝혀진 백제의 불교 사원지일 뿐만 아니라 일본과 조선의 불교관계상 가장 긴요한 의의를 가지는 중요성을 가지고 있는 것이라고 할 만하다········· 발굴조사의 결과 확인된 이 사지의 가람배치는 일본의 아스카시대飛鳥時代 사원의 그것과 매우 밀접한 관계를 가질 뿐 아니라, 또 그 발굴품인 금동불, 석불상 및 옛 기와의 수법에 있어서도 법륭사 등 아스카시대飛鳥時代 유품과 유사하여 공통되는 점이 많은 것은 일본 불교도래의 문헌적 사실을 구체적으로 증거證據한다고 말할 수 있고, 이리하여 본 유적의 발굴은 종래에는 거의 볼 수 없었던 백제고도百濟古都의 유적에 중요한 하나를 추가한 것임과 동시에 일본상대日本上代 불교사의 고찰에 간과할 수 없는 기여를 하는 것이다.[75]

라고 하고 있어 발굴조사에 대한 그들의 최종적인 목적이 어디에 있는지를 보여주고 있다.

　　군수리 폐사지의 발굴조사의 출토유물 중에서 특히 주목되는 한 가지는 목탑지木塔址 중심초석中心礎石에서 '칠지도七支刀 형상의 철기'가 발견되었다. 그리고 춘토유문에 대해서 '빈군경과' 조에, "출토품의 약정리略整理를 하여 경성의

75　石田茂作,「夫餘軍守里 廢寺址 發掘調査」,『昭和11年度 古蹟調査報告』, 朝鮮古蹟研究會, 1937.

박물관으로 송치送致하여 다시 정사精查를 하기로 하고 전후 2년에 걸친 작업을 마친다"[76]라고 하고 있어 모든 출토품은 총독부박물관으로 옮긴 것으로 기록하고 있다. 그런데 '발견유물' 조를 보면, "칠지상철기七支狀鐵器 탑중심주광塔中心柱 壙에서 발굴한 것으로 발굴 당시의 상황에 의하면 장1척7촌 중앙은 끝이 앞으로 나오고 작은 가지를 파추派出하여 나무 가지 모양을 하고 있다. 또 용도는 불명이다"[77]라고 하고 있는데, 여기에서 '발굴 당시의 상황에 의하면'이라고 하고 있어 이미 칠지도 형상을 한 철기가 분실되었음을 말하고 있다.

백제에서 건너가 현재 일본 국보로 지정되어 있는 칠지도七支刀가 한일고대사의 귀중한 자료로 평가되고 있는 점을 고려할 때 이는 크나 큰 손실이 아닐 수 없다. 당시 발굴 담당자들이 칠지도七支刀의 중요성을 모를 리 없으며 더구나 작은 것도 아니고 길이 1척7촌나 되는 유물을 분실했다는 것은 이해가 되지 않는다. 또한 분실 후에도 이에 대한 별도의 언급이 없다는 것도 이해가 가지 않는 점으로 이는 분실이 아니고 오히려 분실을 가장한 반출이 아닌가하는 의혹이 남는다.[78]

또 도쿄국립박물관 소장품목록에 군수리 출토품 와瓦가 15점이나 수록되어 있는 것으로 보아 상당수는 일본으로 반출한 것으로 짐작할 수 있다.

---

76 石田茂作,「夫餘軍守里 廢寺址 發掘調査」,『昭和11年度 古蹟調査報告』, 朝鮮古蹟研究會, 1937, p.50.
77 石田茂作,「夫餘軍守里 廢寺址 發掘調査」,『昭和11年度 古蹟調査報告』, 朝鮮古蹟研究會, 1937, p.53.
78 齋藤忠은『朝鮮の古代文化の研究』(1943, 東京地人書店),「慶州 夫餘の調査研究」(『朝鮮學事始め』, 1997, 靑丘文化史),『古代 韓國文化와 日本』(孫大 俊 譯, 1981, 원광대학교출판사) 등에서 군수리 폐사지의 출토 유물에 관한 내용을 서술하면서도 七支刀에 관한 언급은 전혀 보이지 않고 있다.

금동보살상(보물 제330호)와 납석제여래좌상(보물 제329호)

『매일신보』 1936년 10월 13일자에는 다음과 같은 기사가 있다.

백제의 사지 발견

동경제실박물관 석전 감사관과 경주박물관 제등충 씨 등이 20여일 전부터 부여에 와서 부여고적보존회와 협력하여 발굴 중이던 부여면 군수리 지반은 당초 이궁적離宮跡으로 상상되어 있으나 작년 발굴한 인접지를 지난 9월 중순부터 발굴한 결과 이외에도 백제 전성시대의 사지인 것이 판명되었다. 더욱이 탑지, 중문지, 금당지, 강당지 회랑지 등이 엄연히 발견되고 금색찬연한 백제시대의 금동보살입상과 석조여래좌상 금령파편, 금제이식, 철기, 토제광배 잔결, 취옥, 기타 귀금속 다수를 발굴했다. 그리고 지난 8일 경도제국대학 빈전 박사, 매원 교수도 이 모든 발굴품을 보고 경탄을 금치 못했는바 금불과 석불은 본부로 보내리라하는바 그 폐사지의 구조가 대판의 사천왕사지와 거의 동일하다 한다.

1936년 9월 15일

《조선고분벽화모사전관》

1931년 9월 15일부터 19일까지 도쿄미술학교 진열관에서 개최되었다.

도쿄미술학교 강사 오바 쓰네키치小場恒吉가 조선총독부의 의촉으로 평남 우현리대묘의 현실 벽화 모사도와 평양 부근 장수원 소재의 고분벽화 일부분을 모사하여 함께 진열하였다.[79]

1936년 9월 30일

집안현 고구려 유적의 제2회 조사

1935년 10월에 새로이 발견된 집안현의 벽화고분을 조사하고, 1936년에는 9월 30일부터 10월 4일까지 만 5일에 걸쳐 제2회의 조사를 행하였다. 이번 조사에는 장군총, 대왕릉, 모두루총, 환문총, 사신총, 삼실총 기타 고분의 실측과 집안현성의 조사, 산성자성의 답사 및 일부를 실측 등을 주로 했다.[80]

조사 유적과 그 일정은 다음과 같다.[81]

---

79 美術研究所,「古美術展覽會及展觀」,『日本美術年鑑』, 1937.

80 「彙報」,『考古學雜誌』제26권 제12호, 1936년 9월, pp.66-67.

81 池內宏,「滿洲國安東城集安縣に於ける高句麗の遺蹟」,『考古學雜誌』28-3, 1938년 3월.

조사 일정	위치	조사자	조사 유적	출토 유물
1936년 9월 30일	집안	濱田耕作, 池内宏, 三上次男(일한문화협회 연구원)	牟頭婁塚, 環文총, 사신총, 삼실총	
1936년 10월 1일	집안	濱田耕作, 池内宏	태왕릉, 장군총, 천추총, 서대총	「千秋萬歲永固」명문전 다수
1936년 10월 1일	집안	三上次男, 梅原末治	태왕릉, 사신총	「願太王陵安如山固如岳」명문전 다수
1936년 10월 2일	집안	水野清一, 池内宏, 三上次男	산성자산성	
1936년 10월 2일	집안	梅原末治	산성자동방고분군	
1936년 10월 3일	집안	水野清一, 池内宏	환도성	
1936년 10월 3일	집안	梅原末治, 三上次男	삼실총	
1936년 10월 4일	집안	水野清一, 池内宏, 三上次男, 梅原末治	장군총	

조사와 관련하여 다음과 같은 신문기사가 있다.

집안현 고구려고분벽화는 기대가 다대

동경제대 명예고수 흑판승미 박사는 26일 오후 2시40분착 열차로 평양에 와 고구려 발굴 현장을 시찰하게 되었는데 소천 평양박물관장은 사리원까지 나가 환영하여 사리원 남방의 대방문화를 가지고 있는 유적을 시찰하였고 경도제대 빈진 문학박사, 매원 조교수는 29일 래양할 예정이고, 또한 동성제대 지내 박사, 삼상 교수 등도 27일 래양할 예정인바 일행은 만포선을 경유 안동성 집인현으로 가시 고구려고분의 벽화를 발굴 연구할 예정이라 하며 동지 고분은 고구려가 국도를 평양으로 이전하기 전의 유적이므로 대성산록 고구려고분의 발굴과 상반하여 고구려 연구사상에 고고계의 주목하는바 크다 한다(『매일신보』 1936년 9월 28일자).

만주 집안현에도 고구려고분 밀집 귀중한 수확 기대

평양에 도착한 흑판 박사는 평양부외 시족면에서 고구려고분 발굴의 상황을 시찰하고 27일 동경에 돌아갔다. 이에 계속하여 빈전, 매원, 지내, 삼산, 만주의 대 생리학 교수 흑전 박사 등도 27일 평양에 도착하여 목하 체재중이다. 고분 발굴의 상황을 시찰 한 후 수일 중에는 만주 집안 현을 출발하여 동지에 산재한 고구려고분을 대대적으로 발굴할 예정이다(『매일신보』 1936년 9월 30일자).

집안현 고구려고분 조사대 귀양

집안현 고구려고분을 2차로 조사연구하기 위해 지내, 빈전, 삼상, 매원 소천 등은 9월 말에 현지로 출장하여 벽화를 조사 중이더니 빈전박사는 3일 밤에 만포선 열차로 귀양하였고, 소천 관장은 4일밤에 동열차로 귀양케 되었는데(『매일신보』 1936년 10월 6일자).

1936년 9월

동래 객사 철거

동래부 객사 건물은 고종 때 동래부사 정현덕이 중수하기도 했으나 일제 강점기에 들어와 본래의 용도를 잃고 관립소학교, 공립동래보통학교 등으로 사용되다가 공설시장이 형성되면서 건물은 범어사에서 매수하여 철거하였다. 『매일신보』 1936년 9월 12일자에는 다음과 같은 기사가 있다.

동래객사 철괴撤壞 착수

동래읍영 동래시장 위치는 이미 보도한 바와 같이 전 제일공보 부지로 결정되었던바 동 위치는 읍의 중앙이며 또 최고지最高地로 읍의 위생상으로 읍의 미관상으로 구 객사의 웅장한 고건물을 철괴撤壞하고 이에 바로크식 시장건물을 건설함은 크게 읍의 미관을 잃는다 하여 이를 반대하는 읍민 유지회까지 있어 일시 이전설이 유포되더니 관계 상공회의 현위치를 변경 반대의 운동이 맹렬히 일어나며 동 회 간부 일동은 수차 읍당국에 진정 陳情 중이던바 드디어 종전 결정의 제일공보第一公普 기지로 지난 월 읍회를 통하여 확정되어 동 건물 매수자인 범어사에서도 시장 위치 확정과 동시 전 객사건물 철괴에 착수하여 방금 철괴공사 진행 중인바 일반 읍민은 방금 향토애와 고적보존열의 고조되는 차제此際 객사와 같은 300여년 전의 조선유수의 대건물을 아낌없이 철괴함은 부득이한 일이라 하나 너무나 애석한 일이라고 통석痛惜함을 마지않는다.

대구 대봉동 지석묘 조사

대구 대봉동 대구중학교 앞에 있는 지석묘 1기는 일찍이 1927년 고이즈미 아키오小泉顯夫, 사와 순이치澤俊一에 의해 조사되어 장석 아래 괴석으로 쌓고 석실

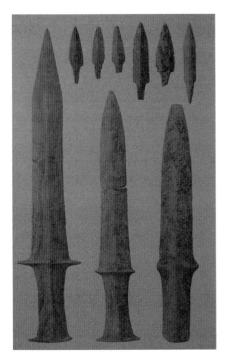

대구공립중학교 앞 선만연락전화중계소
구내에 있는 지석묘에서 출토한 석기
(『박물관진열품도감』 제12집, 1938)

내부에서 석족을 발견하여 지석묘의 구조와 아울러 성질을 고찰한 일이 있다.

1936년 9월에 이르러 대구중학교 앞의 지석군을 중심으로 전화중계소를 건설하게 되어 9월 중순에 장석 5기를 이동하게 되어 총독부에서 가야모토 가메지로榧本龜次郎를 급파하여 제2구와 제3구를 조사하게 되었다. 그 결과 위 5기의 장석 아래 및 그 부근의 10개의 석실을 발견하고 석실 중으로부터 3개의 마제석검과 다수의 석족이 발견되었다.[82]

이후 조선고적연구회에서 경북도청의 원조를 받아 중학교 앞 지석묘의 남방 5백미터의 지석묘 3기를 10월 10일부터 착수하여 20일까지 후지타 료사쿠藤田亮策와 가야모토 가메지로榧本龜次郎가 조사하게 되는데, 대구부 대봉정의 남북의 방향에는 수개소의 지석묘가 군재해 있는데 금회의 조사는 대봉정 제4구의 지석묘로 가칭했다.

조사결과 제1기의 지석묘에서는 수십 개의 마제석족, 토기파편을 발견했다. 제2지석묘는 도굴당한 흔적이 있었으며 토기파편을 발견했다.

제3지석묘는 대구부근 최대의 지석묘로 1927년 고이즈미에 의해 측면으로부터

82 藤田亮策,「大邱大鳳町支石墓調査」,『昭和11年度古蹟調査報告書』, 朝鮮古蹟研究會, 1937.

중앙부 아래를 조사한 적이 있다.
이번 조사에서 4일간을 소비하여
장석을 남방으로 이동하고 완전한
조사를 할 수 있었다. 하지만 하등
의 유물을 발견할 수 없었다.[83]

대구 대봉동 제3구 지석묘

1936년 10월 4일

평양부 토목과에서 선교리 방면의 배수구 공사를 진행 중 4일 오후 3시경에
일본제당회사 후면 공사장에서 고구려시대 유물로 추정되는 와편 유사품 2개
가 출토되었다.[84]

1936년 10월 9일

《고미야 미호마츠(小宮三保松)의 유애품 경매회》

고미야의 사후에 그의 유가족들에 의해 그긴 한국에서 수집한 고미술품 일

---

83 藤田亮策,「大邱大鳳町支石墓調査」,『昭和11年度古蹟調査報告書』, 朝鮮古蹟研究會, 1937.
84 『每日申報』1936년 10월 8일자.

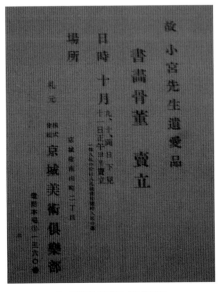

故 小宮先生遺愛品

書畵骨董 賣立

場所

日時 十月 九,十,十一日正午より賣立

礼元 京城美術倶樂部

고미야의 유애품 경매도록

부를 매도한다는 의사를 경성미술구락부에 전해옴에 따라 1936년 10월에 경성미술구락부에 출품되어 경매에 붙여졌다. 이 속에는 도자기, 서화, 문구류 등 다양한 미술품이 출품되었다.

도록 첫 장에, "이등박문의 초빙에 의하여 내지의 현직顯職을 사직하고 한국 궁내부에 들어가 병합과 함께 이왕직차관이 되어 궁중부중宮中府中 구별에 노력하신 일은 세간이 주지하는 사실입니다. 선생이 이 극무劇務의 반면에 서화, 골동에 조예가 깊고, 반도사계半島斯界에 공헌이 큰 것도 사람들이 잘 아는 바입니다. 그 조예의 선물로는 이왕직박물관을 창성創成하여 현재 오인吾人이 미술의 대표관으로서 즐겨하는 곳입니다"라고 설명을 하고 있다.

그러나 경매 도록을 살펴보면 단원, 겸재 산수(목록번호 3), 낙선재 阮堂 舊藏, 25), 靑銅卣(목록번호 65), 銀臺(목록번호 66), 弩(목록번호 69), 도금경통(목록번호 71), 古銅獅子(목록번호 72), 도금관음입상(고 1척 3촌)(목록번호 76), 古劍(목록번호 80), 鍍金淨瓶(목록번호 95), 染付人形繪鉢(목록번호 107), 백자화병(목록번호 109), 新羅耳付蓋鉼(목록번호 140), 조선석불(목록번호 216) 등을 비롯한 총 226점이 수록되어 있는데 불상은 2점만 나타나 있다. 고려청자나 조선백자의 경우에도 우수한 것은 찾아볼 수가 없다. 따라서 우수한 미술품들은 모두 일본으로 가져가고 그보다 한 단계 낮은 것들만 경성미술구락부에 내놓은 것으로 보인다.

새로 창설한 이왕직박물관의 유물 수집과 함께 그의 개인적 수집이 동시에 이루어졌기 때문에 그의 수집은 유물을 수집하기 가장 유리한 시기에서 유물 수집의 길목에서 권력의 힘에 의한 수집이라 할 수 있다.

　　고미야 미호마츠小宮三保松는 이토 히로부미의 초빙에 의해 한국 궁내부에 들어와 1907년부터 궁내부차관으로 근무하면서 제실재산정리국 장관을 겸임하였다. 통감부 시대에는 차관이 모든 권한을 가지고 있었기 때문에 박물관에 관한 모든 것은 고미야의 지휘 하에 이루어졌다고 볼 수 있다.[85]

　　그는 이왕가 박물관 창설의 주동적 역할을 하였을 뿐 아니라 서화 골동에 조예造詣가 깊었다. 특히 우수한 불상을 많이 수집한 것으로 유명하다. 1909년에 세키노 일행이 한국 탁지부의 촉탁으로 고건축조사를 하면서 한국에 거주하는 수집가들을 두루 접하면서 야쓰이 세이이치谷井濟一가 남긴 9월 30일의 기록에,[86] "당지 재류일본인 중 수는 적으나 유물을 분업적으로 수집하고 있는데, 예를 들어 소궁궁내차관은 불상"수집에 열심이었다고 하고 있다.

　　1909년 탁지부에서 발간한 『한홍엽韓紅葉』에 고미야小宮의 소장 불상 4점이 도판으로 실려 소개하고 있음을 보아 일찍부터 불상 수집을 하였던 것으로 보인다.

　　고미야는 불상 외에도 다양하게 고미술품을 구입하였다. 1931년에는 토쿄에서 개최한 《조선명화전람회》에 필자미상의 '북화산수도'를 출품하기도 하였다.

　　고미야의 소장품 중에는 고려시대의 것으로 추정되는 소종이 하나 있다. 이 종은 『조선미술내관』(1910년, 고서간행회) 에 게재된 '小宮三保松 所藏鐘' 이라

<hr />

85 『官報』1907년 12월 2일, 1911년 2월 2일; 『新韓民報』1909년 7월 7일.
86　谷井濟一,「韓國葉書だより」, 『歷史地理』 제14권 5호, 歷史地理學會, 1909년 11월.

고미야 소장 종 『朝鮮美術大觀』
(1910年 古書刊行會)

고 하는 것으로, 『조선미술대관』 '제2부 조
주彫鑄' 조 제8도로 소개된 그 해설에서 이
범종은 고분에서 발굴된 것으로 그 양식
및 주법鑄法 등의 장식적 섬교纖巧가 고려조
의 특색으로 보인다고 한다.[87] 쓰보타坪田良
平도 『조선종』에서 '東京 小宮家藏 朝鮮鍾'
으로 소개하면서 한국에서 출토된 종이라
고 하고 있다.[88]

그가 수집한 골동의 양이 얼마나 되는지
알 수 없으나 이왕직박물관의 진열품을 매

『朝鮮美術大觀』(1910)에 수록된 고미야(小宮) 소장의 불상

87 朝鮮古書刊行會, 『朝鮮美術大觀』, 1910.
88 坪田良平, 『朝鮮鍾』, 角川書店, 1974.

입할 당시에 많은 것을 수집하였을 것으로 추정된다.

차문성은 『근대박물관, 그 형성과 변천 과정』에서 시모고리야마 세이치下郡山
誠一의 인터뷰 내용(1966년 녹음 테이프 내용)을 싣고 있는데 그 내용은 다음과
같다.

> 1905년경부터 고려시대 수도였던 개성 전역에서는 옛 고분들이 도굴되어
> 훌륭한 도기들이 속출했다. 이를 도굴꾼들이 밤을 틈타 경성으로 들여오
> 면 '경성의'라는 골동품상이 모두 사들였다. 코미야 씨는 매일 아침 이 골
> 동품상의 물건을 보고 본인이 감정한 뒤 하루가 멀다하고 사들였다. 내가
> 부임했을 때 코미야 씨의 관저 한 방에는 그렇게 사 모은 도굴품이 상자에
> 담긴 채로 벽장 등에 가득 채워져 있어 상당히 놀라지 않을 수 없었다. 당
> 시 고려시대 물건들이 이처럼 많이 나돌고 있었기 때문에 뜻만 있다면 누
> 구든 입수할 수 있었다. 그래서 나도 매일같이 골동상에 출근했다.[89]

차문성은 여기에서 말하는 '코미야'는 차관 고미야 미호마츠小宮三保松를 지적
하고 있다. 시모고리야마 세이치下郡山誠一는 1908년 3월에 한국에 들어와 이왕
가박물관의 진열품 수집에 참여하였기 때문에 1908년의 미술품 수집을 기술하
고 있는 것으로 판단된다. 1908년경이면 우수한 고려자기가 가장 많이 출현하
던 시기이다. 이 시기에 고미야가 비물관 진열품 수집 차원에서 수집한 것인지
아니면 개인 소장품으로 수집한 것인지는 명확하지 않으나, 당시 이왕기박물

---

89 차문성, 『近代博物館, 그 形成과 變遷 過程』, 韓國學術情報, 2008, p.281.

관의 진열품 수집은 스에마츠 구마히코末松雄彦와 시모고리야마 세이치下郡山誠
一가 담당하였던[90] 점으로 보아 개인 소장품으로 수집한 것으로 보인다.

고미야가 궁내부 차관으로 있을 때 오다치 카메키치大館龜吉라는 골동상이
앞잡이 노릇을 했다. 오오다치 카메키치大館龜吉는 1906년에 한국에 건너와 남
산정에서 골동품 가게와 더불어 미소원微笑園이라는 원예점을 함께 하였다. 오
오다치는 원래 도쿄에서 식목옥植木屋을 하던 자로 고미야 미호마츠小宮三保松
궁내부차관의 부름을 받고 이왕가의 창경궁 정원과 경복궁 내의 연못, 창덕궁
조경을 맡아 하였다. 이런 관계로 고미야와 친분을 가지고 있었다. 오오다치는
별도로 골동에 대한 감식안까지 가지고 있었는데 이것을 알고 있는 고미야는
그에게 "조선물은 무엇이든지 가지고 와라" 하여 오다치는 한국 골동을 마구
사들였으며,[91] 이들 중 상당수는 고미야의 손에 들어간 것이다.

1909년에는 銀佛 50구를 한성미술품제작공장소에 제작을 위탁하여 동경박물
관으로 보낸다는 기사가 보인다.[92]

고미야의 소장품 중 널리 알려진 아래의 것은 그의 소장품 경매도록에도 나
타나 있지 않은 것으로 보아 모두 일본으로 반출한 것으로 보인다.

90 이왕직에서 1912년에 발행한 『李王家博物館 所藏品寫眞帖』의 '序言'에서 밝힌 小宮의
    기록이나, 1938년에 이왕직에서 발행한 『李王家博物館 要覽』에도 이왕가박물관의 진열
    품 수집은 末松雄彦과 下郡山誠一이 담당했다고 나와 있으며, 小宮 자신이 수집에 가담
    했다는 기록은 보이지 않는다.
91 佐佐木兆治, 『京城美術俱樂部創業20年記念誌』, 京城美術俱樂部, 1942, p.38.
92 『皇城新聞』 1909년 9월 11일자.

고미야 소장품

품명	소장처 및 소장자	출처	비고
銅造彌勒菩薩像	小宮三保松	古蹟圖譜 3권, 1376	 삼국시대
銅造釋迦如來立像	小宮三保松	古蹟圖譜 3권, 1380-1383	 삼국시대
銅造金剛力士像	小宮三保松	古蹟圖譜 3권, 1402	 삼국시대

품명	소장처 및 소장자	출처	비고
銅造毘盧舍那佛立像	小宮三保松	古蹟圖譜 5권, 2009	통일신라
銅造觀世音菩薩立像	小宮三保松	古蹟圖譜5 권, 2119	통일신라

품명	소장처 및 소장자	출처	비고
山水圖(筆者不詳)	小宮三保松	古蹟圖譜 14권, 5858	조선
金銅半跏思惟像	小宮三保松	유리원판Ⅲ, 458-2	
如意輪觀音像(조선)	小宮三保松	大觀1910	

1936년 10월 16일

10월 16일부터 11월 10일까지 동경제실박물관에서 《동양도자전람회》를 가졌다. 이 전람회는 일찍이 요코가와 다미스케橫河民輔가 기증한 도자기를 전시

했는데, 이 속에는 조선자기가 많이 포함되었다.[93]

1936년 10월 29일

함남 이원군 만덕산에서 신라 진흥왕순수비각 낙성식이 거행되다.[94]
『매일신보』 1936년 10월 14일자에는 다음과 같은 기사가 있다.

천여년 의혹을 파할 희귀한 사적 중보가 나타났으니 그것이 즉 지금 말하는 이원군 마운령 운무봉상에서 발견된 진흥왕비라 한백겸 동국지리지에도 단천에 진흥왕순수비가 있다고 기재하였고 동국통감에도 이같은 기록이 있으나 실증이 나오기 전에는 모두 한 개의 전설로 돌리고 그리 큰 관심을 가지지 못하였다. 이제 이 역사적 중보를 발견하게 된 경로는 1929년 7월 경 육당 최남선 씨가 당지에 왔다가 이 고비가 산간에 나타나 있다는 말을 듣고 실물을 친히 감정하여 보려 당지 유지 권승하 씨, 신병무 씨 외 수인으로 더불어 비각 소재처를 향하는 도중 동면 효우리에 들러 '前輩姜栗溪遺稿'를 고람하게 되었다. 그 중 利原古記 1편 중에 "俗傳謂縣東雲霧峰有眞興古碑而引史文無巡狩之徵…" 등의 문구가 있음을 보고 더욱 그 전설의 등한시 하지 못할 것임을 알고 일행은 비석 소재지를 탐색한 결과 동면 용산리 만덕

---

93 美術研究所, 『日本美術年鑑』, 1937년 11월; 『陶磁』 제8권 제5호, 東洋陶磁研究所, 1936년 11월.
94 『朝鮮日報』 1936년 11월 1일자.

산 화전 중에서 수백년 춘풍추우를 맞어가는 빛없이 묻혀 있는 길이 5척5
촌이나 되는 큰 돌비를 발견하여 그 실물임을 확증하게 되었다. 당시 총독
부에서는 이것을 경성박물관에 옮기려고 청부까지 주었다가 본군 유지들의
고적보존의 염정에 의한 진정으로 오늘의 비각낙성식을 보게 된 것이다. 전
면 119자 후면 199자 합 314자에 자획이 파손된 것이 30자 가량 된다. 육조
체를 표현한 해예서와 정교를 다한 조각의 미는 도저히 타의 모작을 허락지
않는 신라예술의 정화의 일면을 보여주는 진품이다. 이원고적보존회는 이
뜻 깊은 성의를 기념하기 위하여 가진 정성과 힘을 다하여 만반의 준비를
신행하는 동시 선선으로 나수한 유시의 참석을 바라며 특히 낭일 래객의 편
의를 도모하기 위해 역에서부터 당지까지는 자동차로 연락한다 한다.

1936년 10월

안성군 이죽면 장원리 석탑 반출 사건과 장원리의 석조물 조사

1936년 4월에 안성군 이죽면 장원리 산중에 있던 석탑세를 강춘홍 등이 경
성에 거주하는 일본인 신다 기민新田義民에게 매각한 사건이 발각되었다.[95]

---

95 1936년 4월 24일자로 학무국장이 경기도지사에게 보낸 '지정을 요하는 석탑 소재지에 관
   한 건'(「昭和12년 1월 이후 고적관계 서무잡건」, 『조선총독부박물관 공문서』 목록번호 : 96-
   151)에 의하면,
   이 석탑은 1936년 3월 5일자로 작성된 매매계약서에 의하면 매주 申甲均으로부터 강춘

『조선중앙일보』 1936년 7월 31일자 기사

1936년 7월 20일자로 학무국장이 경기도지사에게 상세한 조사를 의뢰 하였는데, 1936년 9월 26일자 경기도지사가 학무국장에게 보낸 '석탑취조에 관한 건'[96]의 내용은 다음과 같다.

석탑은 본년 6월 18일 경성에서 화물자동차편으로 안성군 이죽면 죽산리에 운반시켜 이죽경찰관주재소원으로서 감시하고 있음, 종래 석탑은 이죽면 장원리 산 40번지 및 그 부근에 산재함을 파서 모은 것임으로 원 장소에 운반한 뒤 원상과 같이 방치하는 것은 이의 보존의 충분을 기하는 소이所以가 아님으로 상기 죽산리에 유치留置하여 둔 것인데 감시가 잘 되지 못하는 장원리 산중 보다는 오히려 죽산리 부근 또는 안성읍내 공원 등 적당한 장소를 선정하여 전문가의 손으로 복원을 꾀함이 적당하다고 인정됨
석탑 매각 관계자 강춘흥, 박연웅, 이상철 등 3명에 대하여 엄중 취조의 결과 조선보물고적명승 천연기념물보존령 제18조 위반의 사실이 명료明瞭하므로 본년 9월 15일 기소起訴 의견을 부附하여 수원지청검사원 기록을 송부하였음.

흥과 최재옥이 매입한 것으로 되어 있다.
안성군 안성읍 崔在鈺이 동 군 이죽면 죽산리 소재 신라시대 석탑을 경성 新田의민 댁에 무단반출한 것으로, 이 석탑은 국유로 보존령에 의해 지정을 요하는 것으로 동 탑은 태반이 이미 운반되어 이를 원위치에 복원은 곤란하다고 사료되어 편의상 新田義民 댁을 소재지로 하여 보물로 가지정 예정이라고 하고 있다.
96 金禧庚 編,『韓國塔婆研究資料』, 考古美術同人會刊, 1969.

경성부 돈암정 424-2

신다 기민新田義民 댁에 무단반출無斷搬出

이로 인해 총독부에서는 사세 나오에佐瀨直衛를 파견하여 조사케 하였다.

1936년 10월에 촉탁 사세 나오에佐瀨直衛는 고적조사 및 보존사무 협의를 위해 충청남도 홍성과 경기도 안성에 출장하여 호우로 파손된 충청남도 홍성 동문東門의 복구 방안과 경기도 안성 이죽면 발견 석불과 오층탑 및 장원리 산중 발견 석탑의 현상을 조사하고 1936년 10월 20일에 복명을 했다.

사세 나오에佐瀨直衛의 복명서에 의하면, 경기도 안성군 이죽면 장원리 산중 석탑은 장원리 산 40번지 및 그 부근에 산재해 있었는데, 동면 거주 강춘흥 외 2명이 이것을 모아 매각하기 위해 경성에 운반하던 것을 이죽경찰관주재소에서 이를 저지하여 죽산리 유원지에 보관했다. 그리고 강춘흥 외 2명은 수원지청에서 취조 결과 벌금형에 처해졌다.[97]

1936년 11월 13일자 학무국장이 경기도지사에게 보낸 '석탑취조의 건'[98]은 다음과 같다.

9월 26이부 수제의 건은 우는 어느 것이나 국유에 속해야 할 탑이지만 해

品該品은 개별 탑재의 단편으로 보물로서 이를 보존할 가치가 없는 것으로

---

97 「昭和 11년 충청남도 홍성, 경기도 안성 출장 복명서」, 『국립중앙박물관 소장 조선총독부 박물관 공문서』.

98 金禧庚 編, 『韓國塔婆硏究資料』, 考古美術同人會刊, 1969.

인정되으니 귀견貴見과 같이 현재 감수監守하고 있는 이죽면 주산리 소재 유원지 내 또는 기타 적당한 지점에 퇴적보관堆積保管하도록 하시기 바람.

참조. 본건 석탑은 경기도 안성군 이죽면 장원리 산 40번지 및 그 부근에 산재한 탑석을 동군 안성군 장계리 거주 강춘흥 외 2명이 무단반출한 뒤 경성에서 매각할려고 한 것이나 사전에 본국원의 탐지하는 바가 되어 매매의 금지를 명함과 함께 원지 복원할 것을 경기도지사에게 의뢰하여 두었다. 그러나 경기도지사로부터 석탑은 원지에 복원제復原濟임을 회답이 있었으므로 이의 처치에 대하여 바침을 정할 필요상 현지에 출장한 사세 佐瀬 촉탁의 복명에 의하면 해품該品은 어느 것이나 개개별별箇箇別別의 탑석의 잔품殘品으로 국보로서의 건립에 대하여 당국에서 보존할 가치가 없는 것이라고 함으로 현재 감수監守하고 있는 죽산리공원지 내에 그대로 보관시키려고 함.

이 석탑의 가치는 사세 나오에佐瀬直衛의 출장 복명에 의해 "국보로서 건립에 대하여 당국에서 보존할 가치가 없는 것"으로 인정하여 죽산리공원 내에 그대로 보관하기로 했다. 이후 이 석탑은 죽산리공원에 이치한 것으로 짐작할 수 있는데, 그 소재가 의문이다.

『자치안성신문』 2008년 10월 6일자에 게재된 「죽산면 장원리」는 장원리사지의 석조물에 대해 신빙성이 있는 내용을 게재하고 있다. 그 내용에는 "마을 주민들의 증언에 의하면 장원리에는 최소한 3개 이상의 불상과 3개 이상의 석탑이 있었던 것으로 확인된다. 오늘날 장원리에는 단 하나의 탑이나 불상도 남아 있지 않다"고 하며 몇 가지 석조물을 소개하고 있는데 그 일부를 보면 다음과 같다.

1) 장원리 석조보살좌상 : 원래 봉업사지 남쪽 장원리의 남산 기슭에 있었으나 일제강점기에 면사무소로 반출되었으며 현재는 칠장사로 옮겨져 봉업사지 석불입상 옆에 위치하고 있다.

2) 장원리 탑골 큰 석불 : 높이가 1.2m인데 머리가 없어졌고, 하부는 매몰되어 있었고, 원형대석이 함께 있었다. 내리 탑골 석탑에서 서쪽으로 능선을 너머 골짜기 밭 가운데에 있었다고 하는데 현재 죽산면 장원리 장자터 일대로 추정되다고 한다.

3) 장원리 석조여래좌상 : 장원리 탑골 큰 석불과 함께 있던 것으로 불상의 높이는 1m이며 일제강점기에 석조보살좌상과 함께 면사무소로 안치되었으나 현재 반출되어 그 소재를 파악할 수 없다.

4) 장원리 석탑 : 정자가 있는 소공원(마을 주민들에 의하면 일제시대에 조성되었다고 하며 최근에 정자 등을 새로 지었다)에 위치하며 5층 이상으로 추정되며 현재는 3층만 남아 있다고 한다. 원 위치는 동으로 500m 떨어진 곳이며 1933년 경 운반했다고 한다. 그런데 이 석탑은 2001년 6월 19일 폭우가 내리는 밤에 도둑맞았다고 한다.

8) 죽산면사무소 석탑 : 현재 죽산면사무소에 있는 3층석탑은 장원리 불당골에 있던 '만선사'라고 하는 절터에서 나온 것이라고 한다.

이 내용에서 4)의 석탑은 그 위치가 '소공원' 이라 하고 원래 5층이었으나[99]

---

99 2001년에 도난당하여 현재는 기단갑석과 초층탑신의 면석 일부만 남아 있다. 『경기도 3대하천유역 종합학술조사, 안성천』(경기도박물관, 2003)에 의하면, 도난당하기 이전에도 완전한

1933년경에 운반한 것이라 하여 강춘홍 등이 매도한 탑과는 옮겨진 시기가 맞지 않는다, 8)의 석탑도 상당히 유사한 점은 있지만 이치 과정이 명확하지 않아 숙제로 남게 되었다.

『자치안성신문』 2008년 9월 22일자의 「죽산면 죽산리(3)」에 의하면, 휴전반대 시위사진이라 하여 '현 죽산농협 근처에서 찍은 죽산리의 옛사진(원안은 지금은 없어진 장원리에서 옮겨온 탑)'을 싣고 있는데, 원으로 표시한 사진에 대하여 "원으로 표시된 곳에 한 개의 탑이 보이는데 지금의 죽산공원 자리이다. 이 탑은 여러 사람의 증언에 의하면 장원리 열원에 있던 절터에서 옮겨온 것이라고 하는데 이 탑은 그 후 팔려나가는 운명에 처하게 된다"[100] 라고 설명을 하고 있는데 강춘홍 등의 석탑 반출 사건의 탑과 어떤 관련이 있는 지 역시 의문이다.

장원리 무너진 석탑(사세(佐瀨)의 복명서 별지 사진 제4호)

1936년 10월의 조사에서 사세 나오에佐瀨直衛는 또 다른 석조물을 조사했는데, 경기도 안성군 이죽면의 석불은

형태를 갖추고 있지는 않았다고 한다. 도난 전의 현상은, 기단부는 갑석만 있었으며 3개층의 탑신부가 있었다고 한다. 초층탑신은 우주가 새겨진 2매의 부재만 있었고 옥개석은 1층과 2층이 4단이ml 층급받침, 3층이 3단의층급받침이 있었다. 남아 있는 부재만으로 보면 이들의 높이와 폭의 비율, 체감율 등을 볼 때 고려전기의 5층석탑으로 추정된다고 한다.
100 「죽산면 죽산리(3)」, 『자치안성신문』 2008년 9월 22일.

죽산읍 동남방 일대의 산 중록 산림 중에 넘어져 매몰되어 있었는데 이죽면 죽산리 거주 정영근이란 자가 무단 반출하여 자기 저택 내에 안치하였다. 이 불상은 신라시대의 제작으로 화강암에 양각한 불상으로 안면에는 마모된 개소가 있었다. "신라시대 제작으로 우수한 작품으로 사료됨으로 본부박물관 구내로 이전하여 보존하는 것이 당연할 것으로 믿는다" 라고 하고 있다.

이죽면사무소 정원에 옮겨놓은 불상
(사세 나오에(佐瀬直衛)의
출장 복명서 사진 제2호)

이외에노 보고서에는 상원리 송림 숭에 5중탑의 기단 등과 부근에 탑 개석 3개가 도괴되어 산재하는 것을 별지 사진 제4호로 소개하고 있다.

또 이죽면사무소에 옮겨져 있는 2체의 석불좌상 사진을 게재하고 있다.[101]

사세 나오에佐瀬直衛의 복명서 사진 제2호로 게재한 광배가 있는 석불좌상은 『자치안성신문』 2008년 10월 6일자에 게재한 석조물 '1) 장원리 석조보살좌상'으로 현재 칠장사로

이죽면사무소 정원에 옮겨놓은 불상
(사세 나오에(佐瀬直衛)의
출장 복명서 사진 제2호)

101 「昭和 11년 충청남도 홍성, 경기도 안성 출장 복명서」, 『국립중앙박물관 소장 조선총독부박물관 공문서』.

안성 장원리사지 사리탑
(국립중앙박물관 소장 유리건판 013022)

안성 장원리사지 5층석탑(국립중앙박물관 소
장, 유리건판 소장번호 : 013021)

옮겨져 있다.

사세 나오에佐瀬直衛의 복명서 사진 제3호로 게재한 석조보살좌상은『자치 안성신문』2008년 10월 6일자에 게재 한 석조물 '3) 장원리 석조여래좌상'으 로 현재 그 소재 불명이라 한다.

사세 나오에佐瀬直衛가 조사한 장원 리 산 40번지 부근에 산재한 석조물 중 에는, 연화문 대좌 2개, 팔각탑신 1개, 팔각대좌 1개, 원형대좌 1개, 팔각대 좌 절단의 2개 및 동 파편 2개가 있었 고 보존의 가치가 있는 것으로 유원지 의 적당한 지점에 보존할 것을 주재소 원에게 의뢰한 것으로 나타나 있다. 국 립중앙박물관 소장 유리건판 사진에 는 '안성 장원리사지 사리탑'(유리건판 013022)이라고 기록한 사진이 1매 있 다. 이 사진을 비교해 보면 사세 나오 에佐瀬直衛의 복명서에서 기술하고 있는 장원리사지의 석조물과 거의 일치하고 있다. 또한 사진상에 나타난 주위 환경 을 보면 어떤 공원에 이치된 것으로 보이고 있다. 따라서 이는 사세가 주재소원에게 유원지 등에 이치할 것을 의뢰한 내용과도 일치하고 있어 사세의 조사 이후 장원리 사지에서 옮겨온 것임을 알 수 있다. 하지만 이 사리탑 언제 어디로 옮겨졌는지 그 소재가 불명이다.

또 국립중앙박물관 소장 유리건판을 보면 '안성 장원리사지 5층석탑'(소장번 호 : 013021) 1매가 남아 있는데 비록 상륜부는 남아 있지 않지만 아주 잘 짜여 진 5층석탑으로, 사진상에 나타난 주변 환경을 보면 폐사지가 아닌 공원 등의 공지에 옮겨져 있는 것으로 짐작된다. 이 석탑도 현재 그 소재가 불명하다.

1936년 11월 1일

총독부박물관에서는 고적연구회에서 발굴하고 있는 부여 군수리 폐사지 출 토품을 11월 1일부터 한 주일동안 거행되는 박물관 주간에 관람케 하다.[102]

1936년 11월 13일

달성군 대운암大雲庵 화재

11월 13일 오후 4시 30분경 청도군과 달성군의 경계에 있는 동화사의 말사 대운암에서 불이 일어나 칠성각 1동을 소진하고 겨우 진화되었는데 칠성각에

---

102 『每日申報』 1936년 11월 1일자.

있던 불상 1체와 불화 4점도 소진되었다.[103]

1936년 11월 14일

1936년 11월 14일부터 15일 양일간 긴자 마츠자카야銀座 松坂屋에서 《동양고도자전》를 개최하다.[104]

1936년 11월 20일

《모리 고이치(森悟一) 유애품 경매회》

모리 고이치森悟一는 고미술품의 안목이 대단히 높았다. 그의 소장품은 대부분 서화와 도자기가 주를 이루고 있으며 모두 일류급에 속했다. 모리 고이치는 1934년 2월 13일 자택에서 심장병으로 별세했다. 모리가 한국에서 죽자 그의 유족들은 고미술품에 별 관심이 없었던지 1936년 11월에 경성미술구락부를 통해 경매에 붙였다.

경매에 나온 것들은 서화부 102점 도지기 기타부 100점 총 200여 점으로, 그

---

103 『每日申報』 1936년 11월 18일자.
104 『陶磁』 제8권 제6호, 東洋陶磁研究所, 1936년 12월.

수량으로 볼 때는 그다지 많은 수는 아니나 경매장에 나온 미술품이 모두 수준이 높은 것이라 수집가들로서는 초미의 관심사였다.

경매장에는 경성은 물론이고 전국의 내노라는 수장가들은 자신의 거래 중계인을 앞세우고 나타났다.

일본인들로는 경매를 주관한 사사키佐佐木, 원산의 미요시三由, 성환농장주 아카호시赤星, 서울의 아마이케天池, 구로다黑田, 스즈키鈴木, 저축은행 전무 시라이시白石, 대판옥호서점 나이토内藤, 시멘트회사 사장 아사노淺野, 인천의 거부 스즈시게鈴茂, 일본의 야마나카山中, 무라카미村上 등을 비롯한 30여 명이 참가하였다. 이때 주선한 세화인으로는 간송의 단골 거간이자 온고당 주인 신보키조新保喜三도 포함되었다.

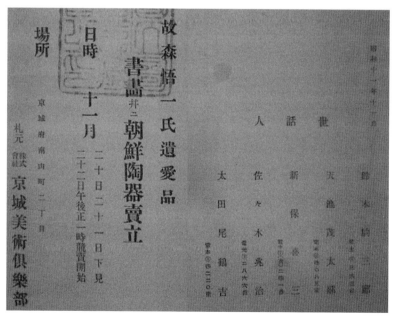

『고삼오일씨유애품도록』

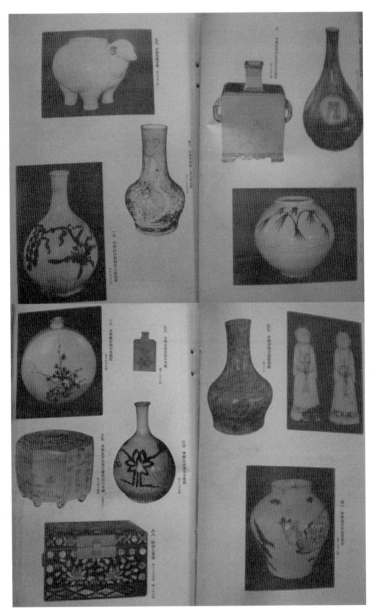

경매도록 도판

한국인으로서는 장택상, 김찬영, 이병직, 백인제, 의사 박창훈 등이 참가했다.

모리 고이치森悟一는 1908년에 경도제국대학 법률과를 졸업하고 한국정부에 초빙되어 한국 탁지부 농공은행에 근무하였다. 함흥지점장을 거쳐 광주농공은행 광주지점장, 근업대부과장, 1918년 이후 산업금융과장, 식산은행이사, 저축은행장 등을 역임하였다.[105]

모리 고이치는 비록 은행가이지만 고미술품에 대한 그의 감식안은 최정상급이었다. 특히 서화와 조선도자기 분야에 있어서 그의 소장품은 일인 거물급 수장가들 중에서도 제일급으로 꼽히고 있다. 이미『조선고적도보』에 그의 소장 서화가 여러 점 실려 있으며, 도자기도 청화백자진사송죽쌍호문8각병, 청화백자산수문4각병 등을 비롯한 일품을 많이 수집하였다.

그는 생전에 팔지 않고 거의 수집하는데 몰두하였다. 하지만 그가 죽고 난 후 유족들에 의해 그의 소장품들은 대부분 경매 처분되었다. 모리가 죽은 후 얼마 되지 않아 그의 유족들로부터 경성미술구락부에 처분의사가 있자, 당시 경성미술구락부 이사장 사사키佐佐木와 골동상인들이 유족들과 교섭을 하여 그의 소장품을 경성미술구락부에 내놓게 되었다. 그의 소장품에 대해서는 질이 높다는 것은 골동계에 알려진 일이지만 밖으로 잘 드러내지 않았기 때문에 서화 골동 수집가들에게는 큰 관심거리이었다.

현재 간송미술관에 소장되어 있는 '청화백자양각진사철채닌국초충문병'도 이때 경매가 이루어진 것이다.

---

105 朝鮮新聞社 編纂,『朝鮮人士興信錄』, 朝鮮新聞社 1922, pp.686-687; 佐佐木太平,『朝鮮の人物と事業』, 京城新聞社, 1930.

이 청화백자양각진사철채난국초충문병은 백색의 청아한 바탕에 나은 청화, 국화 줄기 및 잎은 철채, 국화꽃과 벌은 진사로 표현하였다. 그리고 문양의 형태는 모두 양각 즉 돋을무늬로 표현하여 복합백자라 할 수 있다. 하나의 작품에 이렇게 여러 가지 기법을 사용한 것은 국내에서 그 유례를 찾아보기 힘들다. 말하자면 조선시대 도자공예의 기술을 총동원한 백자의 총화라 해도 과언이 아니다.

이 백자가 간송미술관에 수장된 유래에 대하여 최순우 선생과 고 박병래 선생의 회고를 참고하면, 을지로 3가에 무라노村野라는 일본인이 운영하는 골동가게의 안채에 참기름을 팔려온 개성 아주머니가 있었다고 한다. 마침 골동상 주인이 무심코 안채에 왔다가 기름이 담긴 백자를 보고 기름과 함께 백자 4점을 4원을 주고 몽땅 샀다. 그런데 이 골동상에게는 장사수완이 아주 뛰어난 마에다前田라는 사위가 있었는데, 이 사위가 골동상점에 왔다가 이 백자를 발견하고 4원에 산 물건을 60원에 모두 샀다. 무라노는 말하자면 10배가 넘는 가격에 팔았으니 기분이 좋았음인지 그날 저녁 한잔을 마시고 집에 들어갔다. 그런데 며칠 후 마에다는 4점 중 문제의 병을 모리에게 800원에 넘겼다. 이 소식을 듣고 무라노 부부가 크게 싸움을 벌였다는 것이다. 남은 800원을 받았는데 60원을 받고 무엇이 좋아서 술을 먹고 들어 왔느냐고 부인이 떼를 쓴 모양이다.

결국 이 병은 모리의 물건이 되어 경성미술구락부의 경매장에 나왔는데, 간송이 중계인을 시켜 1만4천5백80원에 낙찰시켰다.

당시 경매장 현장에 있었던 이영섭은 「내가 걸어온 고미술계 30년」에서 당시의 현장 모습을 생생하게 표현하고 있다.

여러 사람이 마음 조리며 기다리던 '이조백자진사철사국화문대병'이 나온

것은 경매가 중반에 들어가 인기
가 무르익어가는 무렵이었다. 단
숨에 천원을 뛰니 웅성거리는 소
리가 좌중에 휩쓸렸으나 금세 조
용하게 되었다. <중략> 5천원의
고개를 넘어서자 부르는 목소리
가 줄어들었으나 그 목소리는 마
치 창끝같이 날카롭고 매서웠다.
6천원을 무사히 돌파하고 다시

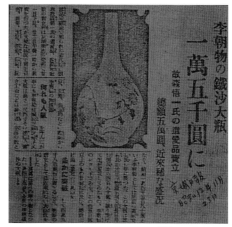

당시의 경성일보 기사[254]

부르는 소리는 숨가프게 한발자국씩 올라가 누군가 7천원을 불렀을 때 주
춤해 지는가 했는데, 신보 씨가 큰소리로 대뜸 8천원을 불러 제꼈다.

침묵이 흐르고 경락봉을 잡은 고다이라小平씨가 두 번째 값을 큰소리로 되
풀이하는 소리가 떨어지기가 무섭게 잠잠하던 한쪽 구석에서 또렷하게 9천
원이라고 불러댄 사람이 있었다. 역시 대뜸 십 한 채 값이 또 뛰어 오른 셈이
다. 그 주인공은 야마나카상회의 야마나카 사다지로山中定次郞이었다.<중략>
간송과 신보 두 사람은 극도로 긴장된 얼굴이었다. 정세는 새로 난데없이
출현한 강적을 맞이하여 낙관을 불허하게 된 것을 그들은 피차 어렴풋이
느끼고 있는 것이다. 이윽고 신보 씨가 판은 걷고 "자 덤벼라" 하며 장내가
떠나갈 듯한 큰소리로 1만원을 불러댔다. 그러나 상대방도 호락호락 물러

---

106 신문에는 昭和12(1937)로 메모하고 있지만 이 기사를 처음 게재한 이영섭 본인 뿐 아
니라 여러 사람들의 증언으로 볼 때 1936년이 맞는 것으로 보인다.

설 사람은 결코 아니다. 한번 부를 때 마다 가격은 500원씩 숨가프게 올라 갔다. 경합은 신보 씨가 1만 4천5백 원을 불렀을 때 그 정상에 도달하였던 것이다. 이젠 50십 원 간격으로 변하여 야마나카 측이 불렀을 때 기분적으로 상당히 지쳐있는 듯하였으며 승부의 앞길도 보이는 듯하였다. 더욱 자신이 붙은 신보 씨는 더 붙을 필요가 없다는 듯이 큰소리로 10원 간격으로 불러댔다. 상대방은 더 부를 기력이 없다는 듯이 한번 따라 부르기는 했으

청화백자양각진사철채난국초충문병(국보 제294호, 간송미술관 소장)
1936년 경매록에는 도자기부 도판1로 게재되어 있으며 "고적도보 제15책에 게재"라고 설명을 붙이고 있다.
『住井家愛玩 書畵骨董賣立目錄』에는 도판 57로 게재되어 있다.

나 신보 씨가 1만 4천580원을 불렀을 때 뒤를 따르는 목소리는 없었다.

이영섭은 당시 경매 현장에 간송이 함께 한 것으로 표현하고 있는데, 현장에 있었던 박병래는 이영섭의 기억과는 달리 간송은 현장에 없었던 것으로 기억하고 있다. 박병래는 『도자여적』에서 다음과 같이 회고하고 있다.

경매가 있기 며칠 전 전형필 씨에게 신보가 와서 대충 설명을 하자 간송도 그렇게 값이 올라 갈 줄은 꿈에도 생각하시 못했다. 당일 경매장에서 순식간에 값이 치솟게 되자 당황한 신보는 간송에게 전화를 걸었다. 그때 간송은 절대로 경매장에 나온 일이 없었다. 순식간에 1만원이 넘고 그러다가 결국에 가서 전씨에게 1만 4천8백50원에 떨어졌다.

그때에 나도 거기 있었지만 장내에서는 긴 한숨과 함께 일본인이 감탄한 나머지 지르는 탄성인 '에라이!'(훌륭하다)하는 소리가 이 구석 저 구석에서 터져 나왔다. 그도 그럴 것이 그때 돈 1만원이면 요즈음 1억 원쯤은 되는 돈인데, 전씨의 쾌거에 일인도 감격한 것이다.

또 경성구락부가 생긴 후 미증유의 일이어서 그야말로 감동의 순간이었다. 며칠이 지나서 일본에서는 전씨가 바가지로 비싸게 샀기 때문에 이제는 망한다는 소문이 파다하게 퍼졌다.

<중략> 더구나 그 물건을 산 사람은 고자 8배 위을 주었던 것이니 물경 20배를 주고 산 전씨의 결단은 어떻게 보면 불가해한 일인지도 모를 일이었다. 하지만 그 오해는 풀렸다. 그 소문이 일본으로 확 퍼지자 어떤 사람이 와서 보

고 전씨에게 10만원에 팔라고 했으나 전씨가 딱 잘라 거절했다는 얘기다.[107]

당시 군수의 월급이 70원이었던 시절이라고 하니 엄청난 거금이라 할 수 있다. 간송이 이 병에 대한 정보를 이미 신보로부터 통해 전해 듣고 이 물건을 꼭 입수하고자 마음먹었던 것이다. 경매 전날 예정한 가격은 6천원이었다. 그러나 이 물건의 경우에는 결코 물러설 수 없는 승부였다. 신보에게 돈은 얼마든지 지불하더라도 꼭 입수하라는 말을 전했다. 당시 장내의 일본인들은 간송의 배포에 놀랐으며 한국인들은 자신의 일처럼 통쾌해 하였다. 간송이 국제적인 골동품상 야마나카山中상회와 대결하여 경락시킨 것은 대단한 쾌거라 할 수 있다. 그 당시 이 낙찰가는 최고 기록이라고 한다. 이 날 간송은 신보를 통해 청화백자양각진사철채난국초충문병 외에도 심사정의 노응탐치도怒鷹眈雉圖, 정선의 고사관폭도高士觀瀑圖를 경락시켰다.

이 '청화백자양각진사철채난국초충문병'은 1936년에 간송의 손에 들어가기 전에 한 번 더 경매장에 출현하였다.

『스미이가 애완 서화골동매립목록住井家愛玩 書畵骨董買立目錄』을 보면, 대표적인 물품의 도판과 목록을 게재하고 있으며 경매 장소와 일시는 나타나 있으나 경매 년대는 나타나 있지 않다. 이 도록에 놀랍게도 '청화백자양각진사철채난국초충문병'이 도판번호 57로 실려 있으며 목록에는 '名物'이란 별도의 표시를 하고 있다. 이는 모씨의 소장 이전에 이미 경매장에 나왔다는 것을 알 수 있게 하는 것이다.

107 朴秉來, 『陶磁餘滴』, 중앙일보사, 1974.

즉 마에다의 손을 거친 이 병은 스미이 타츠오住井辰男의 소장으로 있다가 1932년에 스미이가 본국으로 귀국하게 되자, 귀국 직전에 이 병을 다른 180여 점의 서화 골동과 함께 경성미술구락부를 통하여 경매에 출품하였던 것이다. 이때 모리가 문제의 이 병을 경락시켜 소장하였으며, 모리의 사후에 그의 유족들에 의해 1936년 경성미술구락부를 통하여 경매장에 나타난 것으로 보여 진다.

간송에게는 문화재 수집에 충실한 두 명의 골동 거간이 있었다. 그 중 골동 분야에는 일본인 골동상 신보 키조新保喜三란 자로 남산동에서 1931년부터 온고당이라는 골동상점을 운영하는 자이다. 신보는 골동에 대한 감식안이 뛰어났을 뿐 아니라 전국적인 골동의 흐름과 소재의 파악이 밝아 은밀히 거래되는 미술품들에 대한 많은 정보를 가지고 있었다. 그래서 우수한 미술품들이 나타나면 간송에게 소개를 하였으며, 간송을 대리하여 국내 경매는 물론이고 일본에까지 경매에 참가를 하였다. 간송미술관의 수집품 중에는 신보의 도움으로 수집한 귀중 미술품이 상당수 있다.

'응치도(鷹雉圖)'(심사정 필)
모리 고이치森悟一 구장, 1936년의
경매노록에는 도판 38로 게재되어 있다.
현재 간송미술관 소장

간송은 원주인이 미술품의 가치를 잘 모르고 값을 싸게 부르면 그 두 배건 세 배건 간에 자신이 판단한 가치대로 그 대금을 지불했다. 그래서 일급 문화재들이 그의 손에 속속 들어 올 수 있었다. 이런 간송이고 보니 신보는 일본인이지만 간송에 대해서만은 대단히 양심적이었으며 자신보다 20세가량 어린 간송이지만 그의 인품에 존경의 마음을 가지고 미술품 수집을 도왔다.

모리 고이치森悟一는 도자기뿐만 아니라 한국 시화도 많이 수집을 하였다. 『조선고적도보』제 14권에 실려 있는 모리의 소장품으로는 달마도(김명국 필), 화조도, 응치도(심사정 필), 사면송하청류도使面松下聽流圖(이인문 필), 등이 실려 있으며, 서화로는 완당대련을 위시하여 현재의 산수, 영모도, 사명당 및 유성룡의 간찰 등 귀중한 미술품을 많이 소장하였다. 모리의 소장품 중『조선고적도보』에 나와 있는 '달마도'와 김인문의 '선면산수'는 1931년 3월에 일본에서 개최한 《조선명화전람회》에 전시되어 극찬을 받았다. 그의 소장품들은 양이나 질적으로 상당하다 할 수 있다.

모리 고이치(森悟一)가 소장했던 달마도
(현재 국립중앙박물관 소장)

국립중앙박물관에 소장되어 있는 김명국 필 '달마도'는 일반인에게 널리 알려진 작품으로 왼쪽에는「蓮潭」「金氏明國」이라는 주문인이 찍혀 있다. 김명국은 조선통신사를 따라 일본을 두 번이나 건너가 일본 지식층들과 교우하면서 여러 점의 그림과 적지 않은 일화를 남겼다. 통신사 수행 화원으로 두 차례나 뽑혔다는 것은 그만큼 박식하고 능력이 있어 일본인들로부터 호감을 받았다는 것으로 해석될 수도 있다. 그가 얼마나 인기가 높았는지 1643

년 통신사 수행 때 일본으로부터 "연담 같은 사람이 오기를 바란다"는 특별요청이 외교문서를 통해 공식적으로 제출되었던 사실로도 알 수 있다.[108] 그 당시에 남긴 김명국의 작품이 오늘날까지 일본에 전해오는 것이 여러 점 있다.[109]

국립중앙박물관 소장의 '달마도'는 김명국이 일본에 통신사 수행원으로 따라갔을 때 그곳에서 그린 것으로 일본에서 전해오던 것을 사온 것이라고 주장하는 사람도 있는데,[110] 이 그림이 어디에 소장되어 있었는지, 언제 한국으로 건너왔는지, 어디에 근거한 것인지 명확한 것을 알 수 없다.

국립중앙박물관 소장의 김명국 필 달마도는 1934년에 간행한『조선고적도보』제 14책에 도판 5913으로 모리의 소장으로 나타나 있다. 그런데 1931년 일본에서 개최되었던《조선명화전람회》의 도록에는 도판으로 실려 있고 '민형식씨장閔衡植氏藏' 으로 나타나 있다. 그래서 모리 이전에는 민형식이 소장하고 있었다는 것을 알 수 있다. 1932년 10월 조선미술관 주최의《조선고서화진장품전》에는 모리의 소장으로 출품되었다. 따라서 모리가 이 그림을 입수한 것은《조선명화전람회》바로 직후로 보인다.

---

108 洪善杓,『朝鮮時代 繪畵史論』, 文藝出版社, 1999, p.387.
109 李東洲의『日本속의 韓畵』(瑞文堂, 1974)에 도 몇 점 소개되어 있다.
　　　洪善杓에 의하면, 현재 김명국의 작품으로 남아 있는 것은 14점 정도가 진해진다고 한다(洪善杓,『朝鮮時代 繪畵史論』, 文藝出版社, 1999).
110 崔淳雨는 "그 곳에 남긴 작품 중의 하나로 우리 박물관에서 다시 사들려 온 것이다"라하고, 洪善杓는 "이 그림은 일본에서 유전해 오던 것을 사온 것으로 우리나라뿐 아니라 동아시아의 달마도 중에서 최고 걸작으로 꼽아도 좋은 명품이다"라(洪善杓,『朝鮮時代 繪畵史論』, 文藝出版社, 1999) 하고 있다.

「森家所藏 書畵骨董賣立目錄」 안쪽 표지

* 모리 고이치 소장품의 또 다른 경매

모리의 소장품은 그가 죽기 전에 경성미술구락부에서 1회의 경매회를 가졌다.『삼가소장 서화골동매입목록』을 보면 연대는 나타나 있지 않고 2월 14, 15일 양일간 전시하고 16일에 경매한 것으로 나타나 있다. 이 속에는 연담 김명국의 달마도가 도판번호 12번으로 게재되어 있다.[111]

『삼가소장 서화골동매입목록』은 55쪽으로 이루어졌다. 서화부와 골동부로 나누어

---

[111] 『국립중앙박물관 소장 총독부박물관 공문서』에 있는 「昭和8~13년도 진열품 기부 문서철」에는 '狩野探圓 필 宇治川先陣圖 외 - 森悟一 유족 기부' 문서가 들어 있다.
이 속에는 1934년 9월 4일자 아유카이 鮎貝房之進이 기증품을 평가한 평가서가 있는데 여기에는 연담 김명국의 달마도 외 4점이 포함되어 있다.
또 1935년 11월 29일자로 작성한 '森悟一 유족이 기부한 물품 대여에 관한 건'이 보이는데, 그 내용은 "금회 저축은행 신축낙성식 및 개소식에 전 두취 故 森悟一의 유물을 진열하여 일반에게 관람시키고자, 森씨 유족으로부터 기부 받은 좌기의 물품을 대여한다"는 것이다. 여기에는 달마도 외 3점의 서화가 포함되어 있다.
또 고 森悟一의 기증에 대해 1938년 5월 13일자로 森悟一의 유족에게 褒狀한 문서가 보인다.
1938년 11월 개최한《조선명보전람회》에 총독부박물관에서는 김명국의 달마도를 출품했다.
이상으로 본다면, 김명국의 달마도는 모리의 사후에 森悟一의 유족으로부터 1934년 9월경 총독부박물관에 기부되었다. 그 후 1935년 11월에는 총독부박물관에서 저축은행 신축낙성식 진열품으로 잠시 대여해 주었다. 또 1938년에는《조선명보전람회》에 출품하였다. 이로써 1934년 9월 이후에는 분명 총독부박물관의 소유인 것을 알 수 있다.
따라서 삼가소장서화골동매립회는 그의 생전 어느 해 2월임을 알 수 있다.

져 있는데, 서화부는 1~106호, 골동부는 107~683호까지로 방대한 양이라 할 수 있다. 개인 소장품으로 이같이 방대한 양과 우수+한 미술품이 한꺼번에 출품된 것은 초유의 일이다.

『森家所藏 書畵骨董賣立目錄』(2월 14일~16일)

	품명	수량	비고
書畵之部	玄齋 筆 神品		목록번호38
	檀園 筆 花鳥圖		목록번호 51
	玄齋 筆 靑綠山水圖		목록번호 53
	朝鮮佛畵		목록번호 54
	列朝御筆		목록번호 82
	吾園 筆 花鳥雙幅		목록번호 92
	書畵大觀	4冊	목록번호
	기타	100여 점	목록번호~106
骨董之部	木彫佛		목록번호 111
	鍍金座佛像		목록번호 122
	木彫佛		목록번호 131
	高麗鏡	57종	목록번호 141
	三國時代佛像 등 불상	14점	목록번호 120~229
	청자, 백자, 기타		목록번호 683
계		683 섬	목록번호는 1부터 683번까지 있으나 어떤 것은 한 번호에 여니 섬이 있다.

❊ 스미이 다스오(住井辰男) 소장품 경매

스미이 다스오住井辰男는 1920년 2월에 한국에 건너와 미쓰이물산경성지점장 三井物産京城支店長으로 있었으며 골동수집에 열성이었을 뿐만 아니라 그 감식안도 뛰어났다고 한다.

1932년에 삼정물산 참사업과장으로 본점으로 영전하여 일본으로 귀국하였다. 그가 한국에 있었던 기간은 12년이지만 그가 수집한 한국 고미술품은 다양하고도 상당한 수량이었다. 그의 소장품은 일찍부터 이름이 높아『조선고적도보』제9책과 15책,『1927년도 고적조사보고』에 상당수의 그의 소장품이 도판으로 소개되어 있다.

1928년에 우루시야마 마사요시漆山雅喜가 단團 남작 부처와 함께 스미이 저택의 오찬회에 초대를 받아 갔다가 본 소감에, "스미이住井씨는 경성에서 도자기 수집가로 알려져 있는데 그 중에는 계룡산물과 고려, 이조시대의 우수품을 많이 가지고 있다"[112]라고 하고 있다.

그의 수장품은 경성미술구락부를 통하여 경매에 붙여졌다. 경성미술구락부에서 경매에 붙여진『주정가 애완 서화골동매립목록』을 보면 연대는 나타나 있지 않으나 1934년 이전으로 일시는 3월 18일부터 20일까지 서화 불상, 고려 조선자기, 다기 등 182점이 출품되었다. 특히 도자기류는 모두가 일급품들만 출품되었다. 이때 바로 모리 고이치森悟一 손에 넘어간 청화백자양각진사철채난국초충문병(국보 제294호, 간송미술관 소장)이 포함되었다.

---

112 漆山雅喜,『朝鮮巡遊雜記』, 1929, p.33

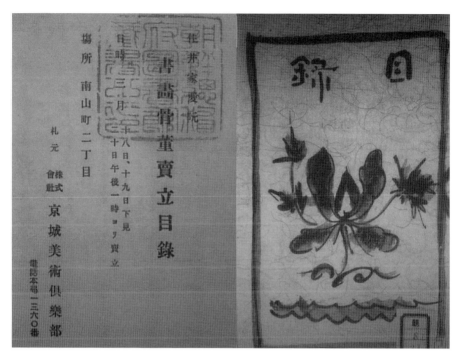

『住井家愛玩 書畵骨董賣立目錄』

그 목록에 나타난 출품 수는 대략 다음과 같다.

목록에 나타난 출품수(출품일 : 3월 18일~20일)

	품명	수량	비고
書畵之部	大院君 筆 蘭圖, 기타	16 점	목록번호 1~16
佛像之部	삼국시대 金銅觀音立像 등 佛像	6 점	목록번호 17~22
高麗朝	靑磁象嵌柳花蝶花瓶 등	17 점	목록번호 23~39
文房具	靑磁角形陶印 등	22 점	목록번호 40~50
粉靑沙器	雞龍山三島鐵砂牧丹繪俵形花瓶 등	5 점	목록번호 51~55
朝鮮	朝鮮辰砂菊繪壺 등	12 점	목록번호 56~67

	품명	수량	비고
煎茶	煎茶用小棚 등	27 점	목록번호 68~94
抹茶	黑樂茶碗 등	11 점	목록번호 95~105
木工之部	朝鮮螺鈿箱 등	15 점	목록번호 106~120
雜之部	新羅丸壺, 靑磁香爐 등	62 점	목록번호 121~182
계		193 점	

당시 출품하였던 분청사기장군

아사카와 다쿠미(淺川巧)의 『조선도자명고』와 『세계도자』 14권(1956)에 실려 있다.

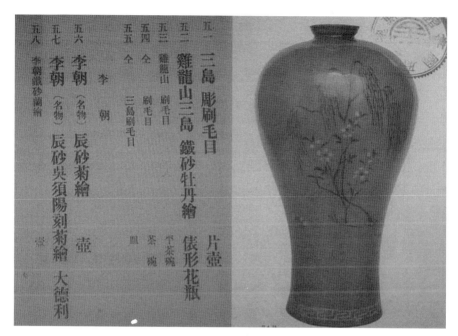

『주정가 애완 서화골동매립목록』과 당시 출품한 청자상감수류문매병

목록에 나타난 도판번호56 이조진사오수양각국회대덕리(李朝辰砂吳須陽刻菊繪大德利)가
청화백자양각진사철채난국초충문병(국보 제294호, 간송미술관 소장)이다.
도판 24로 나타난청자상감수류문매병은 『세계도자』 14권(1956)에 실려 있다.

1936년 11월 20일

문명상회의《제3회 조선공예대전람회》

　문명상회의《제3회 조선공예대전람회》는 1936년 11월 20일부터 26일까지 열렸는
데, 제3회 도록에는 '동양연대표'가 삽입되어 있고 동양미술학교 교수 타나베 코우지
田邊孝次의「조선의 공예」란 글이 실려 있다. 그 주요 목록을 보면 대략 다음과 같다.

품명	목록번호	수량	비고
樂浪神人車馬鏡	1		
高麗靑磁象嵌黑釉地辰砂牧丹文水指	2		
고려청자원앙개향로	3		 『安宅컬렉션 동양도자전』(1979)에 출품
고려청자쌍사자침	4		

품명	목록번호	수량	비고
낙랑출토 문자전	6~8	3	
新羅草花舍利筒 및 新羅瓶	17, 18		
고려불상	23		
고려청자포류인물상감수주	52		
석조물	205~208		

품명	목록번호	수량	비고
회고려초화문병	127		
조선염부초화문호	161		
조선철사용문호	209		
조선고대3층탑	281		
~290까지 도판			
낙랑	301~400		
신라	401~432		
고구려	446~450		
고려	451~800		
조선	801~1805		

품명	목록번호	수량	비고
이하 약 200점 학술참고품 기타			

1936년 11월

경주역전 석탑 이건

1936년 11월에 경주군 내동면 동방리 장곡 전 사자사지 부근에 넘어져 있던 석탑을 경주고적보존회에서 기부를 받아 경주읍 황오리 경주정차장 앞 광장에 옮겨 건립했다. 이를 옮기는 데는 가도로를 만들어 일부는 우차로, 일부는 좁은 길을 이용하여 운반했다.[113]

경주역으로 옮긴 후의 모습

경주 석탑 매각

1936년 10월에 경주의 석탑 1기가 매각되어 부신으로 팔려가자 이를 알게

---

113 「경주역 구내 유물 이치 복원 시행 개요」, 『조선총독부박물관 공문서』, 목록번호 : 96-159.

된 경주박물관에서 총독부박물관 이리미즈 교이치有光教—에게 서신으로 보고를 했다. 1936년 11월 10일 학무국장이 경북지사에게 보낸 '석탑취조에 관한 건'에 의하면,

"귀 관하 경주군 경주읍 황남리 정한표의 자택 내의 석탑 1기가 최근 부산 모 유력자에게 매각되었다고 하니 사실 유무 및 석탑의 원소유지의 유래 등을 급히 조사하여 회보해 주기 바람, <중략> 만약 원소재지가 폐사지이면 매매를 중지시키고 국유로 적의適宜의 처치를 바람" 이라고 조사와 함께 사후 처리를 위임했다.

이 조사를 명받은 경북도 측에서는 그 결과를 1936년 11월 26일자 경북도지사가 학무국장에게 보낸 '석탑취조에 관한 건'에 나타나 있는 바, 그 내용은 "소유자 정한표에 대해 대구부 영정 고물상 오쿠 지스케奧治助가 매수를 하고자 했

문제가 된 석탑

으나 가격에서 타합이 되지 않아 매매성립이 되지 못했음" 이라고 하며, "본 석탑을 약 20년 전 경주군 내남면 탑리 및 경주읍 충효리에서 부분적으로 모은 것" 이라고 하여 가치를 저하하고 있다.[114]

1936년 12월 18일부 경부도지사가 학무국장에게 보낸 '석탑취조에 관한 건'은 좀 더 구체적으로 밝히고 있는데, "석탑 원소재지는 경주군 내남면 탑리의 논, 경주읍 서악리 등에서 부분적 취집取集, 그 일부는

---

114 『조선총독부박물관 공문서』, 목록번호 : 96-159.

경주읍 충효리 모 석공에게 구입"한 것이라고 하면서 "1층탑신, 내남면 탑리 본인 소유 논에서 운반, 1, 2층 옥개는 경주읍 서악리 산간에서 습득, 3층 옥개는 경주읍 충효리 모 석공에게 구입"한 것이라고 구체적으로 밝히고 있다.

이렇다 보니 당시 법적으로는 하등의 제지를 할 수 있는 근거가 없었던 것이다. 그 이후의 결과는 알 수 없으나 사진상에 보이는 석탑재가 어디에 소재하는 지는 미상이다.

양산 통도사 보물 도난시킨 범인은 검거했으나 보물은 이미 일본으로 만출되다.

1932년 경남 통도사에서는 천문도天文圖 및 금강저金剛杵, 요령搖鈴 2개 등 도합 4점의 사찰 보물을 도난당한 사실이 있어 당시 경남도 경찰부에서는 각서에 통첩을 보내어 범인 체포에 힘을 기우렸으나, 범인을 찾지 못하고 미궁에 빠져 있었다. 5년이 지난 후에야 양산서에서는 경남 김해군 김해읍 북내동 김학년 외 3명을 검거함과 동시에 부산지방법원으로 송치했다. 범인들을 취소한 결과 천문도는 천체의 모형으로써 별은 진주로 표시하여 꾸민 것이라고 하는데 통도사에서 가상 귀중히 보관해 오던 것인데 이들 범인은 골동상의 손을 기쳐 1천3백 원에 매각히여 현재는 교토 방면이 모 인사에게 넘어갔다고 한니. 主범 중의 한 명인 보통학교장은 기소유예에 멈추고 말았다.[115]

---

115 『每日申報』1936년 11월 21일자.

『매일신보』 1936년 12월 3일자에는 다음과 같은 기사가 있다.

통도사 보관 중의 천문도 등 국보 도적 관련된 모 전 보교장은 기소유예
양산 통도사 보물전에 보관되어 있는 천문도와 요령 2개 등 도합 4점의 보
물을 1932년 8월 25일 밤에 어떤 자가 보물전에 침입하여 절취하여 이를
당시 모 보통학교장의 손을 거쳐 신호神戶, 경도京都 방면에 매각해 버려 이
제는 이 땅에서 그 자취조차 찾을 수 없어 이제는 점차 세인의 기억에서
점차 사라져 가던 즈음에 이르러 전기 범인을 체포하여 다가 부산검사국
에서 취조 중이던 바 그 중 전 경남도 보통학교장이던 동경시 삼병구 아좌
곡 암빈영崇濱榮 외 1명은 기소유예가 되고 김해군 김해읍 북내동 오학출
과 동래군 기장면 동부리 김료선은 기소되어 공판에 회부되었다.

1936년 12월 7일

창녕군 영산면 구계리 발견 금동불상

1937년 1월 13일부 경상남도 경찰부장이 경무
국장에게 보낸 '매장물 발견에 관한 건'에 의하면,
1936년 12월 7일 경상남도 창녕군 영산면 구계리
법화암 신보월 주지가 구계리의 배산의 암석 사이
에서 금동불상(고 1척) 발견하여 12월 15일 경찰
서에 신고 했다.

1936년 12월 8일

1936년 12월 8일에는 경주고적연구회의 사이토 타다시齋藤忠와 최남주가 울산군 범서면 입암리의 유적조사를 하였다. 이곳은 울산과 언양을 통하는 도로에서 북으로 수백 미터 떨어진 대화천大和川 가까이 있는 유적으로, 완만한 구릉 위에 토단과 초석이 남아 있어 폐사지로 추정되는 곳이다. 여기에 대한 종합적인 보고서는 나오지 않았지만 사이토는 이곳에서 출토한 많은 고와를 중심으로 「경주 부근 출토의 단변單弁연화문 고와의 일형식」이란 논문을 발표하였다.[116]

범서면 입암리에서 출토한 와편
(齋藤忠, 『新羅文化論攷』)

같은 해

본세이(大關晚成) 수집품 진열

도쿄국립박물관에서는 1936년에 오오세키 본세이大關晚成가 수집한 미술품을 한 실에 진열했는데 그 품목은 다음과 같다.

---

116 齋藤忠, 『新羅文化論攷』, 吉川弘文館, 1973, p.304.

품명	출토지	유물번호	출처	비고
天目釉鉢	조선제	美術工藝部第2區 44	『年譜(1936)』	新出品. 大關晩成
天目釉注	조선제	美術工藝部第2區 45	『年譜(1936)』	新出品. 大關晩成
黃瀨戶釉甁	조선제	美術工藝部第2區 46	『年譜(1936)』	新出品. 大關晩成
黃瀨戶釉双耳鍋	조선제	美術工藝部第2區 47	『年譜(1936)』	新出品. 大關晩成
灰鼠釉片耳鍋	조선제	美術工藝部第2區 48	『年譜(1936)』	新出品. 大關晩成
黃瀨戶釉鉢	조선제	美術工藝部第2區 49	『年譜(1936)』	新出品. 大關晩成
黃瀨戶釉甕	조선제	美術工藝部第2區 50	『年譜(1936)』	新出品. 大關晩成
靑磁水滴	조선제	美術工藝部第2區 51	『年譜(1936)』	新出品. 大關晩成
靑磁小壺	조선제	美術工藝部第2區 52	『年譜(1936)』	新出品. 大關晩成
靑磁茶盌	조선제	美術工藝部第2區 53	『年譜(1936)』	新出品. 大關晩成
黃瀨戶釉茶盌	조선제	美術工藝部第2區 54	『年譜(1936)』	新出品. 大關晩成
靑磁德利	조선제	美術工藝部第2區 55	『年譜(1936)』	新出品. 大關晩成
釉注	조선제	美術工藝部第2區 56	『年譜(1936)』	新出品. 大關晩成
釉壺	조선제	美術工藝部第2區 57	『年譜(1936)』	新出品. 大關晩成
海鼠釉注	조선제	美術工藝部第2區 58	『年譜(1936)』	新出品. 大關晩成
海鼠釉片口	조선제	美術工藝部第2區 59	『年譜(1936)』	新出品. 大關晩成
海鼠釉注	조선제	美術工藝部第2區 60	『年譜(1936)』	新出品. 大關晩成
聲壺	조선제	美術工藝部第2區 61	『年譜(1936)』	新出品. 大關晩成
白濁釉片口	조선제	美術工藝部第2區 62	『年譜(1936)』	新出品. 大關晩成
白濁釉壺	조선제	美術工藝部第2區 63	『年譜(1936)』	新出品. 大關晩成
白濁釉盃	조선제	美術工藝部第2區 64	『年譜(1936)』	新出品. 大關晩成
白濁釉鉢	조선제	美術工藝部第2區 65	『年譜(1936)』	新出品. 大關晩成
人形手盃	조선제	美術工藝部第2區 66	『年譜(1936)』	新出品. 大關晩成

1936년도 도쿄박물관 수입품

1936년 5월 25일자로 〈조선고적연구회 이사장 이마이다 기요노리가 궁내대신 마츠히라松平에게 보낸 願書〉를 보면 조선고적연구회에서 해마다 수집한 유물 중에서 대표적인 것을 선택하여 제실박물관 진열품으로 헌납한 건이 보이고 있다. 그 유물은 낙랑, 신라, 백제 및 임나의 것이라고 하며 목록은 나타나 있지 않다.[117]

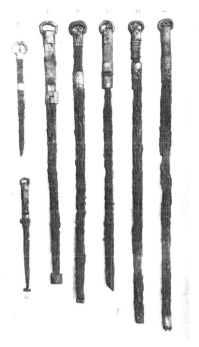

1936년 신수품의 구입으로 나타나 있는 '남선지방의 고분 출토' 환두대도(環頭大刀) 및 환두도(環頭刀) (『제실박물관연보(昭和11年 1月~12月)』 도판 21)

『제실박물관연보(昭和11年 1月~12月)』(1937)을 보면 한국 유물을 기증 받은 건은 보이지 않고, 역사부 제11구의 신수품에는 고분 출토물(유물 번호 4522~4655)과 와전(유물 번호 4656~4899)을 대량으로 구입한 것으로 나타나 있다. 이 속에는 낙랑, 신라, 백제, 가야 유물들이 포함된 것으로 보아 기증받은 것을 구입 처리 한 것이 아닌가 여겨진다.

---

117 大韓民國政府,『對日請求 韓國藝術品』,「附錄」편, 1960, pp.375~382.

1936년도 도쿄박물관 수입품

품명	출토지	유물 번호	출처	비고
環頭大刀 10口	남선지방	歷史部第11區 4522~4531, 圖版21	『年譜(1936)』[118]	구입
鉾身 2구		歷史部第11區 4532, 4533	『年譜(1936)』	구입
鉾身殘缺		歷史部第11區 4534	『年譜(1936)』	구입
鐵器		歷史部第11區 4535	『年譜(1936)』	구입
圭頭太刀殘缺		歷史部第11區 4536	『年譜(1936)』	구입
鳥形陶器		歷史部第11區 4537	『年譜(1936)』	구입
陶製盌		歷史部第11區 4538	『年譜(1936)』	구입
銅製水瓶		歷史部第11區 4539	『年譜(1936)』	구입
陶製瓶 7개		歷史部第11區 4540~4546	『年譜(1936)』	구입
脚付坩		歷史部第11區 4643	『年譜(1936)』	구입
脚付瓶		歷史部第11區 4644	『年譜(1936)』	구입
高杯		歷史部第11區 4645	『年譜(1936)』	구입
陶製盌		歷史部第11區 4646	『年譜(1936)』	구입

---

118 帝室博物館, 『帝室博物館年譜(昭和11年 1月~12月)』, 1937.

품명	출토지	유물 번호	출처	비고
蓋杯 2개		歷史部第11區 4647, 4648	『年譜(1936)』	 구입
臺 4개		歷史部第11區 4649~4652	『年譜(1936)』	 구입
碗 2개		歷史部第11區 4653, 4654	『年譜(1936)』	구입
坩		歷史部第11區 4655	『年譜(1936)』	구입

품명	출토지	유물 번호	출처	비고
鬼瓦 3개	장두산 서록 폐사지	歷史部第11區 4656~4658	『年譜(1936)』	구입
鬼瓦	포석정지	歷史部第11區 4659	『年譜(1936)』	구입
鬼瓦 3개	흥륜사지	歷史部第11區 4660~4662	『年譜(1936)』	구입
鬼瓦	갑산사	歷史部第11區 4663	『年譜(1936)』	구입
鬼瓦 4개	보문리	歷史部第11區 4664~4667	『年譜(1936)』	구입
鬼瓦 2개	인왕리	歷史部第11區 4668, 4669	『年譜(1936)』	구입
鬼瓦	굴불사	歷史部第11區 4670	『年譜(1936)』	구입
鬼瓦 4개	분황사	歷史部第11區 4671~4674	『年譜(1936)』	구입
鬼瓦	경주 북천	歷史部第11區 4675	『年譜(1936)』	구입
鬼瓦	경주 월성	歷史部第11區 4676	『年譜(1936)』	구입
鬼瓦	경주 효불효교지	歷史部第11區 4677	『年譜(1936)』	구입
鬼瓦	불국사	歷史部第11區 4678	『年譜(1936)』	구입
鬼瓦 2개	신원사	歷史部第11區 4679, 4680	『年譜(1936)』	구입
鬼瓦 9개		歷史部第11區 4681~4689	『年譜(1936)』	구입
塼 3개	임해전지	歷史部第11區 4691~4693	『年譜(1936)』	구입
塼 3개	울산 발견	歷史部第11區 4694~4696	『年譜(1936)』	구입
塼 25개	사천왕사지	歷史部第11區 4697~4721	『年譜(1936)』	구입
塼 3개	금척리부근	歷史部第11區 4722~4724	『年譜(1936)』	구입

품명	출토지	유물 번호	출처	비고
塼	분황사	歷史部第11區 4725	『年譜(1936)』	구입
塼	천군리	歷史部第11區 4726	『年譜(1936)』	구입
塼	월성	歷史部第11區 4727	『年譜(1936)』	구입
塼 2개	사천왕사지	歷史部第11區 4728, 4729	『年譜(1936)』	구입
瓦殘片 2개		歷史部第11區 4730, 4731	『年譜(1936)』	구입
塼	경주 월성	歷史部第11區 4732	『年譜(1936)』	구입
塼	월성부근	歷史部第11區 4733	『年譜(1936)』	구입
塼 3개	귀교 발견	歷史部第11區 4734~4736	『年譜(1936)』	구입
塼 6개	흥륜사지	歷史部第11區 4737~4742	『年譜(1936)』	구입
塼	인왕리 발견	歷史部第11區 4743	『年譜(1936)』	구입
塼 2개	황남리	歷史部第11區 4744, 4745	『年譜(1936)』	구입
塼	효불효교	歷史部第11區 4746	『年譜(1936)』	구입
塼 2개	황성사	歷史部第11區 4747, 4748	『年譜(1936)』	구입
塼殘片 2개		歷史部第11區 4749, 4750	『年譜(1936)』	구입
鐙瓦 18개	장두산 하폐사지	歷史部第11區 4751	『年譜(1936)』	구입
鐙瓦 15개	인왕리 발견	歷史部第11區 4752	『年譜(1936)』	구입
鐙瓦 2개	인왕사	歷史部第11區 4753	『年譜(1936)』	구입
鐙瓦 8개	인왕서당 부근	歷史部第11區 4754	『年譜(1936)』	구입
鐙瓦 6개	탑리 도덕사	歷史部第11區 4755	『年譜(1936)』	구입

품명	출토지	유물 번호	출처	비고
鐙瓦 2개	탑리	歷史部第11區 4756	『年譜(1936)』	구입
鐙瓦 32개	임해전지	歷史部第11區 4757	『年譜(1936)』	구입
鐙瓦 21개	사천왕사지	歷史部第11區 4758	『年譜(1936)』	구입
鐙瓦 9개	보문사지	歷史部第11區 4759	『年譜(1936)』	구입
鐙瓦 11개	보문리	歷史部第11區 4760	『年譜(1936)』	구입
鐙瓦	남산	歷史部第11區 4761	『年譜(1936)』	구입
鐙瓦	남산리 사면석불 부근	歷史部第11區 4762	『年譜(1936)』	구입
鐙瓦	남산성	歷史部第11區 4763	『年譜(1936)』	구입
鐙瓦 11개	남산장곡	歷史部第11區 4764	『年譜(1936)』	구입
鐙瓦 3개	말방리	歷史部第11區 4765	『年譜(1936)』	구입
鐙瓦 4개	숭복사지	歷史部第11區 4766	『年譜(1936)』	구입
鐙瓦 6개	월성	歷史部第11區 4767	『年譜(1936)』	구입
鐙瓦 3개	월성부근	歷史部第11區 4768	『年譜(1936)』	구입
鐙瓦 5개	반월성	歷史部第11區 4769	『年譜(1936)』	구입
鐙瓦 61개	남간	歷史部第11區 4770	『年譜(1936)』	구입
鐙瓦 4개	천은사	歷史部第11區 4771	『年譜(1936)』	구입
鐙瓦 2개	도덕사	歷史部第11區 4772	『年譜(1936)』	구입
鐙瓦 8개	남간사지	歷史部第11區 4773	『年譜(1936)』	구입
鐙瓦 3개	남간촌북	歷史部第11區 4774	『年譜(1936)』	구입
鐙瓦 2개	남간촌	歷史部第11區 4775	『年譜(1936)』	구입
鐙瓦 2개	남간리사지	歷史部第11區 4776	『年譜(1936)』	구입
鐙瓦 3개	효불효교지	歷史部第11區 4777	『年譜(1936)』	구입

품명	출토지	유물 번호	출처	비고
鐙瓦 3개	임천사지	歷史部第11區 4778	『年譜(1936)』	구입
鐙瓦 16개	창림사지	歷史部第11區 4779	『年譜(1936)』	구입
鐙瓦 2개	천군리	歷史部第11區 4780	『年譜(1936)』	구입
鐙瓦 8개	천군리 폐사지	歷史部第11區 4781	『年譜(1936)』	구입
鐙瓦	천군리	歷史部第11區 4782	『年譜(1936)』	구입
鐙瓦 11개	배반리	歷史部第11區 4783	『年譜(1936)』	구입
鐙瓦 4개	배반리 폐사지	歷史部第11區 4784	『年譜(1936)』	구입
鐙瓦 38개	귀교	歷史部第11區 4785	『年譜(1936)』	구입
鐙瓦 20개	신원사	歷史部第11區 4786	『年譜(1936)』	구입
鐙瓦 24개	흥륜사지	歷史部第11區 4787	『年譜(1936)』	구입
鐙瓦 18개	갑산사	歷史部第11區 4788	『年譜(1936)』	구입
鐙瓦 15개	황성사지	歷史部第11區 4789	『年譜(1936)』	구입
鐙瓦	불국사	歷史部第11區 4790	『年譜(1936)』	구입
鐙瓦 5개	분황사지	歷史部第11區 4791	『年譜(1936)』	구입
鐙瓦 3개	월남폐사지	歷史部第11區 4792	『年譜(1936)』	구입
鐙瓦	월남 식기곡	歷史部第11區 4793	『年譜(1936)』	구입
鐙瓦	남문성벽	歷史部第11區 4794	『年譜(1936)』	구입
鐙瓦	서남산	歷史部第11區 4795	『年譜(1936)』	구입
鐙瓦 4개	삼랑사지	歷史部第11區 4796	『年譜(1936)』	구입
鐙瓦	첨성대 부근	歷史部第11區 4797	『年譜(1936)』	구입
鐙瓦	사정리	歷史部第11區 4798	『年譜(1936)』	구입
鐙瓦 2개	황복사지	歷史部第11區 4799	『年譜(1936)』	구입

품명	출토지	유물 번호	출처	비고
鐙瓦 3개	망덕사지	歷史部第11區 4800	『年譜(1936)』	구입
鐙瓦	신당리	歷史部第11區 4801	『年譜(1936)』	구입
鐙瓦	율동	歷史部第11區 4802	『年譜(1936)』	구입
鐙瓦 2개	경주역 부근	歷史部第11區 4803	『年譜(1936)』	구입
鐙瓦	탑정리사지	歷史部第11區 4804	『年譜(1936)』	구입
鐙瓦	금산재 부근	歷史部第11區 4805	『年譜(1936)』	구입
鐙瓦	고선사지	歷史部第11區 4806	『年譜(1936)』	구입
鐙瓦	노서리	歷史部第11區 4807	『年譜(1936)』	구입
鐙瓦	포석계	歷史部第11區 4808	『年譜(1936)』	구입
鐙瓦 3개	아화	歷史部第11區 4809	『年譜(1936)』	구입
鐙瓦 3개	견곡하구	歷史部第11區 4810	『年譜(1936)』	구입
鐙瓦 2개	북천	歷史部第11區 4811	『年譜(1936)』	구입
鐙瓦 6개	황룡사지	歷史部第11區 4812	『年譜(1936)』	구입
鐙瓦 78개	寺名不詳	歷史部第11區 4813	『年譜(1936)』	구입
宇瓦 11개	인왕리	歷史部第11區 4814	『年譜(1936)』	구입
宇瓦 5개	인왕리 폐사지	歷史部第11區 4815	『年譜(1936)』	구입
宇瓦 6개	인왕서당	歷史部第11區 4816	『年譜(1936)』	구입
宇瓦 9개	창림사지	歷史部第11區 4817	『年譜(1936)』	구입
宇瓦 11개	황룡사지	歷史部第11區 4818	『年譜(1936)』	구입
宇瓦 3개	황복사지	歷史部第11區 4819	『年譜(1936)』	구입
宇瓦 9개	사천왕사지	歷史部第11區 4820	『年譜(1936)』	구입
宇瓦 3개	말방리	歷史部第11區 4821	『年譜(1936)』	구입
宇瓦 5개	숭복사지	歷史部第11區 4822	『年譜(1936)』	구입

품명	출토지	유물 번호	출처	비고
宇瓦 32개	남간	歷史部第11區 4823	『年譜(1936)』	구입
宇瓦 3개	남간폐사지	歷史部第11區 4824	『年譜(1936)』	구입
宇瓦 11개	천은사지	歷史部第11區 4825	『年譜(1936)』	구입
宇瓦 12개	갑산사	歷史部第11區 4826	『年譜(1936)』	구입
宇瓦	갑산사	歷史部第11區 4827	『年譜(1936)』	구입
宇瓦 4개	남산	歷史部第11區 4828	『年譜(1936)』	구입
宇瓦	남산폐사지	歷史部第11區 4829	『年譜(1936)』	구입
宇瓦 8개	남산장곡	歷史部第11區 4830	『年譜(1936)』	구입
宇瓦	흥륜사지	歷史部第11區 4831	『年譜(1936)』	구입
宇瓦	장두산 폐사지	歷史部第11區 4832	『年譜(1936)』	구입
宇瓦	장두산서록	歷史部第11區 4833	『年譜(1936)』	구입
宇瓦 5개	분황사지	歷史部第11區 4834	『年譜(1936)』	구입
宇瓦	천주사지	歷史部第11區 4835	『年譜(1936)』	구입
宇瓦 8재	임해전지	歷史部第11區 4836	『年譜(1936)』	구입
宇瓦 4개	보문사지	歷史部第11區 4837	『年譜(1936)』	구입
宇瓦	탑리	歷史部第11區 4838	『年譜(1936)』	구입
宇瓦	탑정리	歷史部第11區 4839	『年譜(1936)』	구입
宇瓦 5개	배반리	歷史部第11區 4840	『年譜(1936)』	구입
宇瓦	배반폐사지	歷史部第11區 4841	『年譜(1936)』	구입
宇瓦 3개	귀교	歷史部第11區 4842	『年譜(1936)』	구입
宇瓦 5개	신원사지	歷史部第11區 4843	『年譜(1936)』	구입
宇瓦 8개	황성사지	歷史部第11區 4844	『年譜(1936)』	구입
宇瓦 2개	천군리	歷史部第11區 4845	『年譜(1936)』	구입

품명	출토지	유물 번호	출처	비고
宇瓦 5개	천군리사지	歷史部第11區 4846	『年譜(1936)』	구입
宇瓦	반월성	歷史部第11區 4847	『年譜(1936)』	구입
宇瓦 12개	월성	歷史部第11區 4848	『年譜(1936)』	구입
宇瓦	월남	歷史部第11區 4849	『年譜(1936)』	구입
宇瓦 3개	임천사지	歷史部第11區 4850	『年譜(1936)』	구입
宇瓦	동천리	歷史部第11區 4851	『年譜(1936)』	구입
宇瓦	포석계	歷史部第11區 4852	『年譜(1936)』	구입
宇瓦	북문성벽	歷史部第11區 4853	『年譜(1936)』	구입
宇瓦	성벽동북	歷史部第11區 4854	『年譜(1936)』	구입
宇瓦	견곡하구	歷史部第11區 4855	『年譜(1936)』	구입
宇瓦	고선사지	歷史部第11區 4856	『年譜(1936)』	구입
宇瓦 3개	도덕사지	歷史部第11區 4857	『年譜(1936)』	구입
宇瓦 75개	사명불상	歷史部第11區 4858	『年譜(1936)』	구입
文字瓦 5개	말방리	歷史部第11區 4859	『年譜(1936)』	구입
文字瓦 6개	황성사지	歷史部第11區 4860	『年譜(1936)』	구입
文字瓦 4개	창림사지	歷史部第11區 4861	『年譜(1936)』	구입
文字瓦 6개	보문사지	歷史部第11區 4862	『年譜(1936)』	구입
宇瓦 6개	갑산사지	歷史部第11區 4863	『年譜(1936)』	구입
文字瓦 3개	사천왕사지	歷史部第11區 4864	『年譜(1936)』	구입
文字瓦	남간	歷史部第11區 4865	『年譜(1936)』	구입
文字瓦 3개	천은사지	歷史部第11區 4866	『年譜(1936)』	구입
文字瓦 3개	임해전지	歷史部第11區 4867	『年譜(1936)』	구입
文字瓦	흥륜사지	歷史部第11區 4868	『年譜(1936)』	구입

품명	출토지	유물 번호	출처	비고
文字瓦	분황사지	歷史部第11區 4869	『年譜(1936)』	구입
文字瓦	황룡사지	歷史部第11區 4870	『年譜(1936)』	구입
文字瓦	인왕폐사지	歷史部第11區 4871	『年譜(1936)』	구입
文字瓦	천군리	歷史部第11區 4872	『年譜(1936)』	구입
文字瓦 4개	월성지	歷史部第11區 4873	『年譜(1936)』	구입
宇瓦	반월성지	歷史部第11區 4874	『年譜(1936)』	구입
文字瓦	감산사	歷史部第11區 4875	『年譜(1936)』	구입
文字瓦	명활성	歷史部第11區 4876	『年譜(1936)』	구입
文字瓦	천관사	歷史部第11區 4877	『年譜(1936)』	구입
文字瓦 19개	발견지불상	歷史部第11區 4878	『年譜(1936)』	구입
槌木瓦	사천왕사지	歷史部第11區 4879	『年譜(1936)』	구입
槌木瓦	남산리	歷史部第11區 4880	『年譜(1936)』	구입
槌木瓦	보문리	歷史部第11區 4881	『年譜(1936)』	구입
槌木瓦	흥륜사지	歷史部第11區 4882	『年譜(1936)』	구입
槌木瓦殘片		歷史部第11區 4883	『年譜(1936)』	구입
槌木瓦	북문성벽	歷史部第11區 4884	『年譜(1936)』	구입
槌木瓦	사천왕사지	歷史部第11區 4885	『年譜(1936)』	구입
槌木瓦		歷史部第11區 4886	『年譜(1936)』	구입
槌木瓦	흥륜사지	歷史部第11區 4887	『年譜(1936)』	구입
槌木瓦	사천왕사지	歷史部第11區 4888	『年譜(1936)』	구입
槌木瓦	사천왕사지	歷史部第11區 4889	『年譜(1936)』	구입
槌木瓦	분황사지	歷史部第11區 4890	『年譜(1936)』	구입
槌木瓦		歷史部第11區 4891	『年譜(1936)』	구입

품명	출토지	유물 번호	출처	비고
楎木瓦		歷史部第11區 4892	『年譜(1936)』	구입
瓦		歷史部第11區 4893	『年譜(1936)』	구입
瓦破片 4개		歷史部第11區 4894, 4895, 4897, 4898	『年譜(1936)』	구입
宇瓦	남간	歷史部第11區 4896	『年譜(1936)』	구입
托碗	신라시대	美術工藝部第2區 內1040	『年譜(1936)』	구입
盂	신라시대	美術工藝部第2區 內1041	『年譜(1936)』	구입
平瓦	황해도 해주 神光寺	歷史部第4區 2714	『年譜(1937)』[119]	구입

---

119 帝室博物館, 『帝室博物館年譜(昭和12年 1月~12月)』, 1938.

朝日修好條規

大日本國與

大朝鮮國素敦友誼歷有年所

洽欲重修舊好以固親睦此

企權辦理大臣陸軍中將兼

隆特命副企椋辨理大臣議

華府朝鮮國政府簡列中樞府

承各遵所奉諭旨議立條欵開列于左

第一欵

朝鮮國自主之邦保有與日本國平等之權嗣後兩

우리 문화재
수난일지

1937년

1937년 1월 22일

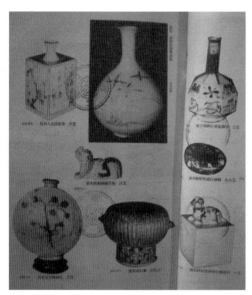

『원산부 적간씨 부내 모가 서화골동
고려소 이조소 기타 대매립』 도판

《아카마(赤間) 소장품 경매회》

1937년 1월 22일부터 24일까지 원산에 거주하는 소장가 아카마赤間의 소장품 경매회가 경성미술구락부에서 개최되었다. 『원산부 적간씨 부내 모가 서화골동 고려소 이조소 기타 대매립』 목록을 보면 서화부 1~29번, 도기 및 기물부 30~478번까지로 총 478점이 출품되었다.

1937년 1월 27일

전라남도 해남군 삼산면 대흥사 산내 명적암明寂庵을 폐지하다.[120]

---

120 『朝鮮總督府官報』 1937년 1월 27일자.

1937년 1월 31일

산청군 산청면에서 금동불상 발견

1937년 2월 29일부 경상남도지사가 학무국장에게 보낸 '매장물 발견에 관한 건'에 의하년, 경남 산청군 산청면 지리 620번지에서 불상 1구를 발견했다. 이를 발견한 자는 산청면 시리 620번지 최순잔으로, 최는 1937년 1월 31일 사택지 내의 밭을 경작하던 중 지하 약 3척 되는 지점에서 불상을 발견하여 2월 9일 경찰서에 신고했다.

새로 발견한 불상

1937년 1월

신라 조분왕릉助賁王陵이 경주고적보존회에 의하여 양산군 상북면 대석리에서 발견되다.[121]

---

121 『朝鮮日報』 1937년 1월 15일자.

《고신라시대 금공유품 진열》

1937년 1월에는 일본의 유물과 한국 출토의 유물을 비교하기 위하여 금공예품 진열실에 오구라 다케노스케小倉武之助가 소장하고 있던 한국 출토 유물을 진열했는데, 그 목록은 다음과 같다.[122]

금제이식金製耳飾	6대	가야
금동보관金銅寶冠	1두	고신라시대(국보)
금동주金銅冑	1두	고신라시대
금동식리金銅飾履	1개	고신라시대(국보)
금동행엽金銅杏葉	3개	고신라시대
금동환두태도병金銅環頭太刀柄	1구	고신라시대(국보)

1937년 고적조사 계획

1936년부터 일본학술진흥회에서 3년 간 조선고적조사에 대해 매년 8천원의 보조금과 궁내성에서의 보조금을 더하여 사업계획을 수립함에 따라 1937년의 고적조사 계획은 일본학술진흥회의 방침에 따라 후지다 류사쿠藤田亮策, 하라다 요시도原田叔人, 우메하라 스에하루梅原末治, 오바 쓰네키치小場恒吉 등이 중심이 되어 조사계획을 수립하고 1937년 7월에 준비에 착수하여 9월에 실시되었는데

---

122 「雜錄」, 『考古學雜誌』 제27권 2호, 1937년 2월, p.66.

그 계획은 크게 세 가지에 역점을 두었던 바,

1. 고구려시대 유적의 발굴조사

2. 고구려시대 유적의 지리적 조사

3. 백제시대 고분의 발굴조사

이상의 세 가지 역점사업에서 제1의 조사는 오바 쓰네키치小場恒吉의 지휘 아래 고구려시대 고분의 구조 양식의 연구와 벽화 발견에 그 목표를 두었다. 따라서 이 계획은 벽화고분의 소재지로 알려져 있는 평안남도 대동군 임원면 및 시족면을 조사지역으로 선정하여 1937년 9월 10일에 작업을 개시하여 11월 1일까지 21기의 고분을 조사하는 것으로 계획이 수립되었다.

제2의 조사는 후지다 류사쿠藤田亮策가 담당하여 고구려 유적의 분포 상태를 조사하여 고대 읍, 부락, 성지, 고분, 사지 등의 관계를 밝히는데 역점을 두었다.

제3의 조사는 우메하라 스에지梅原末治가 담당하여 1937년 4월부터 실시하는 것으로 계획하였다.[123]

종래에 거의 돌이보지 않았던 고구려 내지 백제 유직에서 고대 불교유적 등에 힘을 쏟아 일본의 고대불교 유적에 대한 단서를 얻고자 했다.

잠시나마 총독부 박물관원의 꾸준한 연구와 더불어 발굴조사의 기술에 있어서도 정확한 실측도의 작성이 전기의 보고서와 그 면모가 많이 달라졌으며, 일부 신중한 학자들의 연구는 화려한 출토유물에 못지않게 고분 구조 등 지역적인 차이를 검출하여 그 연구를 세부직으로 심화하는데 유의하기도 하였다.[124]

123 『日本美術年鑑』, 岩波書店, 1937, p.181.
124 李弘稙, 「高句麗 遺蹟調査의 歷程」, 『白山學報 第1號』, 1966년 1월, p.164.

고구려고분의 재조사도 전기에 손을 댄 지역에서 다시 재검토하고 조사의 누락漏落을 보정補正하기도 했다.

또 고분이외에 부여일대의 군수리 폐사지, 동남리 폐사지, 가탑리 폐사지 등을 조사하였다. 이때 그들의 조사보고에, "발굴조사의 결과 확인된 이 사지의 배치는 일본 아스카시대飛鳥時代 사원과 매우 밀접한 관계를 가질 뿐 아니라 <중략> 일본상대日本上代 불교사의 고찰에 간과할 수 없는 기여를 하는 것이다"[125] "백제사의 연구에 대하여 또 넓게는 그것과 연계를 생각하는 일본 아스카시대飛鳥時代 사지의 고찰의 하나의 새로운 자료를 제공하는 것이라 할 만하다"[126]하는 것으로 보아 역시 그들의 고대 불교관계 규명에 그 목적이 있었음을 알 수 있다. 뿐만 아니라 이를 이용하여 일본 아스카시대飛鳥時代 사원寺院과 백제사원百濟寺院은 동일同一한 구조를 가지고 있음을 들어 내선일체內鮮一體를 강조하여 조선인의 정신을 소멸하려는 데 이용하였다.[127]

1937년 2월 15일

《조선출토아도감상회朝鮮出土雅陶鑑賞會》가 2월 15일부터 16일까지 일본 우에

125　石田茂作,「夫餘 軍守里廢寺址 發掘調査報告」,『昭和11年度 古蹟調査報告』, 朝鮮古蹟研究會, 1937, p.44.

126　齋藤忠 外,「夫餘東南里廢寺址 古蹟調査報告」,『昭和13年度 古蹟調査報告』, 朝鮮古蹟研究會, 1940, p.43.

127　『每日申報』1941년 8월 6일자에는 '石田博士의 新研究'라 하여 '遺蹟이 말하는 內鮮一體'라는 題下의 글이 있다.

노 마쓰자카야上野松坂屋에서 열렸다.[128]

1937년 3월 8일

강원도 회양군 석탑, 부도, 석등 조사

1937년 3월 8일부터 12일까지 조선총독부 촉탁 노모리 겐野守健은 강원도 회양군 장양면 장연리 소재 석탑, 부도, 석등 등을 조사하고 돌아와 같은 날 25일에 고적에 대한 조사 개요와 관련 도판을 첨부하여 복명을 했다.[129]

보현사지3층석탑 산란 상태

128 『陶磁』 제9권 제1호, 東洋陶磁硏究所, 1937년 3월.
129 「강원도 회양군 석탑, 부도, 석등 조사 복명서」, 『국립중앙박물관 소장 조선총독부박물관 공문서』, 목록번호 : 96-141.

보현사지3층석탑 안에서 발견한 유물

　보현사3층석탑은 금강산 남록 장연리에 유존하는 보현사지普賢寺址에 전하
는데 1933년 경 어떤 자가 밤에 몰래 제1층옥개 이상을 도괴하여 초층탑신 중
에 매장한 목제탑 4기, 목재봉 1봉을 제외한 보물을 훔쳐 달아났다. 그리고 남
아있는 목제탑 4기와 목재봉 1봉은 장안사長安寺 소장으로 들어갔다. 도적에 의
해 도괴된 옥개 2개, 탑신 2개는 기단 부근에 산재하고, 3층 옥개 및 상륜은 잃
어버렸다. 부락민의 말에 의하면 모 일본인이 제3층옥개 및 상륜의 륜 2개를
인부를 사역하여 가지고 갔다고 한다(이에 관해서 장안경찰관출장소에 취조를
의뢰하였음). 하기단은 토중에 매몰되어 그 일부가 노출되었고, 상상단 4우 및
각 면의 중앙에는 아름다운 형이 각출刻出되었다. 현지에 수리재건하고 장래 보
물로 지정해야 할 것으로 생각한다고 그의 의견을 제시하고 있다.
　보현사지 부도는 보현사3층석탑의 북서 100칸 되는 곳에 넘어져 석재가 흩어
져 있었다. 이에 대해 부락민의 말에 의하면 미선리의 장모라는 자가 인부를 동원
해 해체하여 운반하려다가 경찰관의 주의로 그대로 두었다고 한다. 이 부도 역시
석탑과 같이 현지에 수리 재건하고 보물로 지정해야 할 것이라고 보고하고 있다.

보현사지 부도 산란 상태

외지로 반출하려고 포장해놓은 보현사지 부도

강원도 회양군 장양면 장연리에 소새한 금장암지金藏庵址 사자3층석탑은 화강암의 2성기단에 세운 3층석탑으로 상단 중심에 보살좌상을 안치하고 4우에는 석사자를 세웠다. 이 석탑에서 1935경에 출토되었다고 전하는 금동석가여래좌상 1, 은제3층탑 1, 청동제원 1은 장안사 소장으로 들어갔다.

금장암지 삼층석탑과 발견 유물

1937년 3월 9일

부여 규암면에서 백제시대 전 발견

부여 규암면窺岩面은 부여시 서쪽의 금강錦江 대안對岸에 있으며, 이곳은 외리라 부르는 곳으로 이 유적은 일찍이 대구의 이치다 지로市田次郎의 소유로 돌아간 백제금동관음보살상의 출토지로 전하는 지점이다. 이곳 사지에서 3월 9일에 부근의 농부가 나무뿌리를 채굴하다가 우연히 문양전을 발견하고, 그 후 재차 문양전과 와당이 발견되었다.

『매일신보』1937년 4월 13일자에는 다음과 같은 기사가 있다.

거금 1천2백 년 전의 백제시대 부와敷瓦 발견

충남 부여군 다목농장 부근으로부터 진귀한 조각이 있는 전塼 30점을 발견하였다. 부여군청에서는 이것을 총독부박물관으로 보내어 감정을 의뢰했는데 본부 사회교육과 고적계에서 감정한 결과 30매의 전은 백제시대에 사용하였던 부와敷瓦로 판명되었다. 기와의 表面에는 불

화를 비롯하여 산수, 화소 등을 부조로 표현하였는데 이 훌륭한 부와가 30점이 원형 그대로 발견된 것이 처음 있는 일로 본부 학무국에서는 12일 남南 총독에게 현물 사진을 중심으로 설명을 하였다. 이 고대 조선의 문화를 연구하는 자료가 될 이것은 본부박물관에 보존하여 일반에게 보일 터라 한다.

고와가 발견된 장소는 당시의 사지인 듯

전기 백제시대의 기와가 부어서 발견된데 대하여 김 사회교육과장은 다음과 같이 말하였다.

이 기와는 조사한 결과 1천2백 년 전 백제시대 부와인데 발견된 장소는 그 시대의 질이 있던 곳 같다. 이 기와는 지나 대륙에서도 별로 발견된 일이 없고 조선서노 처음인데 박물관에 잘 보관하여 두어 고대문화의 연구 자료로 하겠다. 남 총독도 매우 기뻐하였는데 이 사진을 한 장 드리게 하였다.

1937년 11월 22일부 충청남도경무부장이 조선총독부 학무국장에게 보낸 '매

장물 발견에 관한 긴'[130]에 의하면 그 발견 전말은 다음과 같다.

(1) 발견자

부여군 규암면 외리 247번지 농업 김인재(45세)

우는 본년 3월 9일 규암면 외리산10-3 산림 내에서 연료로 소나무뿌리를 채굴 중 봉화모양전 1매, 산수모양전 1매를 발견하고, 김의 장남 김상윤(16세)이 2개의 전을 규암리 키즈 데이조木津貞藏에게 1원에 매각했다.

(2) 발견자

규암면 외리 농업 김영제(30세)

규암면 외리 농업 오완성(38세)

우 2명은 전기 김인재 발견을 이튿날 듣고 함께 동일 장소에서 산수모양전, 봉황모양전을 포함한 문양전 11매와 연편와 1매를 발견하여 전 8매는 규암면 규암리 취미실鷲尾實에게 매각하였는데, 취미실鷲尾實은 전 1매는 규암공립소학교에, 1매는 규암리 무다 찌가토시牟田近俊에게, 1매는 규암리 야베 센지로矢部淸次郎에게, 1매는 규암리 모에게 무상으로 나누어 주고 나머지 4매는 자신이 소지했다. 나머지 4매는 발견자 2명이 이를 규암리 김재철에게 의뢰하여 1매는 부여면 구아리 고물상에, 2매는 부여공립보통학교장 데라치 고이치寺地興―에게 매각하고, 연편환와는 그대로 가지고 돌아왔다.

---

130 「昭和12년도 충청남도 부여군 발견 蓮華文塼 기타」, 『국립중앙박물관 소장 조선총독부 박물관 공문서』, 목록번호 : 97-발견17.

탁본

(3) 발견자

규암면 이리 김창옥, 히모, 김영제

우 3명은 진기 2명이 밀선하여 내각한 사실을 듣고 3월 10일 농일 장소에서 문양전 2매를 발견하여 규암리 고물상 키즈 데이조木津貞藏에게 매각했다.

그 후 부여고적보존회에서 이를 알게 되어 취미실鷲尾實과 타소유자들과 협의하여 이들을 신고하고 발견요금을 하부하는 것으로 합의하게 되었다.

부여고적보존회 촉탁 스기 사후로杉三郎는 전기 전 발견을 듣고 3월 12일 발견장소로 가 방치해 둔 완전치 않은 문양전 10매를 수습했다.

1937년 3월 26일

《고경당 이병직가 서화골동품 매립회》

이병직의 소장품은 1937년 3월 26일부터 28일까지 경성미술구락부에서 경매회를 가졌다.『고경당 이병직가 서화골동품 매립목록』에 의하면, 경매장에 내놓은 출품수는 총 429점이라는 엄청난 숫자이다. 이 속에는『조선고적도보』에 게재된 것도 7점이나 출품되었다. 또한 추사의 예서隸書대련으로는 국내에서 제일간다는「대팽두부과속동채 고회처아여여손大烹豆腐果束東菜 高會妻兒女孫」도 이때 출품되었는데, 간송이 1천원에 경락하였다. 이 외에도 간송이 경락시킨 것으로는 변상벽의 웅자계장추도, 청자모란문반, 청화백자동자조어문병, 청자상감매조화접문대접, 조선백자진사채원형화문연적, 추사가 소장하였던 청의 주학년이 그린 구양수상歐陽修像등이 있다.

이병직은 세습적으로 궁중에서 내시로 입시하였으며 그는 고종을 모셨다고 한다. 누대로 엄청난 부를 누린 3천석 지기의 대지주이기도 하다. 일찍이 해

『고경당 이병직가 서화골동품 매립목록』도록

이병직 구장 벼상벽 픽 '웅자계장추도(雄雌鷄將雛圖)'
1937년 경성미술구락부에 출품되어 간송이 낙찰하여 현재 간송미술관에 소장되어 있다.

강 김규진의 문하에서 서예와 사군자를 배워 일가를 이루었으며,[131] 「고려미술회」의 동양화 지도교사로 활동하기도 하였다.[132] 또한 서화 골동에도 눈이 밝아 1910년대부터 우수한 것을 많이 수집하였다.

그는 평소 서재의 4면에 좋아하는 서화를 걸어 놓고 책상 옆에는 아담한 소나무분재를 놓고 책 읽기를 좋아했다고 한다. 그리고 서재의 성면에는 '고경당

---

131 海岡 金圭鎭은 1915년 7월에 회장에 김윤식, 부회장에 조중응으로 하여 「海岡書畵研究會」 발족시겼다. 귀족과 시화에 뜻있는 사람의 아늘늘을 받아들여 지도하였다. 지도과목은 서법과 화법이다. 3년 과정을 마치고 제1회 졸업을 한 사람은 일본인까지 합쳐 19명이다. 사군자와 서예로 일가를 이룬 송은 이병직은 이규원과 함께 1회 졸업생이다. 그 후배로는 고암 이응노, 강신문 등이 있다.

132 「高麗美術會」는 1923년 9월에 젊은 서양화가들이 그룹을 결성하였다. 同人으로는 김석영, 나혜석, 백남순, 이재순, 이숙종, 강진구, 정규익 등이었다. 그러나 후에 동화화들을 영입하여 미술연구소를 운영하였다. 연구소의 지도교사로는 동양화에 김은호와 이병직이 맡았고, 서양화는 강진구와 이재순 등이 맡았다.

추사의 예서(隸書)대련
「대팽두부과속동채 고회처아여손
(大烹豆腐果束東菜 高會妻兒女孫)」

고려청자기린향로
(1937년 경성미술구락부에 출품되어
어느새 이희섭에게 넘어가 1941년
제7회 조선공예전람회에 출품되었다)

古經堂' 추사의 액자를 걸어 놓았다고 한다. '고경당'이란 글씨는 이병직이 가장 좋아하는 글씨로 그 전아하고 우미한 필치에 감복하였다고 하며, 너무나 아낀 나머지 자기의 집을 고경당이라 한 것은 바로 이 글씨에 감복한 탓이라고 한다.

『조선고적도보』제15권에는 청화백자산수산형필세靑華白磁山水山形筆洗, 청화백자오화형수적靑華白磁五花形水滴, 조선백자원형운용투각연적朝鮮白磁圓形雲龍透刻硯滴 외 3점이 실려 있으며,『조선고적도보』제14권에는 조속 필 매작도梅鵲圖, 김명국의 심산행려도深山行旅圖, 김두량의 목우도牧牛圖, 장승업의 홍백매10곡병풍 외 4점이 실려 있다. 1934년에는《조선 중국 명작 고서화 전람회》에 조선화 28점, 중국화 14점, 총 42점을 출품 전시하기도 하였다.

그의 수집품은 1937년도 기준으로 서화만도 200여 점에 달했으며 모두가 일품이라 할 수 있다. 그의 서화 200여 점 중 100여 점은 글씨인데, 그 중의 가장 아끼는 것은 추사의 '반야바라밀다심경般若波羅密多心經'이라는 해자楷字이다. 이 글씨는 추사가 초의

선사와 교우하면서 기념으로 불경을 써서 비단표지를 붙여 보낸 것이다. 그림
으로서 그가 가장 아낀다고 하는 것은 세종 때의 김유金紐가 그린 '한산사도'로
이 그림은 어떤 사람이 자기 방문에 붙여 둔 것을 장택상이 40원에 입수하였는
데, 이병직이 장택상으로부터 800원에 양도받았다고 한다.[133]

* 이병직의 구장품 '소몰이꾼(牧牛圖)'

이병직의 구장품 중 '소몰이꾼牧牛圖'은 『조선고적도보』 제14권에 이병직의 소
장품으로 게재되어 있다. 어떤 경로로 이병직의 손을 떠났는지 알려져 있지 않
지만 그동안 일본으로 반출된 것으로 알려 졌었다. 그 후의 행방이 알려지지 않

았다가 1980년 북한에서 간
행한 유물도록에 실려 있어
북한에 있음이 확인되었다.

현재 북한의 조선미술박
물관에 소장하고 있는데, 이
곳의 서화작품들은 일본 개
인이 소장하고 있던 것을 매
입히였다고 하니 전傳 김두

『조선고적도보』에 게재된 전(傳) 김두량 필 '소몰이꾼(牧牛圖)'
이병직 구장, 현 북한조선미술박물관 소장

량의 소몰이꾼牧牛圖도 이 때 보유한 것으로 보인다.

『조선고적도보』상에는 화폭이 많이 낡아 중앙의 접은 부분이 확연히 나타나

---

133 기자, 「종소리 은은한 한산도 아래서」, 『조광』 3-3, 1937년 3월.

있고, 소의 뒷다리 부분은 상처가 나있다. 그리고 왼쪽 아래 부분에는 '김덕하金德夏'라 묵서되어 있다.

1998년 유홍준 교수가 북한에 갔을 때 확인한 결과 "조선고적도보에 실린 사진을 보면 왼쪽 아래에 '김덕하金德夏'라고 서툰 글씨로 쓰여 진 관기款記가 지워져 있고, 소 뒷다리 부분에 있던 상처도 수리되어 있다"고 한다. 그리고 다리 뒷부분의 수리는 일본에 있을 때 복원한 것이라고 한다. 그리고 '김덕하' 부분은 역시 일본에서 지웠고 오른쪽 나무뿌리 아래에는 '송은진장松隱珍藏'이라는 소장인이 찍혀 있다고 한다.[134] '송은진장松隱珍藏'은 고적도보에는 나타나 있지 않으니 『조선고적도보』 14책이 간행된 1934년 이후에 찍은 것으로 짐작된다.

이 작품에는 낙관이 없고 표암 강세황의 "신묘하고 정공精工한 품이 대숭戴崇(당의 시인)과 더불어 누가 높고 낮은지 알지 못할 정도다"라는 화평이 있어 그 시대의 그림임은 틀림없으나, 지워버린 '金德夏'는 김두량의 아들이고 화원이나 그림 상에는 김두량의 작이라는 것이 명확하지 않다.

1937년 3월

전북 지역에 도굴이 횡행하다.
『매일신보』 1937년 3월 25일자에는 다음과 같은 기사가 있다.

---

134 『中央日報』 1998년 12월 12일자.

골동품에 허욕 동해 고분 도굴자 횡행

전북경찰 엄중 경계

골동품이 값이 나간다는 말을 듣고 고분을 파헤치는 자가 횡행하여 경찰 방
면의 신경을 날카롭게 하고 있다. 즉 최근 도내 각지에서 볼 수 있는 현상으
로 고분 속에 묻혀있는 도자기 금속류를 훔쳐가는 것으로 이 현상은 때가 춘
궁기인 만큼 얼마나 벌어질 것인지 여간 염려되는 바가 아니라 한다. 뿐만
아니라 그에 따라 사기詐欺가 있을 것임으로 각자 주의가 필요하다고 한다.

강도 높은 난속에노 불┼하고 근절이 되지 않고 도굴붐은 지속되어 『매일신
보』1937년 4월 9일자에는 다음과 같은 기사가 있다.

고총의 도굴자 전북 더욱 증가

골동품에 눈이 어두워 연고緣故의 유무를 불
구하고 굽총掘家을 한다함은 기보한 비이어
니와 요즈음 경찰의 경계망은 물샐틈없이 뻗
쳐져 있는데 철사를 가지고 다니며 어떤 묘
지이고 함부로 뚫어 보던지 혹은 함부로 파
헤치는 현상이므로 당국에서는 적극적으로
수시 중이라는 바 고총에 묻혀있는 도자기
등 아무리 깨어진 것이라 할지라도 상당한
값이 나가는 것이라서 춘궁기春窮期를 당하여
더욱 그 수가 늘어 감을 염려 중이라 한다.

『매일신보』1937년 4월 9일자 기사

숭례문을 이전 하려하다.

숭례문崇禮門은 서울 도성의 정문으로 태조7년 2월 8일 낙성한 것으로 다른 성문의 현판이 횡서橫書한데 비해 이 문의 현판은 종서縱書하여 관악산의 화기火氣를 누르기 위함이라 한다.[135] 남대문南大門이라 하는 것은 동대문, 서대문 등과 같이 사용한 속칭俗稱이다. 1907년 일본 황태자가 경성에 오게 되자 교통상의 이유를 붙여[136] 북편 성벽을 헐어 버렸다. 남편 성벽은 이듬해 1908년에 헐어버렸다. 이 같이 좌우를 잃어버리고 버려져 있다시피 방치하다가[137] 1937년에 와서

---

135 『별건곤』 제23호(1929년 9월)에 실린 「京城 八大門과 五大宮門의 由來」에는 숭례문의 현판에 대해 다음과 같이 기술하고 있다.
　　南大門 일명은 崇禮門(禮는 火에 속하얏스니 즉 南方의 意다.)이니 경성 팔대문 중 最大 건물로 雄麗壯大함이 그 此가 업슬 뿐 안이라 역사가 또한 오라다. 낙성하기는 李太祖7년 2월 8일이오(京城 築城 後2년). 一般의 粧飾과 修繕은 世宗3년(城壁石築時)에 하얏고 其後 숙종 30년에 경성성벽을 크게 수축할 때에도 또한 수선하얏스니 경성의 諸建物이 대개 임란 때에 燒火되엿스나 특히 此門은 그 화를 면하야 금일까지 나려왓다. 현재 門樓 懸板額面의 崇禮門이란 3大字는 俗間에서 흔이 安平大君 李瑢(文宗의 弟)의 筆이라 하나 이것은 誤解이오 實은 中宗時代 名筆로 유명한 竹堂 柳辰同의 筆이다. 이것은 肅宗시대에 柳氏의 후손인 柳大將 赫然이 그 문을 수선할 때에 발견한 것이다. 鄭東愈의 晝永篇에 의하면 柳氏家에는 원래 崇禮門이라 쓴 柳辰同의 書軸이 여러 장이 傳하야 왓섯는데 그 후손도 츰에는 그냥 練習하던 書軸으로 알엇더니 그 <115> 뒤에 柳大將이 門을 修繕할 때에 그 懸板의 後面에 嘉靖 某年竹堂書라 記한 것이 잇는 것을 보고 비로소 자긔의 祖先 竹堂이 쓴 것을 알고 그 집에 잇는 書軸과 對照하야 본즉 書法이 조금도 틀님이 업섯다고 云云하얏다. 그리고 諸門의 門額은 다 橫書하얏스되 惟獨 南大門을 縱書한 것은 冠岳의 火山을 壓하기 위함이라 한다.
136 '東大門. 南大門 左右城堞을 毁撤하는 件'(1907. 3. 31) 官報 광무11년 4월3일.
137 『별건곤』 제65호(1933년 7월)에 실린 「八字 곳친 京城市內, 六大門身勢打鈴」에는 당시 숭례문의 방치 상태에 대해 다음과 내용이 보인다.
　　경성도 아주 변하기 시작하야 양 옆에 날개같이 붙어 있던 성을 헐어버리고 전차를 놓아 주야 불구하고 전차다니는 우루루소리에 정신을 차릴 수 없고, 바로 턱앞에다 정거장을 맨들어 때때로 기적소리에 깜작 깜짝 놀랐다. <중략>

는 숭례문을 통째로 이전하려는 시도가 있었다. 이때도 역시 이유는 교통문제였다. 숭례문 일대가 경성의 교통망이 총집중되다시피 하여, 부근의 소방서를 태평통에 신축하고 이전한 뒤에 그 자리에 숭례문을 이전한다는 안이다.

결과는 이전되지 않았으나 이 같이 조선의 상징이자 도성의 얼굴인 숭례문마저 암암리에 이전하려했다는 것은 큰 음모임은 틀림없다.

『매일신보』 1937년 3월 17일자에는 다음과 같은 기사가 있다.

이전설을 전하는 유서 깊은 숭례문

고적보존령, 중추원이 주목처

경성부회서 논란

유서가 깊은 숭례문이 다른 곳으로 이전될 듯한 기운이 15일 경성부회 석상에서 논란이 되어 아연 문제는 조선명승고적보존령에 어떠한 수정을 하게 될지 모르고 또 중추원 방면에서는 이 문제를 여하히 처단할 것인지 매우 주목을 끌게 되었다. 서 남대문은 현재 경성의 교통망이 총집중되다시피 된 지대에 있어 이것을 부근의 소방서를 태평동에 신축하고 이전한 뒤에 그 자리에 원상 그대로 이전하여 두어서 역사가 있는 건물이니만치 길이 보존하자는 것인데 본래의 위치와 거리가 그다지 멀지 아니하여 찾아오는 묵객들

지겟군 아이들 보행군들의 발자욱만 있다 갔다 하더니 지금 와서는 팔자가 더욱 기박히야 자동차 먼지에 얼굴이 깨끗한 때가 한시도 업고 눈구녁에 아이들의 똥과 걸인들의 부대조각이 떠날 때가 업서 추한 양이 누구나 침 배앗고 아서게 되었다. 새로 온 주인도 이 문의 그전 팔자를 생각하고 지금 너무나 학대를 후회함인지 불원간 문 주위를 막어 뭇놈들의 마고 눕고 자고 똥누는 것을 막는다 하니 전일대위와 지금의 이 꼴이 그야말로 천양치차이어서 인적이 끈치고 장안이 고요할 때면 남산귀신과 서로 맞나 눈물을 흘리고 서로 조상한다.

『매일신보』 1937년 3월 17일자 기사

의 뉴을 글기에 힘들지 않다는 것과 현재의 위치는 교통이 폭주한다는 것이 이전설의 유력한 조건으로 되어 있는 듯한데 이것이 과연 이전될 것인가 아닌가는 금후의 문제로 되어 있지만은 경성부회 석상에서까지 논제로 되어 있으니만치 동건물의 운명도 듬성거리기 시작되었다고 보인다.

이 문은 대 경성의 관문으로 이왕에는 경성역도 이 문의 유래를 존중히 여겨서 남대문정거장이라고 부르던 것도 기억에 사라지지 않커니와 이 문을 풍우에 부닥기며 겪어온 역사도 한없이 길어서 동 이 전설은 상당한 곡절을 면치 못할 것으로 보이기는 하나 최근 조선에는 이러한 문과 누각을 개수 보존하는 반면에 본래의 위치에서 떠난 예가 많으니 만치 일반의 주목을 끌게 되었다는 것은 사실이다.

구례 화엄사 석경 조사

구례 화엄사 각황전 뒷벽이나 좌우 벽에 쌓여 있던 화엄경석은 가야모토 가메지로框本龜次郎가 중심이 되어 1936년 7월에 1차로 석경 탁영拓影과 정리 작업을 했었다. 그 후 계속된 각황전 개축공사를 하던 중 1937년 2월 27일부터 계속해서 화엄석경이 각황전 뒤편의 땅 속에서 약 일천에 가까운 석경이 새로 발견되었다.

이 소식을 접한 총독부에서는 작년에 이어 가야모토를 또다시 파견하여 조사케 했다. 이어 경성대의 후지타 료사쿠藤田亮策 등의 조사가 이어졌다.[138]

가야모토 가메지로榧本龜次郎는 1937년 3월 3일에 경성을 출발 화엄사에서 3월 16일까지 체재하면서 경석을 탁본하고 번호를 부여했다. 그간 수리공사 중의 각황전 내부조사 중 경석을 다수 발견하여 탁본 및 번호를 부여했다. 조사 내용은 대략 다음과 같다.[139]

3월 3일 아침에 경성을 출발 화엄사에 도착

3월 4일 전년 경석을 격납, 각황전 수리 건으로 각처에서 1,2개 발견, 새로 발견된 것은 경성의 후지타 료사쿠藤田亮策에게 보고함

3월 5일~12일 탁본과 번호 부여

3월 13일 신발견 경석의 탁영 경성 후지타藤田에게 보고함

3월 16일 화엄사 발 경성에 귀임

부기

화엄사 각황선 수리 공사 중 매몰된 유지에서 유물의 발견

---

138 『경성일보』, 1937년 3월 13일자.
139 「전라남도 구례 華嚴寺 覺皇殿 華嚴經石 조사 복명서」, 『조선총독부박물관 공문서』, 목록번호 : 96-431.

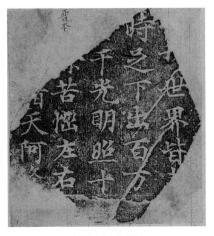
화엄사 석경 탁본

전년도에 발견된 것이 1만 4천200여 개, 이번에 발견된 것이 약 1천여 개

경석 발견

각황전 수리공사용 물치장物置場에서 1937년 2월 27일부터 3월 1일까지 매몰되었던 것을 발견

경석 891개 발견

『매일신보』 1937년 3월 19일자에는 다음과 같은 기사가 있다.

불교의 성전 화엄경 1만여 매가 출현, 지리산 화엄사에서 발견

수년 전 화엄사에서 석판에 아름다운 글씨를 새긴 화엄경의 석경이 발견되어 불교신도와 종교가를 비롯하여 역사가, 고고학자의 <중략> 금월 상순경 화엄사 본당을 개축하던 중 본당 뒤편 땅 속으로부터 석경 1만매가 발견되었다. 이 낭보를 접한 경성대 속수速水 총장, 상야上野 법문학부장, 등전藤田 교수가 현지에 급행하였고 등전은 동지에 체재하면서 조사 연구를 하고 있으며 속수 총장과 상야 법문학부장은 16일에 그 일부를 가지고 돌아왔다. 그리고 총독부 학무구에서는 동지에 과원을 급파하여 그 탁본 전부를 제작 중인데 이 석경은 먼저 그 일부를 발견된 것과 한가지로 전경인 듯하여 원래 화엄경에는 여러 가지 이본異本이 있어 경전연구자가 가끔 곤란에 봉착하기도 한 만큼 이번의 경전 발견은 종교계의 일대지보로 보

이고 또 새긴 문자 자체로도 실로 아름다운 것이다.

1937년 4월 3일

부여 능산리고분 조사

1937년 4월 3일부터 4월 15일까지 부여 능산리고분 5기를 우메하라 스에지梅原末治, 키가미야마 다케시鏡山猛, 사와 슌이지澤俊一에 의해 소사되는데 능산리고분은 이미 철저하게 도굴되어 부장품으로는 약간의 잔편만 수습收拾하였다.

능산리 제1호분

능산리 제2호분

그 출토 유물은 다음과 같다.[140]

조사 시기	조사자	조사 고분	출토 유물
1937년 4월 3일 ~4월 15일	梅原末治, 鏡山猛, 澤俊一	능산리동고분 제1호분	鐵釘, 金箔片, 鉢, 高麗時代壺, 靑瓷皿, 煉瓦, 기타
1937년 4월 3일 ~4월 15일	梅原末治, 鏡山猛, 澤俊一	능산리동고분 제2호분	鐵釘, 金箔片, 金銅薄板小片, 銅製金具
1937년 4월 3일 ~4월 15일	梅原末治, 鏡山猛, 澤俊一	능산리동고분 제3호분	金銅圓頭鋲 2개, 飾玉 2개, 黃金小玉 3개, 琥珀小玉, 金銅丸玉 2개, 기타
1937년 4월 3일 ~4월 15일	梅原末治, 鏡山猛, 澤俊一	능산리동고분 제4호분	金銅製小步搖 1개, 金箔片, 鐵釘, 陶質殘鉢
1937년 4월 3일 ~4월 15일	梅原末治, 鏡山猛, 澤俊一	능산리동고분 제5호분	목편, 철정, 飾鋲, 座金具, 金箔片

이 조사는 재조사 발굴되는데 능산리 고분은 이미 철저하게 도굴되었다. 이 같은 능산리고분의 도굴에 대해, 세키노 타다시關野貞는, "내가 생각하기에 백제가 당에게 멸망할 때 당병이 발굴한 것으로 생각한다"하고,[141] 야쓰이 세이치谷井濟一는 "동同지방의 고분들은 일찍이 당병唐兵들이 철저하게 도굴하여 유물의 잔존이 극히 드물다"[142]라고 하며 당병唐兵에 의한 도굴을 여러 차례 강조하고 있음은 일제 강점기에 행하여진 그들의 죄를 일부 전가시키려는 의도가 있음을 의심하지 않을 수 없다.

---

140 梅原末治, 「夫餘陵山里東古墳群の調査」, 『昭和12年度 古蹟調査報告』, 朝鮮古蹟研究會, 1938.
　　梅原末治, 「百濟遺蹟調査の回顧と今春の發掘に就いて」, 『忠南教育』, 忠淸南道教育會, 1938.
141 關野貞, 『朝鮮の建築と藝術』, 岩波書店, 1941, p.473.
142 谷井濟一, 「扶餘郡 陵山里古蹟調査報告」, 『大正6年度古蹟調査報告』, 朝鮮總督府, 1919, p.628.

1937년 4월 15일

오야리 제25호분 조사

1937년 4월 12일 토성리의 서병걸이라는 사람이 평양박물관에 출두하여 부외 오야리의 채토장에 분묘가 하나 출현했다는 보고를 해옴에 따라, 다쿠보 신고田窪眞吾가 직접 현장을 시찰하여 급속히 조사를 할 필요가 있다고 총독부에 보고를 했다. 이튿날 총독부의 허락을 받아 조선고적연구회 사업으로 4월 15일부터 발굴을 개시 19일에 종료하여 거울, 관옥, 환옥, 지환, 토기, 그 외 다수를 발견했다.[143]

오야리 제25호분 출토 거울

1937년 4월 18일

부여 규암면 외리 사지 조사

부여 規암면窺岩面은 부여시 서쪽의 금강錦江 대안對岸에 있으며, 본 유적은 부여군 규암면 이리에 속하는데 청양, 홍산가도의 분기점 동북 약 200미터 서리에

---

143 田窪眞吾, 梅原末治, 「樂浪梧野里제25號墳の調査」, 『昭和12年度 古蹟調査報告』, 朝鮮古蹟研究會, 1938.

문양전 출토 상태

있다. 사지의 북쪽은 구릉의 자락에 이어진 소나무 숲이 계속되지만 일찍이 대구
에 사는 이치다 지로市田次郎가 가지고 있는 백제식 금동관음보살입상이 출토된
것으로 전해지는 지점이 있고 본 유적과 대략 100미터 거리도 되지 않는 곳이다.

본 유적의 대지는 부근의 논보다 약10미터 정도 높은데 현재 그 대부분은 개
간되어 보리밭이 되었다. 1937년 3월에 처음으로 백제시대 문양전이 발견되어
부여고적보존회의 스기 사부로杉三郎가 총독부에 보고하여 이에 총독부에서 아
리미쓰 교이치有光教一, 요시다 미다지米田美代治가 이곳으로 내려와 1937년 4월
18일부터 5월 3일까지 발굴 조사하여 많은 문양전紋樣塼을 발굴하였다. 문양전
은 파편을 포함하여 약 150개에 달했으며 문양은 8종류로 나타나 있다.[144]

그 종류를 보면,

144 有光教一, 「扶餘窺岩面に於ける文樣塼出土と其の遺物」, 『昭和11年度 古蹟調査報告』,
朝鮮古蹟硏究會, 1937, pp.65~73; 有光教一, 『有光教一著作集』 제3권, 1999.

연화문 - 총25개 중 완형품 4개

와운문 - 총 20개 중 완형품 5개

봉황문 - 총 19개 중 완형품 7개

반룡문 - 총15개 중 완형품 4개

귀형문1 - 총22개 중 완형품 10개

귀형문2 - 총 16개 중 완형품 6개

산경문1 - 총 8개 중 완형품 2개

산경문2 - 총 10개 중 완형품 2개

이외에도 와편, 치미, 철기, 토기, 도기 등이 발견되었다.

　

도쿄국립박물관의 소장품목록 중에 이곳 유적지 출토의 석부石斧 6점, 곡옥曲玉, 석제 검파두石製劍把頭 등 26점이 다니우치 마사 기지谷內政吉의 기증품寄贈品으로 수록되어 있는 것으로 보아 이곳도 많은 도굴꾼들이 들끓었다는 것을 짐작할 수 있다.[145]

「1940년도 도쿄제실박물관 신수품목 록」[146]을 보면, 1940년에 조신 충청남도 부여 출토의 과운문전, 봉황무전, 반용문전,

사지에서 출토된 와편

---

145 『일본 소장일본문화재 2』(동경국립박물관), 한국 국제교류재단, 1995.
146 美術研究所, 『日本美術年鑑』, 1942년 3월(1941년판), p.113.

귀형문전 등을 구입한 건이 보인다.

도쿄박물관에 들어간 문양전은 이곳에서 발견한 것으로 구입으로 처리된 것이 의문이다. 1940년 부여 출토 문전 구입으로 되어 있으나 고적보존회의 기증으로 추정된다.

1937년 4월 21일

이왕가박물관에 보관한 고려자기 2점을 지난 21일 밤에 도난을 당했는데 극비리 조사 중 범인 박모를 체포했다.[147]

1937년 4월 24일

4월 24일부터 26일까지 3일간 평양박물관 구내에서 불상전람회를 개최하였다. 각지에서 들어온 80여점에 달하는 것 중 사동 해군연료창 회계과장 野野垣이 출품한 탄생불 1점이 주목되었다. 바른손을 들어 천지를 가르키고 유아독존을 선언하는 높이 6촌 가량의 금색찬란한 불이라 소천 관장이 감정한 결과 고구려말기에 속하는 귀중한 유물이라고 했다. 평양 일대의 유물로는 낙랑의 유물은 많으나 고구려시대의 유물이 거의 없는 실정인데, 이 불상은 귀중한 자료라 할 수 있다.

---

147 『每日申報』 1937년 5월 5일자.

『매일신보』 1937년 4월 28일자 기사

1937년 4월 25일

《지나조선도자특별전》

1937년 4월 25일부터 6월 25일까지 오사카시립미술관에서 《支那朝鮮陶瓷
특별전》이 열렸다.[148]

---

148 『陶磁』 제9권 제3호, 東洋陶磁研究所, 1937년 8월.

1937년 4월

1937년 4월에 경북 안동군 안동읍 옥동에서 철도공사 중에 금동반가사유상을 발견하여 총독부박물관에 보관했다.[149]

은밀한 부여신궁 계획

부여신궁 계획은 공식적인 발표가 있기 전에 이미 은밀히 진행되고 있었다.

1937년 4월에 미나미 지로南次郎 총독은 그의 수행원들을 거느리고 부여를 시찰하였다. 당시 총독은 부소산을 중심으로 한 부여 유적지를 걸어서 몇 시간을 둘러보았다. 이 때 총독의 부여 유적지 안내는 당시 부여군청에 근무하면서 부여박물관 일을 보고 있던 홍사준이 맡았다.

안내를 맡았던 홍사준은 미나미 총독의 순시를 다음과 같이 말하고 있다.

나는 총독을 안내하는 사람으로 지명되었기 때문에 누구보다 총독에 근접하여 총독과 대화를 나눌 수 있었습니다. 부소산 낙화암, 고란사, 백제5층석탑 등을 둘러본 다음 미나미 총독은 옛날 백제의 군수품 창고였던 군창

---

149 『박물관진열품도감』 제12집, 1938.

지에 다달랐습니다. 이 날 여러 곳을 돌아다녔지만 미나미 총독은 피로한 기색도 없이 백제 유적지에 관심을 쏟았는데 군창지에 이르러서는 '아 여기에 그 옛날 백제 때 쌀이 나온단 말이지' 하고는 감탄을 하는 것이었습니다. 그리고는 미나미 총독은 낙화암 언덕에 올라서서 백마강을 내려다보며, 당나라 군대가 저쪽으로 밀고 들어왔단 말이지, 그럴 땐 백제 군사들은 강폭이 좁은 저 남쪽 언덕에서 작전을 전개했어야 부여를 사수할 수 있었을 텐데 하였다. 또 그는 '그 때 우리 일본군이 백제를 돕기 위해 원군을 보냈는데 이처럼 일한관계는 1천3백 년 전 백제 때부터 공동운명이었단 말야' 하고 슬쩍 화제를 돌렸습니다.[150]

미나미 총독이 서울로 떠난 후 이종원 부여군수는 홍사준을 군수실로 불렀다고 한다.

그 때를 홍사준은 다음과 같이 털어놓고 있다.

군수실로 들어갔더니 군수가 나를 친밀하게 맞이하더니 다른 사람들은 모두 쫓아버리더군요. 그리고는 지금부터 하는 이야기는 비밀로, 탄로 나면 우린 다 같이 모가지가 달아난다고 겁을 주었습니다. 그리고는 이 군수의 말이 "부여 부소산 일대에 곧 신궁을 세운다. 신궁도 반도에선 가장 격이 높고 웅대한 것이 된다. 지금부터 당신은 신궁 조영사업을 맡아서 해야 된다. 우선 강경사무소에 가서 부소산의 지적부, 임대 대장 같은 것을 상세

150 邊平燮, 『實錄 忠南半世紀』, 創學社, 1983, p.177에서 옮겨옴.

히 뽑아 오라" 하는 것이었습니다. 나는 군수가 시키는 대로 곧 강경에 가서 부소산 임대대장 같은 것을 뽑았죠. 그랬더니 이 군수는 비밀 유지를 위해 내 사무실을 군수실로 옮기라는 거예요. 나는 할 수 없이 군수실로 책상을 옮겨 군수와 마주 앉아 집무를 했습니다.

군청 직원들이나 외부 사람들은 영문도 모르고 왜 군수실에서 일을 하느냐? 무슨 일인데 그렇게 쉬쉬하느냐? 는 등 자꾸만 묻는 것이었습니다. 어쨌던 이렇게 해서 부소산 일대의 임야대장과 지적도 작성을 모두 끝내고 부소산에 대한 측량도 마쳤습니다. 그랬더니 다시 도청으로 가지고 와서 정리를 하라는 지시가 떨어졌습니다. 도청에서 이와 같은 신궁 기초 작업을 하는 동안 나는 대전에서 머물러 있었는데 역시 비밀 유지에 상당히 신경을 쓰더군요.[151]

미나미의 1937년 4월의 부여 방문은 신궁을 건설하겠다는 계획이 이미 서있는 상태에서 지리적 여건을 둘러보기 위해 온 것으로 짐작된다. 그리고 부소산에 신궁조영을 구체화하기 위하여 충남도지사와 군수에게 엄밀히 지시를 했던 것이다. 그리고 그 기초 작업은 가장 가까이서 안내를 맡은 홍사준을 선택한 것이다.

이렇게 하여 충남도청과 홍사준에 의해 부여신궁조영의 기초 자료가 만들어졌다. 이 기초 자료는 그 해 6월에 총독부로 올라갔고, 이어 총독부 학무국에서 부여로 사람을 파견하여 재조사를 하였다.

미나미는 부여신궁 조영의 기초 자료가 만들어지는 동안에도 또다시 부소산

---

151 邊平燮, 『實錄 忠南半世紀』(創學社, 1983, p.178)에서 옮겨옴.

일대를 둘러보았다. 원래는 충남지방시찰 명목으로 1938년 5월 초로 계획되었으나 사정에 의해 연기되었다가 1938년 6월 1일에 부여 부소산에 올라 일대를 시찰하였다.[152] 시찰 후 미나미는 "내선관계를 1천4백 년 전 백제시대에 환원하라"고 하였다.[153] 이 때 신궁조영지를 부소산으로 완전히 굳힌 것으로 보인다.

1937년 5월 10일

경주 배반리에서 오상판석午像板石을 발견

경주군 내동면 배반리 제2구 최삼성(29세)은 지난 10일 신축한 분가 가옥 내 토담 작업을 하던 중 지하 3척 되는 곳에서 종 약 85센치, 횡 약 65센치, 두께 26센치 십이지신 조각이 있는 화강암 민석 1개를 파내어 경주서에 신고하였다.[154]

오상판석
(『경성일보』 1937년 5월 20일자)

152 『동아일보』, 1938년 6월 2일자.
153 忠淸南道,『忠南通報』제3호, 1939년 8월.
154 『京城日報』1937년 5월 20일자.

1937년 5월 12일

평남 원오리 폐사지 조사

원오리는 평남 평원군 덕산면에 속하고, 만덕산 서록에 있다.

본 사지에 주의를 갖게 것은 1932년의 일로서 동군 한천 부근의 출토품이라 이르는 니불泥佛 2종의 잔결이 평양고물상의 점두에 진열되어 오바 쓰네키치小場恒吉가 구입하여 총독부박물관으로 가져온 것이 단서가 되었다.

평안남도 평원군 덕산면에 있는 원오리 폐사지의 니불泥佛이 시중에 나타난 것은 1930년경으로, 세키노는 1930년 10월 19일 평양 오노 다츠로小野達郎가 세키노가 묵고 있는 여관으로 가지고 와 처음 접하게 되었다고 한다. 이 시점에 평양박물관을 위시하여 개인 소장의 니불이 출현했다고 한다. 세키노의 『조선의 건축과 예술』에는 '전조보살입상博造菩薩立像'(제310도, 제311도)이라 하여 소개하고 '평양박물관장'으로 그 소장처를 밝히고 있다.[155]

이 사지에 주의를 기울인 것은 1932년의 일로, 평원군 한천漢川 부근의 출토품이라고 하는 니불泥佛 2종의 잔편殘片을 평양고물상에서 오바 쓰네키치小場恒吉가 구입하게 되어 그 단서를 찾게 되었다. 이후 이러한 종류의 단편이 평양 일대의 유적지에 많이 매장되었을 것으로 생각하여 유적지의 소재 확인에 나서게 되었다. 탐문 결과 출토지가 한천 부근 원오리라는 것을 알게 되었다. 1935년 가을에 후지타藤田 연구원이 실지를 답사한 결과 다수의 니불을 채굴했

---

155 關野貞, 『朝鮮の建築と藝術』, 岩波書店, 1941, p.500(1933년 9월 『寶雲』 제7책에 게재).

다. 그리고 지방청에 그 도굴방지를 요청했다.

정식 발굴조사는 1937년도 고적연구회 사업의 하나로 추가하여 5월 12일부터 17일까지 고이즈미 아키오小泉顯夫, 다쿠보 신고田窪眞吾, 평양박물관원 오노 타다아키小野忠明, 기구치 마사오木口正夫 등이 사지의 주요부분을 조사 발굴하게 되었다.

사지는 이미 태반이 경작지화 되었으며, 상하 2단으로 구분되어 있었다. 상단은 광대한 지역으로 이미 개간이 되어 경지면적이 4천평이 넘었다. 지상에 석편石片들이 혼란하게 흩어져 있고 건물지 부근에는 고려시대 와편, 고구려 와편이 혼입混入되어 있었으며, 이곳에서 니불잔결泥佛殘缺을 발견하고 청동제합靑銅製盒 등을 수습收拾했다.[156] 채집된 니불파편泥佛破片은 거의 동시대同時代에 제작된 것으로[157] 모두 파괴된 것이기는 하지만 출토지가 확실한 고구려불상으로서의 중요한 가치를 가지고 있다.

출토된 여래좌상산편 204개 중 두부를 가지고 있는 체구는 1개에 불과했으며 타의 것은 머리와 체구가 분리되어 있었으며 여래형좌상

원오리 폐사지 출토 니불(『쇼와12년도 고적조사보고서』)

---

156 齋藤忠, 『朝鮮古代文化の硏究』, 地人書館, 1943, pp.58-59.
157 金元龍, 『新版韓國美術史』, 서울대출판부, 1993.

으로 추정되었다. 보살입상은 전부가 결실된 것으로 총수 체구편 89개 두부 19개나 되었다. 와당은 와제치미잔결 5편을 포함하여 총수 146개가 발견되었다. 그 외 철기류, 고려석탑개석(석탑은 수년전에 반출되어 겨우 1개석만 잔존), 고려동합 및 청자완(고려건축지에서 출토), 고려와가 발견되었다.

이상의 조사결과 원오리의 폐사지는 당초 예상했던 것에 반해 후세에 심하게 파괴되어 가람 배치 기타 전모를 상세하게 파악할 수 없었고, 각처에 현저하게 건축물기지의 잔구와 유물 등으로 보아 고구려시대에 창건을 하여 황폐한 후 고려시대에 이르러 재건한 것을 확인할 수 있었다.[158]

이곳에서 출토된 니불은 1937년 이전에 이미 상당수 도굴되어 시중에 나돌아 수집가들 손에 들어갔다. 그 중 거의 완전한 1구(높이 17.8센치)는 평양의 나카무라中村眞三郎가 소장하였는데, 1935년에 교토대학에 기증했다. 교토대학 문학부박물관에는 이외도 원오리불상 1구(높이 13센치)를 소장하고 있다.[159] 교토대학 소장의 원오리 폐사지 출토의 니불 2점에 대해 요시이 히데오吉井秀夫는 원오리 폐사지 출토의 니불은 1932년경부터 고물상에 진열되기 시작하여 주목을 받았는데, 교토대학에 들어온 이들 니불은 고물상에서 구입한 것으로 생각된다고 한다.[160]

1935년판 도쿄대학『문학부고고학연구실 수집품 고고도편』에는 평남 원오

158 小泉顯夫,「泥佛出土地元五里廢寺址の調査」,『昭和12年度 古蹟調査報告』, 朝鮮古蹟研究會, 1938; 齋藤忠,『朝鮮古代文化の硏究』, 地人書館, 1943, pp.58-59.
159 「경도대학문학부박물관」,『일본소장한국문화재3』.
160 吉井秀夫,「日本 西日本地域 博物館에 所藏된 高句麗遺物」,『高句麗硏究』12, 社團法人 高句麗硏究會編, 2001.

리 폐사지에서 출토한 "전불두" 보이고 있다. 1935년에 발간한 책자에 전불두
塼佛頭가 실려 있다는 것은 고물상으로부터 구입을 했거나 발굴 이전에 행한 사
전 조사에서 채집한 것으로 보인다.

1982년에 일본에 건너가 일본소재의 한국불상을 조사한 이호관은 『일본에
가 있는 한국불상』에 원오리에서 출토된 불상 마사키正木미술관 소장의 니조
보살입상(도판4), 도쿄 구노 겐久野健 소장의 니조보살입상(도판5), 도쿄국립박
물관 소장의 니조보살불두(도판7) 등 3점을 싣고 있다. 그 중의 1점인 마사키

正木미술관 소장이 니조보살입상(도판4)
은 『쇼와12년도 고적조사보고서』에 게재
한 불상과 너무도 꼭 같아 눈으로 분간을
할 수가 없다. 이호관은 이 3점의 니불에
대해 "이 입상은 1937년 원오리사지에서
총204개의 니불과 그 편이 출토된 것 중
의 하나로 추정" 하고 있어,[161] 당시 정식
발굴에 의하여 출토된 것이지만 일반 개
인의 손에 넘어간 것으로 보인다.

마사키(正木)미술관 소장의 니조보살입상
(『일본에 가 있는 한국불상』 도판 4)

161 이호관, 『일본에 가 있는 한국불상』, 학연문화사, 2003.

1937년 5월 16일

경기도 고양군 원당면 도요지(陶窯址) 조사

원흥리 도요지(陶窯址) 산란 상태

조선총독부 촉탁 노모리 겐野守健은 1937년 5월 16일 경기 고양에서 발견된 원당면 원흥리 도요지陶窯址의 발견 경위, 현장 상태, 발견 유물 등을 조사했다.

첨부된 경기도 경찰부장이 조선총독부 학무국장에게 보낸 문서「고적 감독 상황 건」에는 송전회사에서 송전탑 건설을 위해 도요지를 굴정掘整한 사실이 있어 추후에는 굴정하지 못하도록 회사 및 관련자들에게 의뢰하기도 했다.[162]

---

162 「경기도 고양군 원당면 陶窯址 조사 복명서」,『국립중앙박물관 소장 조선총독부박물관 공문서』, 목록번호 : 96-130.

1937년 5월 17일

안동 옥동 삼층석탑, 청양 장곡사, 서산 부석사, 개심사 조사

안동 옥동3층탑

기수 오가와 게이키치小川敬吉는 1937년 5월 17일부터 5월 26일까지 경상북도 안동 옥동3층석탑 파손 상황, 충청남도 청양 장곡사長谷寺, 서산 부석사浮石寺, 개심사開心寺, 부석사 제당우를 조사했다.

안동 옥동 3층석탑(지정번호 184, 경북 안동군 안동읍 옥동)에 대해서는 부근은 중앙철도건설을 하게 되어 안동건설사무소 관사정지에 있으며, 경사가 심하여 도괴 파손의 위험이 있어 수리공사의 실시를 요한다고 보고하고 있다.[163]

해인사 팔만대장경판 조사

해인사 팔만대장경판 조사를 하게 된 계기는, 1935년 4월 민주국의 강덕왕康

---

163 「안동 옥동 삼층석탑, 청양 長谷寺, 서산 浮石寺, 開心寺 조사 복명서」, 『국립중앙박물관 소장 조선총독부박물관 공문서』, 목록번호 : 96-431.

德王이 방일訪日하여 8일간 도쿄에 체류하는 동안 일본 궁내성의 도서료圖書寮와 왕실박물관王室博物館을 돌아보았다. 그는 서적에 대한 감식안이 높아 해인사판 대장경을 특별히 유심히 살피고 관계원關係員에게 하문下問하기도 했다고 한다. 만주국왕은 만주국으로 돌아간 후 1936년 수행원 하야시데 겐지로林出賢次郎를 통해 대장경 인출을 희망하여, 일본 궁내성은 조선총독부 비서관을 통하여 사적으로 1부 인출을 요청하여, 1937년 5월에 조선총독부에서 그 요청을 수락하였다.

『매일신보』1937년 9월 17일자에는 다음과 같은 기사가 있다.

만주국황실에서 해인사의 팔만대장경 사본寫本 2부를 청구請求

2부 인쇄비만 3만원 거액

<중략> 이번 만주국 황실로부터 팔만대장경의 인쇄를 총독부에 위탁해 왔으므로 학무국에서는 곧 인쇄에 착수하기로 되었다. 이 팔만대장경은 전부가 8만 1천2백50매의 목판으로 된 것인데 그 중 10매는 내금강 정양사에 있고 또 7매는 동경지구 增上寺에 비장되어 있다. 이 인쇄지휘관인 경성제대의 고교高橋 박사는 사진반을 파견하기로 되어 이 결과가 몹시 기대되고 있다. 그리고 이번 만주국 황실로부터는 전부 2부를 인쇄해 달라고 의뢰를 한 것이며 1부 인쇄비만 1만 5천원을 요하는 것이라 2부 인쇄에만 3만원을 요하게 되는 것으로서 최근 학계에 드문 행사라고 하여 센세이션을 일으키고 있다.

만주국의 요구를 수락하게 되자 인출 전에 해인사 팔만대장경판을 조사하였

『매일신보』 1937년 9월 17일자 기사

다. 1937년 5월 17일에 연구실 조수 장지태張之兌와 학무국 종교계촉탁 홍석모洪錫謀가 해인사에 출상을 가서 사승寺僧 20명과 함께 1915년 당시에 제작한 분책목록을 보고 경판 8만1천258매를 5일간에 걸쳐 2회 조사한 결과 낙장落張 낙질落帙된 것이 22매가 확인되었다.

그 22매는 다음과 같다.

1. 天函	大般若波羅密多經	卷二	二丁
2. 千函		卷九	壹丁
3. 玄函		卷二十一	十三丁
4. 地函		卷十五	九丁
5. 黃函		卷四	五丁
6. 黃函		三十三	十三丁
7. 宇函		卷四十九	六丁
8. 宙函		卷五十三	
9. 宙函		卷五十六	四丁
10. 宙函		卷六十七	十丁
11.		卷六十八	二丁
12. 辰函		卷百三十四	二十三丁
13. 辰函		卷百五十三	二十丁
14. 辰函		卷二百二十六	二十丁
15. 事函		卷二	二十丁
16.		卷百	
17. 觀函		卷八十八	六丁
18. 暑函		卷百八十八	十五丁, 十六丁
19. 暑函		卷七	十二丁
20. 餘函		卷四	三丁, 四丁
21. 秋函		卷九	二十丁, 二十一丁
22. 養函	彌勒生經		七丁, 八丁

이상의 22매는 세조조世祖朝에 인출印出한 금강산 정양사와 도쿄東京 증상사 장增上寺藏의 대장경을 촬영하여 글씨는 김돈희가 조목彫木하여 보충하였다.

이것으로서 만주 왕실용 1부와 경성불교전문학교용 1부를 1937년 9월 2일에 개시하여 10월 17일까지 해인사 팔만대장경을 인출하였다.[164]

『매일신보』 1937년 10월 12일자에 다음과 같은 기사가 있다.

만주국 황실에 헌상할 천고 비장의 대장경

성대 교수 고교高橋 박사의 손으로 등본 정리 전부 완료

가야 영봉의 중복에 솟아있는 고찰 해인사의 불전 속 깊이 숨겨있는 장경각의 문이 열려 불교 3천년의 역사를 얽어놓은 세계의 보물 팔만대장경이 드디어 문명의 사파에 출판되어 고려 8백년의 문학을 자랑하게 되었다. 조선총독부에서는 이 대장경을 2부 출판하여 한 부는 만주국 황제폐하께 헌상하고 나머지 1부를 조선총독부에 보존할 계획으로 금년 여름 성대교수 고교高橋 문학박사를 해인사에 파견시켜 1천5백12종으로 된 8만1천2백59매의 대장경 정리와 그의 편집을 진행하여 오던바 수일 전에 드디어 전부 완료되었으므로 우선 일부분을 경성에 송부하고 제본에 착수하게 되었다고 한다. 이의 수송은 4회에 나누어 10월말까지 전부 완료할 예정이라 하는데, 제1회 13개(1개 8천매)의 수송만은 벌써 무사히 끝났으며 제2회의 수송을 금 11일에 할 것이라 하며 동 대장경의 금회 출판은 조선총독부로서는 획기적 대사업으로 총 경비 3만원을 던진 것이라는 바 이 제본 완료는 아직도 창창하여 만주국

---

164 高橋亨, 「高麗大藏經板 印出顚末」, 『朝鮮學報 第2輯』, 1951.

황제폐하께 헌상하기까지 되려면 다시 1년이 더 걸려야 할 것이라고 한다.

대장경 인출 책임을 맡은 다카하시 토로우高橋亨는 「고려대장경판 인출전말」
에서 "조선 해인사장 고려대장경판 인출의 사업을 마쳤다. 이의 경문經文 1,863
책, 목록 3책, 경함 48개, 외 동 사 소장 고려판 대각국사집 2책, 해인사 사진잔
寫眞帳 1책을 봉정奉呈하며 광영이 있기를 이어 개략概略하게 장경 인출의 경과
를 올린다" 하고 그 경과를 기록하고 있는데 대략 다음과 같다.

1937년 5월 본 사업의 의뢰를 승인하여 6월부터 준비에 착수

9월 1일 인경印經을 개시하기에 이르렀다.

조선불교중앙전문학교에서 역시 장경 1부를 인출 희망 해 옴에 따라 이
인출에 의하여 2부를 인출하기에 이른다.

당초 예정한 직공 23명을 투여 각원 1일 300장을 예정으로 70일이 요할 것으
로 예정했는데 예상외로 공정이 빨라 10월 17일 전부 인쇄 완료했다. 공휴일
임시휴일을 제하고 실공일수實工日數 38일로 이외로 좋은 성적이라 할 수 있다.

10월에 전부를 제본소인 경성의 조선인쇄회사에 반래搬來하여 이곳에서 재
차 정밀하게 검열 교정을 하였더니 약간의 낙장落張 낙질落帙이 발견되어
해인사의 잔무취급자殘務取扱者에게 통지하여 재보쇄再補刷하여 오게 했다.

12월 중에 대대적으로 제본 공정이 완료되고 동시 경함 제작도 완료되었다.

이것을 1938년 1월 17일 경성역에서 출발 19일에 신경궁내부新京宮內府에

반입搬入하였다.[165]

1937년 12월 20일자로 장제월張霽月이 조선총독 미나미 지로南次郎에게 보낸 '국보급사찰재산 도난보고지건國寶及寺刹財産 盜難報告之件'[166]을 보면 다음과 같다.

……본월本月 8월 28일부 당사當寺 안장安藏 고려대장경판목高麗大藏經板木 전부를 만주국滿洲國 정부의 의뢰에 의하여 …… 드디어 경성제국대학 문학부교수 다가시 토오루高橋亨 씨의 지휘하指揮下에 인경공사印經工事를 하였을 때 당사當寺 소유 국보 고려대장경판목 및 당사 소유 재산귀중품부財産貴重品部 고려대장경탑탁高麗大藏經榻拓 안장한 성전聖典 한 벌 6791권 중 별지 목록과 같이 도난 분실되었음이 비로소 발견하여……

도난된 고려대장경판목

函號	盜難經名	卷數	木板數
宇	大盤若波羅密經	第 49卷	第6枚目의 分 1枚
事	大壯嚴經論	第2卷	第19, 20枚目의 分 1枚
更	大藏經目錄	補遺終張	1枚
治	釋敎分記圖通鈔	第1卷	第90枚目의 分 1枚
			計4枚

---

165 高橋亨, 「高麗大藏經板 印出顚末」, 『朝鮮學報 第2輯』, 1951, pp.222·224.
166 黃壽永, 「日帝期 文化財 被害資料」에서 옮김.

이 같이 경판 4매가 분실되었다. 이렇게 분실된 것은 당시 허술한 관리를 틈타 악질적인 일인들이 도취盜取해 간 것이다.

하나의 단서를 찾을 수 있는 것은, 1922년 일본인 오야 노쿠죠大屋德城가 개인적으로 해인사 장경각에 있는 장판을 1922년 4월 27일부터 4, 5인의 승과 1일 1명이 560매枚씩 5월 1일까지 대각문집大覺文集, 구사진초俱舍眞抄, 사분률상집기四分律詳集記을 비롯한 엄청난 양을 인출하였다.[167] 당시 그의 기록에,

> 장경각의 열쇠는 경내境內의 순사주재소巡査駐在所에 보관되어 있었는데 주재소는 내지인內地人(일본인) 부장 1명, 조선인 순사 1명으로, 관사官舍에는 부장의 가족이 함께 거居하고 있다. 총독부 허가장許可狀을 보이니 부장이 열쇠를 가지고 와서 열었다.[168]

167　大屋德城,『鮮支巡禮行』, 1930.
　　그의 1922년 4월 18일부터 5월 2일까지의 일기를 살펴보면,
　　1922년 4월 18일, 해인사의 藏板을 인쇄하는 건에 대해 주지에게 의뢰하여 승낙을 받고, 총독부에 인가를 구하려 갔다.
　　4월 19일, 해인사장판 인성(印成)에 관한 認可書가 왔다.
　　4월 23일, 해인사로 가기위해 경판 인쇄용지를 구하려고 시중을 걸었다.
　　4월 24일, 종이를 구하였다. 00원을 주니 대단히 놀라운 양이다.
　　4월 26일, 경판인쇄를 상담했다.
　　4월 27일, 나와 김군은 인쇄공양을 했다.
　　4, 5인의 승과 인쇄를 시작, 먼저 大覺文集, 俱舍眞抄, 四分律詳集의 인쇄를 시작했다. 하루에 1명이 560매씩 인쇄를 했다.
　　5월 1일, 故心慘憺한 끝에 예정한 매수의 인쇄를 완료했다.
　　5월 3일, 물건을 싣기위해 남자들이 서있는데 별도로 주지가 고하기를 기념으로 대장경목록 1부를 주었다.
　　하물을 싣고 오후 4시에 대구에 도착하였다. 산중에 在한 것이 전후 9일.
168　大屋德城,『鮮支巡禮行』, 1930년, 1922년 4월 26일자 日記.

하는 것으로 보아 경판고의 출입은 일본인 파출소 주임을 통해서만 가능했음을 짐작할 수 있다.[169] 1910년 궁내성사무관宮內省事務官 무라카미 류키치村上龍吉가 데라우치寺內 총독에게 올린 해인사대장경판 조사보고서 중에는 해인사대장경 판이 사유寺有가 아니라 국유國有라는 의견을 주장하여, 데라우치寺內는 1910년 7 월부터 해인사대장경판 보호를 위해 사

찰 내에 경찰서의 출장소를 두어 경판 고經板庫의 경비를 맡겼기 때문에,[170] 범 인은 1937년 당시 경판고 열쇠를 가지 고 있던 경비책임자인 해인사지구 일제 경찰파출소 주임인 순사부장이나 오야 大屋을 추정해보지만 이도 불확실하다.

해인사 장경판전

1937년 5월 29일

평양 토성리 토성 발굴

평안남도 대동군 대동강면 토성리

---

169 1943년 9월 2일자 학무국장이 경상남도지사에게 보낸 '보물 해인사 장경판고 열쇠 보 관에 관한 건'에도 열쇠를 해인사내 경찰관주재소에 보관하도록 하고 있다.

170 大屋德城, 「寺內總督の海印寺大藏經板印成に關する史料に就いて」, 『書物同好會會報』 第12號, 1941년 7월.

에서 토성의 발굴은 1934년부터 1935년도에 춘추 2회에 걸쳐 행하여 건축물의 유구를 발굴하고 다수의 각종 유물을 발견하였다.

1937년도에 다시 전회의 조사에 완료하지 못한 접속지대를 발굴하게 되었다.

하라다 요시토原田淑人을 주사로, 고마이 가즈치카駒井和愛, 다쿠보 신고田窪眞吾, 다카하시 마쓰오高橋男가 5월 29일부터 6월 26일까지 28일간(최초 2일은 발굴 준비, 최후 2일은 발굴품 정리) 발굴을 하였다. 출토유물로는 동족, 철족, 방수차, 와당, 금영락金瓔珞 1개, 오수전 다수, 화천貨泉 2개, 소옥 관옥류 다수, 경잔편鏡殘片, 동기파편 다수, 낙랑부귀와당樂浪富貴瓦當, 천추만세와당千秋萬歲瓦當을 비롯한 와당 다수, 봉니封泥 등 120여 점이 출토되었다.[171]

낙랑 토성지

---

171 高橋男, 「本年度樂浪土城發掘槪況」, 『考古學雜誌』 제27권 제8호, 1937년 8월, pp.47~50; 原田淑人, 高橋男, 「樂浪土城址の調査」, 『昭和12年度 古蹟調査報告』, 朝鮮古蹟研究會, 1938.

『동아일보』 1937년 6월 10일자에는 다음과 같은 관련 기사가 있다.

낙랑고적 발굴을 전문가 기도

평양부근은 최근 낙랑고분 발굴에 따라 고고학자의 이목을 집중시키고 있
거니와 금년도 발굴 작업은 지난 5월 31일 제실박물관 고교용 씨, 동대문
학부 구정 조수, 평양고적연구소 소천 씨의 손으로 시작되었는데 연와적
재와 4m의 방형 발굴이 수일 전에 완료되었다고 한다. 이 발굴 작업에서
그동안 발굴된 물품은 '樂浪富貴'와 파편 1개를 비롯하여 오수전 기타 수
확이 있었고, 마차의 금구, 도기 등이 속속 발견되었다. 그런데 동 발굴을
감정한 결과 아직까지 그 정체를 규명하지 못하고 있으며 혹은 당시의 분
묘가 아닌가 추정하나 종전까지 발굴
된 분묘와는 아주 형태를 달리한 분묘
라고 볼 수밖에 없는바 연와의 적재가
지상에 구축되어 있음을 보아 이를 분
묘로 보기는 속단이라 하여 학계와 발
굴자에게 한 연구자료로 되어 있다한
다. 이번 작업은 오는 25일경까지 계속
할 예정이라는 바 땅속에 묻힌 우리 고
대문화의 유적이 속속 발견될 것으로
일반은 흥미와 기대를 가지고 있다.

토성지 출토 와

1937년의 발굴 조사에서 얼마나 많은 유물이 출투되었는지 또 얼마나 많은

출토유물이 일본으로 반출되었는지 분명하게 밝혀진 것은 없다. 정인성의 조사에 의하면 낙랑토성에서 발굴되어 도쿄대학으로 반출된 전만도 223점이 넘는 것으로 확인되었으며, 와편은 무려 500여 점이나 되었다. 그 외 철기류 등이 상당수 확인되었다. 조사 당시 낙랑토성의 전은 대부분 세척되지 않은 상태로 상자에 담겨 있었는데, 상자의 바깥에는 '樂浪土城'이라고 적혀 있었다고 한다.[172] 릿쿄立校대하에도 토성에서 발굴한 청동촉 3점이 소장되어 있는데 그 경위는 고마이 가즈치카駒井和愛가 반출한 것으로 1937년 낙랑토성 발굴현장에서 우편으로 부친 것이라고 한다. 고마이는 1934년 릿쿄대학 문학부 강사로 고고학을 강의했는데 1935년 조선고적연구회 낙랑연구소 조수 자격으로 낙랑토성 발굴에 참여했다.[173]

토성리의 출토물은 도쿄박물관에도 상당수 소장되어 있다. 와전 54점은 세키노 외 3명이 기증한 것으로 나타나 있고, 봉니 9점, 와 17점은 반출자가 나타나 있지 않다.[174]

1937년 5월

인천 송림정 88개소는 석불 88개를 모신 산으로 앵목도 수천 본을 심어 있어

---

172 정인성, 「도쿄대학 문학부 고고학연구실 소장 자료」, 『일본에 있는 낙랑 유물』, 학연문화사, 2008.
173 동북아연구재단, 『일본 소재 고구려 유물 I』, 2008, p.372.
174 東京國立博物館, 『收藏品目錄』, 1956.

인천의 동공원東公園이라고 할 만한 승
경 지구인데 어떤 자가 석상불체 15체
를 파손하였다.[175]

1937년 5월 경남 통영군 두미리 천
왕산 감로봉 중복에서 불상 1체가 출
토되다.[176]

『매일신보』 1937년 5월 25일자 기사

1937년 6월 10일

제3회 조선보물·고적·명승·천연기념물보
존위원회가 개최되다. 조선보물·고적·명승·
천연기념물보존위원회에서 새로 보존지정
된 것은 102건이며 이미 지정된 것과 합하
면 394건이다.[177]

새로 발견된 불상
(『박물관진열품도감』 제12집)

---

175 『每日申報』 1937년 5월 25일자.
176 『박물관진열품도감』 제12집, 1938.
177 『東亞日報』 1937년 6월 11일자.

1937년 6월 12일

《제2회 죽내계룡암주소장품매립회》

1937년 6월 12일부터 13일 양일간에《제2회 죽내계룡암주소장품매립회》가 경성미술구락부에서 열렸다.

이 자가 언제부터 한국에서 골동상을 시작하였는지 알 수 없으나 『광복이전 박물관자료 목록집』에는, 1917년에 '다케우치竹內 외 2명으로부터 목조불상 등

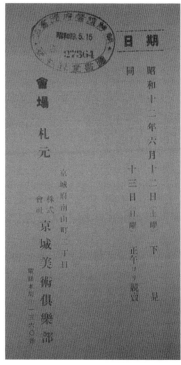

『제2회 竹內鷄龍庵主所藏品賣立目錄』

구입에 관한 건'(1917년 6월 4일)이 보이고 있다.[178]

그의 골동상점에서 보는 바와 같이 다케우치는 계룡산 일대에서 도굴되어 시중에 나온 분청사기를 많이 취급했다. 이번 경매에 붙인 미술품 중에도 단연 분청사기가 많이 포함되었다. 그가 경성미술구락부를 통해 제1회 경매회는 언제인지는 명확하기 않으나, 이번『제2회 죽내계룡암주소장품매립목록』에는 목록번호 485번까지 나타나 있으며, 485번 이후는 '이하생략'으로 기록하고 있어 엄청난 수량이 나온 것으로 짐작된다.

178 정규홍,『유랑의 문화재』.

	목록 사진
제2회 竹內鷄龍庵 主所藏品賣立目錄 (1937년 6월 12일~13일) 京城美術俱樂部	

1937년 6월 14일

경주 성동리 유구지 조사

1937년 봄에 경주 북천호안공사北川護岸工事
때 장석재 등이 발견되고 고와가 다수 발견되
고 계속하여 건축지 등이 노출되어 조사에 임
하게 되었는데, 조사는 6월 14일부터 개시하여
7월 22일에 종료했다.

조사에서 각 전당지, 문지, 장랑지 등을 확인
하고, 각종 문양전 다수, 각종와 등, 소금구 잔
결, 토기 등을 발견했다.[179]

성동리 유구지

1937년 6월 25일

평양박물관서《이조도자전람회》
평양박물관에 6월 25일부터 28일까지 4일간《이조도자전람회》를 개최하였

---

179 齋藤忠, 「慶州に於ける新羅統一時代の調査」, 『昭和12年度 古蹟調査報告』, 朝鮮古蹟研
     究會, 1938.

다. 출품된 도자기는 조선 각지에서 비장한 5백여 점이다.[180]

1937년 6월 26일

조상 묘소의 석물까지 매각하다.

6월 25일 양주군 주내면 광사리에 있는 동래정씨 묘소에 있는 장명등 하나
를 종손이 되는 경성 황금정에 사는 정세영이 경성 신당동에 사는 백낙준에게
매각한 사실이 발각되어 양주경찰서에서 장명등을 압수하다.

『매일신보』 1937년 7월 8일자 기사

《조선출토고도자전관(朝鮮出土古陶瓷展觀)》

1937년 6월 26일부터 28일까지 일본의 하루미春海라는 곳에서 '조선출토고도

---

180 『每日申報』 1937년 6월 27일자.

자전관朝鮮出土古陶瓷展觀'이라는 이름하에 계룡산, 강진 등지에서 도굴한 도자기 전람회가 열렸다.[181]

예부터 일본인들이 사용하는 다완류는 상당수가 한국에서 건너간 것들이다. 1937년에 간행한 『대정명기감大正名器鑑』에는 명물 다완이 많이 실려 있는데, 총수 439점 중에서 중국산이 55점, 일본산이 150점, 한국산이 234점으로 단연 과반수를 차지하고 있다.[182] 이는 일본인들이 한국산 다완을 얼마나 귀중히 여기는지 보여주는 단면이라 할 수 있다.

이들 수장품 속에는 저들이 말하는 소위 '미시마三島'라 하는 분청사기가 상당수 포함되어 있다. 일본의 신사 등에 신기神器로 모셔져 있는 명물 다완이 한국의 분청자라는 것이 알려지자 혼이 빠져 분청사기 수집에 혈안이 되었던 것이다.

1937년 6월

안성군 대덕면 소현리에서 각종 석조물 발견

6월에 안성군 대덕면 소현리 사금광에서 광부들이 시굴을 하다가 5층석탑 1기를 발견했다. 광부들은 이 석탑을 경성 모에게 180원을 받고 매각을 했는데, 6월 21일 이 석탑을 경성으로 운반하는 중에 안성경찰서에 신고가 들어와 석탑을 압

---

181 美術硏究所, 『日本美術年鑑』, 岩波書店, 1937년 11월.
182 高橋義雄, 『大正名器鑑』, 寶雲社, 1937.

수하여 안성경찰서에서 보관했다.

이 지방에는 고려시대의 절이 많이 있는 곳으로 이 석탑 역시 고려시대의 유물로 추정되는 것이라 한다.

이 같은 석탑을 발견한 근처에서 사리탑 1기를 우연히 또다시 발견하게 된다. 이와 관련하여 다음과 같은 신문기사가 있다.

八百年前石塔
鑛坑서發見
安城郡大德面에서

『동아일보』 1937년 6월 25일자 기사

5백 년 전의 안성 봉안산에서 사리탑 발견

진위군 평택에 거주하는 최경오라는 사람이 안성군 대덕면 소현리에 있는 봉안산으로 몇 일전 약물을 먹으려 갔다가 석대가 노출되어 있는 것을 발견하고 돌아와 사람들과 협력하여 그곳을 발굴했는바 네 개의 화강석 사리탑이 발견되어 즉시 소관 경찰서에 보고하자 동 서에서는 경기도로 보고하여 방금 학무과에서 감정 중이라 한다. 동 탑은 높이가 9척2촌인데 부근 사람들의 말을 들으면 약 5백 년 전에 봉안사가 있었던 곳이라 그 때의 고적인 듯하다고 한다(『동아일보』 1937년 7월 1일자).

안성 봉안산鳳安山에서 사리석탑 발견

5백 년 전 것으로 추측되어 고고학상 호자료

얼마 전 광주와 이천에서는 쇠로 만든 고기斛器와 금고리와 구슬玉 등의 진귀한 고물들이 밭에서 혹은 산에서 발굴되어 고고학상 희귀한 참고재료가 되어 방금 총독부 학무국의 감정을 받고 있거니와 또 다시 안성군하에서는 약 5백 년 전의 사리석탑이 발견되어 경기도 내에도 이렇듯 고물이 많은가 하는 의심을 던져 고고학계에 한 큰 센세이션을 던지고 있다.

수일 전 진위군 평택에 사는 최경오는 안성군 대덕면 소현리 봉안산에 약물이 난다하여 약물을 먹으려갔던 길에 산에서 주위 10여 척 되는 석탑의 석대가 노출되어 있는 것을 발견하고 동리로 돌아와 다시 지난 21일 동리 사람 수 3인이 현장에 가서 부근을 살펴본 결과 이곳저곳에서 이끼가 앉은 화강암으로 된 석탑 4개를 발굴해 가지고 전기한 석대 위에다 맞추어 본즉 훌륭한 사리합석탑 높이 9척5촌 주위 10척2촌의 것이 되어 상당한 연대를 지난 것으로 추측되어 곧 안성서에 신고하는 동시 경기도 경찰부에 보고하여 학무국의 감사를 받기로 되었다 한다.

부근 사람들의 이야기에 의하면 봉안산에는 5백 년 전 조선의 불교가 성했을 때에 봉안사鳳安寺라는 사찰이 있었던 것으로 보아 그 때의 유물이 아닌가 한다(사진은 발견된 사리탑)(『매일신보』 1937년 7월 1일자).

『매일신보』 1937년 7월 1일자 기사

안성경찰서에서는 5층석탑을 압수 및 새로이 발견된 사리탑을 보관하는 한편 순사부장이 석탑이 발견된 현지를 직접 방문하여 조사를 했는데, 그곳에서 석불 1구를 발견하게 된다. 『동아일보』 1937년 6월 29일자에는 다음과 같은 기사가 있다.

새로 발견된 석물
(『동아일보』 1937년 6월 29일자)

안성군 대덕면 소현리 사금광에서 돌탑을 발견하였다함은 이미 보도한 바이어니와 지난 26일 안성결찰서 이와나가岩永 순사부장이 전기 돌탑을 발견한 현장을 조사하기 위하여 출장하였다가 그곳 민가 근처 돌무지 속에서 석불상 1개와 범서가 각해진 기와 2개를 발견하였는데 이 불상은 역시 광중에서 아무렇게나 버려진 것으로 대략 2자쯤 되고 그 조각이 극히 미술적으로 되어 신라시대의 것으로 추정되고 있다. 불행하게도 이 불상은 두부와 양손이 부서진 것이 유감이다. 안성경찰서에서 현재 보관 중인데 박물관 같은 곳에 보관할 예정이라 한다.

이상의 발견된 세 가지 유물들은 모두 안성경찰서에 보관하고, 총독부 학무국에 보고하여 감정을 받기로 했다는데, 이들의 처리가 의문이다.

이들은 법에 의해 모두 몰수 한 것으로 보이는데, 1938년 4월 14일부支檢 제919호)로 수원지청에서 학무국장에게 보낸 '조선 보물 고적 명승 천연기념물

보존령 시행 수속 제14조 몰수 물건에 관한 건'[183]은 다음과 같다.

발견 장소 : 경기도 안성군 대덕면 소현리(통칭 봉안산록 폐사지)

발견연월일 : 1937년 6월 22일

비고, 안성경찰서에 보관 중

조선 보물 고적 명승 천연기념물 보존령 시행 수속 제14조 몰수 물건에 관한 건

당청에 1937년 8월 20일 조선보물고적

명승천연기념물보존령 위반 피고 사건

에 붙여 몰수의 판결 확정에 따라 그 개

요를 좌와 같이 보고함

1. 종류 : 석탑 4개

2. 구조 및 품질 : 첨부한 사진과 같이

화강암

수원지청에서 첨부한 사리탑 사진

안성경찰서에 보관한 유물은 5층석탑, 석불, 사리탑 이렇게 세 가지인데 사리탑 1기만 정식으로 '몰수 물건' 으로 처리했는지 의문이다. 또 5층석탑에 대해 다나베田邊 안성경찰서장은 "이 탑은 적어도 2천 원 이상의 가치가 있는 귀중품입니다. 이것은 기어코 안성에 보관해 두도

---

183 「조선 보물 고적 명승 천연기념물 보존령 실시 절차[手續] 제14조 소정의 몰수 물건 건」,
『조선총독부 공문서』, 목록번호 : 96-151.

록 하고 싶습니다" 라고[184] 했다는 것으로 보아 이 유물들은 안성 어디에 보관되었을 것으로 보이나 이후 그 소재가 확실치 않다.

이 석조물들은 안성군 대덕면 소현리에서 발견한 것으로 소현리는 봉안사鳳安寺라는 사찰이 있었다고 전해지는 것으로 보아 모두 이 사찰의 유물일 것으로 추정된다.

수원에서 고고유물 발견

6월에 수원에 사는 목동 신동운이 수원군 양감면 사창리에 있는 옥봉玉峰으로 나무하려갔다가 산비탈에서 가락지 하나를 얻어가지고는 돌아왔다. 이것이 발단이 되어 동네 사람들이 그곳에 가서 파헤치고 금수저 한 개, 금줄 세치 가량되는 것 하나, 금가락지 1개, 금방울 한 개, 묘하게 생긴 구슬 십 수개, 자기그릇 한 개, 도끼 5개, 검 2개, 은재갈 1개 등 도합 23개를 발견하여 이것을 수원경찰서에 보관했다.

『매일신보』 1937년 6월 26일자 기사

184 『東亞日報』 1937년 6월 25일자.

평남 강서군 사기동요지를 조사

1937년 6월에 고이즈미 아키오小泉顯夫, 핫타 미노루八田實, 요시다 에이조吉田
英三, 오카무라 이우이치岡村行— 등은 평남 강서군 사기동요지를 조사하여 청자
편, 백자편 등 다수를 채집했다.[185]

1937년 6월에 구로다 겐지로黑田源次郎가 만주 집안현의 고구려고분 제12호
분双室墳, 사신총을 조사하여 벽화, 금동식구, 철도, 철족, 토기류를 발견했다.
특히 12호분 벽화는 구로다의 감독 아래 마쓰나가 미나미松永南가 1937년 10월
에 약 한 달간에 걸쳐 모사하였다.[186]

1937년 7월 2일

개인이 소장한 불상을 보물로 가지정

1937년 3월에 부여 규암면 규암리의 한 폐사지에서 우수한 문양전이 발견되

---

185 小山富士夫,「高麗の古陶磁」,『陶磁講座』第7卷, 雄山閣, 1938. p.84.
186 美術研究所,『日本美術年鑑』, 1938년 11월, p.165, 梅原末治,『朝鮮古代の墓制』, 國書
    刊行會, 1972, p.34, 藤田先生記念事業會,『朝鮮考古學』, 1963, pp.614-615,「雜信」,『陶
    磁』제9권 제5호. 1937년 8월, p.39.

어, 4월에 총독부에서 조사원을 파견하여 주요부를 중심으로 조사를 하였다.
이 같이 서둘러 조사를 한 데에는 이곳 폐사지에서 일찍이 백제시대의 우수한 불상 2구가 출현하여 개인의 소장으로 들어간 것이 있기 때문이다.

이 사지에서는 1907년에 규암리의 한 농부에 의해 우수한 백제시대의 불상 2구가 발견되었다. 처음 발견될 때는 이 두 불상이 함께 쇠솥 안에 있었다고 한다. 이 후 일본 헌병대에 압수되어 유실물로 처리하여 보관하여 왔다. 1년 후 헌병대는 이를 경매에 붙였는데 2구의 불상을 니와세 히로아키庭瀬博章가 입수하였다. 이후 니와세가 2점의 불상을 소장하고 있다가 1922년에 그 중 큰 것 하나를 대구의 이치다 지로市田次郎에게 팔고 나머지 하나는 계속 소장하고 있었다.

1937년 4월의 규암리 폐사지의 긴급 조사에서 어디에서도 찾아 볼 수 없는 우수한 문양전이 무수히 출현하자 이곳에서 출토되었다고 전해지는 불상에 눈을 돌리게 되었다.

니와세 히로아키庭瀬博章가 소장하고 있던 금동관세음보살입상은 1937년 7월 2일에 보물 제3호로 가지정假指定되었는데,[187]

『조선총독부관보』 1937년 7월 2일자

---

187 『朝鮮總督府官報』 1937년 7월 2일자.

다음과 같은 기사가 있다.

『동아일보』 1937년 7월 3일자 기사

백제시대 금불상 국보로 가지정

시내 삼판통 4번지 니와세 히로아키庭瀨博章씨의 집에 소장되어 있는 금동관
세음보살상을 금2일 학무국 사회교육과에서 조선보물고적천연기념물보존
령에 의해 가지정하였다. 이 불상은 지금으로부터 1500년 전 백제시대의 깃
으로 약 20년 전에 부여에서 발굴한 것이라고 한다. 이 불상은 세상에 4, 5개
에 불과하다하야 극히 귀중한 것이라 한다(『동아일보』 1937년 7월 3일자).

개인소유의 불상을 지정

조선고적보물지정령으로, 백제시대의 금동제

시내 삼판동 4번지에 있는 정뢰박장 씨가 가지고 있는 금동관세음불상은

이번에 조선고적보물명승천연기념물보존령에 의하여 지정하기로 되었는데 명년도 위원회 때까지는 우선 가지정으로 하기로 하였다가 위원회에서 정식으로 결정하기로 되었다. 이 불상은 1천5백 년 전 백제시대의 유물로서 약 20년 전에 충남 부여에서 발굴한 것인데 당시의 불상은 4,5개 밖에 남아있지 않다 한다(『매일신보』 1937년 7월 3일자).

그 후 1939년 10월 18일 조선총독부 고시 제857호에 의해 소유자 '경기도 경성부 삼판동(용산 후암동) 41번지 니와세 노부유키庭瀬信行'로 하여 보물 제320호로 지정되었다.

그런데 여기에서 한 가지 의문이 남는다.

1937년 7월 2일자 조선총독부 고시 제445호에는 불상이 보물 제3호로 가지정될 때 소유자가 '삼판통41번지 庭瀬博章'으로 되어 있다. 그런데 1939년 10월 3일자 조선총독부 고시 제857호에는 보물 제320호로 지정되면서 소유자를 '삼판통41번지 庭瀬信行'으로 기록하고 있다.

『조선총독부 및 소속관서 직원록』을 보면, 니와세 히로아키庭瀬博章는 1930년부터 1936년까지 충청북도 곡물검사소, 곡물검사소 목포지소 등 지방에서 근무한 것으로 나타나 있다. 반면에 니와세 노부유키庭瀬信行는 1921년부터 1930년까지는 충남, 경북 등 지방관서에 근무하다가 1930년 이후부터 1943년까지 조선총독부 내무국 지방과와 토목과 시가지계획위원회 간사 등을 맡아 중앙에 근무한 것으로 나타나 있다. 그래서 이명 동인은 아닌 것으로 보인다. 따라서 기록상의 오류가 생기지 않았다면 그간에 불상의 소장자가 바뀌었거나, 불상의 소재지와 소유자의 주소가 모두 '삼판통 41-1'로 기록하고 있는 점으로 보아 같은 집안 식구일 가능성이 높아 보인다.

이 불상은 1939년 이후 언제인가 경성대 의학부 내과교수로 있던 시노자키篠崎의 손에 넘어 갔다. 해방이 되자 김재원(해방 후 초대 국립중앙 박물관장)은 시노자키가 소장하고 있는 이 불상이 생각 나 아리미츠 교이치有光敎一에게 부탁하여 시노자기에게 자진 기부하는 형식을 취하도록 종용하였다. 그것은 어디까지나 교수로서의 그의 체면을 생각해서였다. 당시 일본인들이 가지고 있던 모든 문화재는 미군정에서 강제 접수하도록 되어 있었다. 그러나 시노자키는 "새나라 건국에 이바지될지는 모르나 나는 많은 돈을 주고 입수한 것이고

또 지금 나는 돈이 필요하니 새 정부에서 사가라 하시오!"라는 뜻의 그의 퉁명스러운 해답이었다. 그래서 김재원은 크네빗치 대위에게 부탁하여 미군헌병을 시노자키의 집에 보내어 그 관음상을 압수하여 왔다. 현재 국보 제293호로 부여박물관에 소장 진열되어 있다.

1937년 7월 7일

중일전쟁 발발

1937년 7월 7일 일본의 중국 대륙 침략으로 시작된 이 전쟁은 1945년 일본

국보 제293호, 금동관세음보살상
(부여박물관 소상)

의 무조건 항복함으로 종식된 것으로 아시아 최대의 전쟁이라 할 수 있다. 이 전쟁으로 인해 한국에서의 모든 체제가 바뀌는 것은 물론이고, 한국의 고적 유물에 대한 정책까지 완전히 바뀌게 된다. 모든 것은 전시체제에 맞춰 고적이나 유물조차도 일제의 정책에 활용하게 된다.

1937년 8월 2일

평양 만수대 조사

평양 만수대는 금수산의 남으로 연결된 대지로 이 부근에는 고구려시대부터 고려시대에 이르는 유물 유적이 출토되기도 했다. 금년 여름에 평남도청사의 신축공사에서 건축물기지가 출현하였다. 8월 1일 이 공사를 시찰 중이던 도 내무부장이 현장공사를 중지하고 조선고적연구회 평양연구소에 보고하여 고이즈미 아키오小泉顯夫 등이 직접 현장을 돌아보고 8월 2일부터 18일까지 조사를 하게 되었다.

이 조사에서 고려시대의 와편, 도자편, 고구려와당 등 다수가 출토되었다.[188]

---

188 小泉顯夫, 「平壤萬壽臺及其附近の調査」, 『昭和12年度 古蹟調査報告』, 朝鮮古蹟硏究會, 1938; 『東亞日報』 1937년 8월 6일자.

1937년 8월 6일

8월 6일 강원도 평강군 유진면 후평리 부락민이 후평리에 있는 신사경내를 청소하다가 약 두자 가량의 땅 속에서 주철로 만든 마형 1개와 호랑이발 1개를 발견하였다.[189]

발견한 유물

1937년 8월 9일

조선총독부 학무국장이 일본 궁내성 문서과장에게 보낸 '보물고적도록 제1책 헌상의 건'(1937년 8월 9일 기안)에 의하면,[190] 보물고적도록 제1책『불국사와 석굴암』1책을 헌상하다.

1937년 8월 27일

오구라 다케노스케 소장 고려청자상감수주高麗靑磁象嵌水注와 고려청자백화문

---

189 『每日申報』1937년 9월 3일자.
190 「昭和12년 1월 이후 고적관계 서무잡건」,『총독부박물관 공문서』, 목록번호 : 96-151.

수주高麗青磁白花文水注 2점이 일본 중요미술품으로 지정되다.[191]

1937년 8월 28일

현화사지 7층석탑 도굴

해방 이후 북한의 고고학총서에도, "지난날 우리나라를 강점하였던 일제침략자들은 이 탑을 약탈해 가려고 위의 세 층을 내려놓았던 일이 있다. 그때 탑의 윗부분이 조금 이지러졌다. 이 흔적은 간악한 일제의 야만성에 대하여 뚜렷이 보여 준다"[192]라고 하고 있다.

북한 향토사학자 송경록은 "일제 침략자들이 이 탑을 약탈해 가려고 해체하여 개성역까지 싣고 나왔다가 개성 사람들의 완강한 저항으로 본래의 위치에 가져다 세우면서 되는대로 세워 탑의 윗부분이 이즈러져 있었다"[193]고 한다.[194]

이 탑은 고려 석탑 중에서 백미를 이룬 것으로 유명한데, 칠층석탑의 상태에 대해서 1912년경의 세키노關野의 기록에는 파손에 대한 언급이 없다.

---

191 『陶磁』 제9권 제7호, 1937년 10월.
192 『북한 고고학총서』, 한국인문과학원 영인, 1990.
193 송경록, 『북한 향토사학자가 쓴 개성 이야기』, 도서출판 푸른숲, 1988, p.39.
194 이 기록은 좀 과장된 듯한 감이 있다. 거대한 탑을 해체하여 개성역까지 가져갔다가 다시 원 위치에 복원을 했다면 관민의 엄청난 저항을 받았을 것이며, 또한 이런 거대한 석탑을 다시 복원한다는 것은 엄청난 인력을 요하는 바, 다른 사람들의 기록에 보이지 않는 것이 이상하다.

현화사는 개성의 동 약 3리 산성 남문외에 있다. 현재 절은 이미 폐하였고 오직 칠층석탑, 현화사비, 당간지주가 존한다. 비는 현종12년에 세운 것으로 탑 역시 그 전후에 이루어진 것이다.[195]

또 『조선고적도보 제6책』에 게재되어 있는 도판(도판번호 2924)에도 상륜부까지 완전한 상태로 남아 있으며 현화사비도 온전한 상태로 잡초더미에 쌓여 있으며 뒤쪽으로 초가집이 보이고 있다.

1926년에 이곳을 답사踏査한 가와구치 우키츠川口卯橘의 기록을 보면,

현화사는 부락 10호 정도의 현화동에 있다. 사의 구역은 매우 광대하여 수정에 이르며 와편과 석원石垣이 산재하고 본당의 유적, 대석비, 대석탑, 당간지주, 석단, 문지, 석교 등이 남아 있다. 대석비는 비신고 약8척 폭4척5촌 후8촌으로 「영취산대현화사지비명靈鷲山大玄化寺之碑銘」이라 제題하였다. 금속은 총독부에서 간단하게 목책木柵을 둘렀다. 대석탑은 7층으로 총고 목측目測 30척, 기대基臺는 고 약5척 폭 약10척이다. 각층 4면에 삼존불三尊佛, 사천왕四大+, 양나한兩羅漢, 2협자二俠者를 긱刻하였으며 총체總體 화깅 석으로 조각하여 정교하다.[196]

라고 하여 주변이 황폐한 상태이기는 하지만 석탑이나 비는 파손되지 않고 보

195　關野貞, 『朝鮮の建築と藝術』, p.561.

196　川口卯橘, 「史蹟探査旅行記」, 『朝鮮史學』 第7號, 1926년 7월.

현화사7층석탑 주변 모습(「1934 개성부 개풍군 고적유물 조사 복명서」)

존되어 있음을 말해주고 있다. 1930년 오야 도쿠죠大屋德城의 기록에도 파손에 대한 언급이 없다.[197] 1934년 3월에는 촉탁 요네다 미요지米田美代治와 가야모토 가메지로榧本龜次郎에 의해 개풍군 개성부 내의 고적 및 유물을 조사하면서 현화사7층석탑도 조사를 했다. 이 복명서에는 "탑의 서방에는 초석이 산란하고 3개의 석조石槽가 방치, 석탑의 남에는 부도의 개석으로 여겨지는 것이 파손되어 있었다"고 하면서 사진을 남겼는데 역시 온전한 상태로 나타나 있었다.[198]

이후 1935년 5월 24일에 조선총독부고시 제318호로 보물 제156호로 지정하였다.

그런데 스기야마杉山의 기록에는

197 大屋德城,『鮮支巡禮行』, 1930년 6월에,
    "현화사는 고려의 명찰로 이미 폐하였고 당간의 지주와 석조칠층탑 一基 殘과 근처에
    비가 서있다."
198 「개성부 개풍군 고적유물 조사 복명서」, 『국립중앙박물관 소장 조선총독부박물관 공문
    서』, 목록번호 : 96-380.

애석하게도 선년先年 초층축初層軸이 파괴되었다.[199]

라고 하여 불법자들에 의한 피해를 나타내고 있다. 이는 1937년 여름 큰비가 오는 날 사리장치가 도난당하면서 초층탑신부初層塔身部가 파괴되었다[200]고 한다.

당시의 상황은 『동아일보』 1937년 9월 5일자 기사에 다음과 같이 전하고 있다.

지난 28일 폭풍우가 몹시 내리던 야반 천지를 진동하는 일대 괴음과 같이 고적보존령에 의하야 보물156호로 등록된 개풍군 영남면 현화동 영추산 현화사 앞에 있는 칠층석탑의 맨 밑층 제1층이 깨어지고 그 속에 들어 있는 보물이 감쪽같이 없어진 괴이한 사건이 생기었다. <중략> 낙뢰인지 보물을 탐한 도적의 소위所爲인지 알지 못하게 파열되어 이 소식을 받은 개성서에서는 지난 2일 박 사법주임을 비롯하여 3명의 서원과 영남면 주재소원 개성박물관장 고유섭 씨 총독부박물관 촉탁 삼본杉本 씨 개풍군 고적계원 2명 도합 8인이 현장에 출장하야 일검을 하였으나 너무도 괴상한 일이여 요령을 잡지 못하고 장차 이 사건은 어떻게 진전이 될 것인지 일반은 위협과 애석과 호기심 속에 싸여 있다고 한다.

8월 28일에 석탑이 파괴되었으나 주민들은 낙뢰에 의한 피해로 간주했음인지 신고가 늦어 9월 2일에야 관원들이 현장에 도착하여 상세한 조사를 할 수 있었다.

---

199 杉山信三, 『朝鮮の石塔』.
200 高裕燮, 「開豊靈鷲山 玄化寺址七層塔」, 『韓國塔婆研究論草稿』, 考古美術同好人會, 1976.

『동아일보』1937년 9월 5일자 기사

　현화사지7층석탑 피해에 관한 내용은 1937년 9월 10일자 경기도지사가 학무 국장에게 보낸 '보물 피해에 관한 건'[201]에 나타나 있는바 대략 다음과 같다.

　1. 피해 보물의 지정번호 및 명칭

　지정번호 제156호, 보물 현화사지7층석탑

　2. 소재지

　개풍군 영남면 현화리 87번지 전

　3. 피해 발견 일시

　8월 28일 오전 2, 3시경 뢰우雷雨로 낙뢰落雷와 같은 소리가 있었으므로 이

---

201 「昭和12년도 보존비 관계 서류」, 『총독부박물관 공문서』, 목록번호 : 96-158.

틀날 아침 부락민이 낙뢰 개소를 살피던 중 오전 6시경 탑 아래에 탑석의 파편이 산란하고 탑주塔柱가 파괴된 것을 발견함.

4. 피해 상황

석탑의 피해

제1층 탑주의 파손된 파편이 10칸 여의 북측 밭에까지 산란하고 탑주는 북면이 무참히 손상되어 8할 이상이 파쇄破碎되고 탑주면의 부조불상의 원형까지 파쇄의 흔적이 보이며, 북면의 중앙부부터 종열縱裂이 생겨 그 열목裂目의 중앙으로부터 조금 상부에 내부 기물장치용의 공간을 규지窺知할 수 있음.

9월 2일 조사(본부 삼산 촉탁 및 개풍군청원, 개성서원 조사) 때 탑신내의 기물을 꺼낼 수 있을 정도의 간극間隙이 있었다.

탑주 대석 서북 모서리 일부가 파괴됨.

내용물의 피해

부락민에 의하면 석탑의 피해를 발견하고 바로 구장에게 통지하여 부락민들이 교대로 주야로 이를 감시해 왔다.

처음 간극으로 내부를 살폈을 때는 은제 또는 고려자기주발 같은 것이 2개가 있었는데 위에 것은 은제로 여겨졌다. 이같이 귀중품이 남아 있었던 것은 낙뢰에 의해 탑이 피해를 입은 것으로 부락민들은 믿고 있었다.

피해 후에 계속 감시를 해오다가 30일 저녁에는 감시가 소홀했는데 이튿날 아침에 그 내용물이 도난을 당한 것을 발견했다.

9월 2일 조사 때 탑신 내를 조사하였으나 하등의 기물은 없고 황갈색의 포편布片과 수편의 지편紙片을 발견되었고, 진유색 및 은색의 금속립金屬粒 십수개를 발견했다. 그리고 초시동물象類의 대구치화석大臼齒化石 1개를 탑 아래에 버리고 간 것을 발견하여 본부 출장원이 가지고 갔다.

5. 피해의 원인 및 범인

보물 절도, 도굴 등을 전문으로 하는 자가 탑 내의 보물을 절취하기 위한 목
적으로 상당히 강력한 폭발물을 이용한 것으로 보이는 흔적이 발견되었다.

이상으로 보면 8월 28일에 피해를 입고 주민들은 이튿날 석탑을 살펴 낙뢰
에 의한 피해로 보았으며 내부의 장치물이 있음을 확인하고 밤낮으로 경비를
섰으나 장치물은 결국 도난을 당하고 말았다. 경비를 설 정도면 곧바로 신고를
했어야 하는데 장치물을 도난당한 후인 9월 2일에 본부 촉탁을 비롯한 관원이
도착했다는 것은 이해가 가지 않는다.

9월 2일 관원의 조사 이후 수선공사 계획이 수립되어, 1938년 5월 31일자로
경기도지사가 학무국장에게 보낸 '현화사지7층석탑 수선에 관한 건'에 의하면,
수선공사는 1937년 11월 19일에 착공하여 1938년 3월 31일에 공사 준공을 한
것으로 나타나 있다.[202]

현화사지는 경기도 개풍군 현화리에 소재한다. 고려 제8대 현종이 그의 고부考父
를 추존追尊하고 안종安宗과 헌정왕후의 명복을 빌기 위해 현종 11년(1020)에 창건
한 사찰로 왕이 신하들과 함께 종을 치고 현화사의 승 법경法鏡을 왕사로 삼았다.[203]

현화사가 언제부터 폐사가 된 것인지는 명확하지 않지만 이중환李重煥 1690

---

202 「昭和12년도 보존비 관계 서류」, 『총독부박물관 공문서』, 목록번호 : 96-158.
203 『高麗史』世家 顯宗11년(1020) 9월 條, 10월 條 參照.

~1756)『택리지擇里志』에는 "즉 현화사의 옛터인데 이제는 비와 탑만이 남아 있다" 하여 일찍부터 사가 폐하여 졌음을 밝히고 있다.

현화사지7층석탑

사지에는 비[204]와 7층석탑이 유존해 있는데, 현화사비의 음기陰記에 의하면 비를 세우기 전년 10월에 현종의 선비先妣의 향리에서 진신사리가 출현하였고 또 선고先考의 산릉山陵 근처에서 영아靈牙가 출현하여 이 사에 칠층석탑을 만들고 이것을 안치하였다.[205]

1937년 8월

경주 낭산록 유구지(12支午像板石 발견지) 소사

경주 낭산의 능지탑은 일찍부터 파괴되어 낭산 서록에 방치되어 있었는데 당시 철도부설공사가 낭산을 지나서 사천왕사의 사역을 지나 그 남단을 통과

---

204 『高麗史』世家 顯宗12년(1021) 8월 條에,
　　"乙未에 王은 玄化寺에 행차하여 親히 碑額을 썼다. 이는 일찍 翰林學士 朱佇가 碑를 짓고 參知政事 蔡忠順이 碑陰을 짓고 並書한 것이다."
205 葛城末治,『朝鮮金石攷』, 人阪屋號書店, 1935. p.135.

낭산록 발견 12지오상

할 때 공사 담당자는 필요한 기초용의 석재를 바로 근거리에 있는 능지탑 상단부터 헐어서 반출 사용하였다고 전해지고 있다. 그리하여 이 탑의 정상부가 원형을 잃었으며 기단부에 배치되었던 십이지상 중의 일부가 도굴되어 반출되기도 하였다.[206] 능지탑은 파괴된 채로 그대로 방치되었다가 1937년 5월에 토지소유자가 12지신상 중 오상판석午像板石을 발견한 것이 계기가 되어 1937년 8월 25일부터 9월 2일까지 사이토 타다시齋藤忠가 조사를 하였다.

당시 출토유물로는 오상판석의 근처에 매몰되었던 상륜부잔결편 1개와 남방 유구지에서 다수의 와편과 원반유공토제품圓盤有孔土製品, 토기파편, 철정鐵釘 등을 발견하였다.[207]

---

206 황수영, 「낭산의 능지탑」, 『황수영 전집 5』에 의하면,
1942년에 이 탑의 해체수리가 있어 신라왕실의 建塔事由와 봉안된 금불2구와 金銀器 등이 발견되었으며, 다행하게도 이 탑의 청동사리함 옥개에는 장문의 銘記가 記刻되어 이 탑이 신라 왕실의 공양탑인 성격을 밝혀 주고 있다고 한다.

207 齋藤忠, 「慶州に於ける新羅統一時代遺構阯の調査」, 『昭和12年度 古蹟調査報告』, 朝鮮古蹟研究會, 1938, pp.95~101.
齋藤은 『소화12년도 고적조사보고서』에 발표한 후 다시 수정 보완하여 「慶州 狼山麓の一遺構」로 1973년에 발간한 『新羅文化論攷』(1973)에 다시 실었다.
齋藤忠은 剩년 필자는 황폐된 채 그대로 방치되어 있던 이 遺構를 조사한 적이 있었다. 당시 높이 약 4.5미터의 墳丘狀의 圓丘를 이루고 있었으나, 그 周裾의 일부가 무너지고 12지의 午像이 半肉彫되어 판석이 발견되었기 때문이다"고 한다.

1937년 9월 15일

《조선고분벽화모사전람회》

1937년 9월 15일부터 19일까지 도쿄미술학교진열관에서 《조선고분벽화모사전람회》를 가졌다. 이 벽화 모사도는 도쿄미술학교 강사 오바 쓰네키치小場恒吉가 조선총독부의 의촉으로 다년간 제작한 것으로, 평남 우현리대묘의 현실벽화를 모사한 것이다.[208]

1937년 9월 17일

평남 대동군 임원면, 대보면 고구려고분 조사

1937년도에는 일본 궁내성과 일본학술진흥회의 조성금助成金을 기반으로 고구려고분과 그 외 사지, 전지殿址까지 발굴했다. 조사의 주대상은 오바 쓰네키치小場恒吉의 지휘아래 사와 슌이치澤俊一, 다쿠보 신고田窪眞吾 등이 참가하여 9월부터 평안남도 대동군, 임원군 고산리에 7기, 대동군 대보면 안정리, 서기리에 5기의 고분을 발굴했다.[209]

임원면 고산리의 유적군은 벽화 발견에 주력, 대중분 4기와 지난해 가을에

---

208 『日本美術年鑑』美術研究所, 1937년 11월, p.167.
209 小場恒吉,「高句麗の古墳調査」,『昭和12年度 古蹟調査報告』, 朝鮮古蹟研究會, 1938, pp.1·6.

외형조사를 한 고산리3호분 및 특수한 양식을 가진 고분 2기를 선정하여 이 작업은 9월 17일부터 10월 20일까지 7기의 조사를 마치고, 다음 2단계로 대동군 대보면 내에 있는 대소 8기의 고분군 중에서 5기를 선정하여 10월 8일부터 11월 1일까지 전부 작업을 종료하게 되었다.

이상 12기 조사를 정리하면 대략 다음과 같다.[210]

조사 기간	소요일	위치	담당자	조사 고분	출토 유물
1937년 9월 17일 ~ 10월 20일	4일	대동군 임원면	小場恒吉, 澤俊一	고산리 제3호분	전 2편
	8일	대동군 임원면	小場恒吉, 澤俊一	 고산리 제4호분	철정, 陶壺
	13일	대동군 임원면	小場恒吉, 澤俊一	 고산리 제5호분	철정
	9일	대동군 임원면	小場恒吉, 澤俊一	고산리 제6호분	철정, 金銅金具片
	19일	대동군 임원면	田窪, 澤俊一	고산리 제7호분	金銅小釘, 金銅金具, 철정, 塼, 陶器片

210 小場恒吉, 「高句麗古墳の調査」, 『昭和12年度 古蹟調査報告』, 朝鮮古蹟研究會, 1938.

조사 기간	소요일	위치	담당자	조사 고분	출토 유물
	20일	대동군 임원면	田窪, 澤俊一	 고산리 제8호분	철정 12개, 은두철정 2개, 금동금구 5片, 鐵環 기타 금속류 약간
	14일	대 동 군 임원면	小場恒吉, 澤俊一, 田窪眞吾	 고산리 제9호분	벽화, 金銅鈴帶金具, 鐵釘, 唐草金銅金具
1937년 10월 8일 ~ 11월 1일	17일	대동군 대보면	小場恒吉, 澤俊一	 안정리 제2호분	천정, 벽면에 칠식한 흔적
	9일	대동군 대보면	小場恒吉, 澤俊一	안정리 제3호분	벽면에 칠식한 흔적 발견
	13일	대동군 대보면	小場恒吉, 澤俊一	 서기리 제4호분	赤瓦片 다수, 철정 절정, 칠식한 흔적 발견
	12일	대동군 대보면	小場恒吉, 澤俊一	서기리 제5호분	은두철정 2개, 와편 다수, 陶片 다수
	18일	대동군 대보면	小場恒吉, 澤俊一	서기리 제7호분	철정 2개

서기리7호분의 경우에는 도굴을 하면서 두고 간 평양매일신문지가 남아 있었는데, 기사로 미루어 보아 10년 전에 도굴한 것으로 추정했다.

다음과 같은 관련 기사가 있다.

지하에 묻힌 왕도王都 대성산 부근에서 고구려고분 발굴

우리 고대문화의 발상지 평양부근은 최근 낙랑 고구려시대의 유물 발굴에 따라 세계 학자의 이목을 집중시키고 있거니와 평양고적연구소에서는 1937년도 사업으로서 대동군 임원면 대성산록 부근의 고구려고분을 근근 발굴하여 학계의 연구 재료를 제공할 터이라 한다.

동 지대는 240년 동안 문화 찬연하였던 왕도王都로서 이곳에는 1천여 고분이 산재하여 있고 꾕이끝이 닿는 곳마다 귀중품이 나타날 것으로 소홀히 취급할 수 없다하여 경성으로부터 총독부박물관 택준일 씨가 금월 10일에 내양, 고적연구소장 小場恒吉 씨와 협력하여 11일부터 발굴에 착수하기로 수일전 평양박물관에 통첩이 도달되었다 한다.

동 발굴에 따라 지하에 잠자는 우리 고대문화는 지상에 재현되어 학계에 한 이채를 발휘할 것으로 벌써부터 이에 대한 기대가 크다하며 성대미술연구실에서 또한 오는 10일경에 용강, 순천 등지의 고구려고분의 원색 실물 대사진을 15일간 예정으로 촬영할 터이라 하므로 금주 우리 학계의 수확은 실로 다대한 것으로 예기된다고 한다(『동아일보』 1937년 9월 6일자).

평양고적연구회에서는 매년 가을에 정기적으로 행하는 고구려고분 발굴 공사를 13,4일경부터 시작을 하게 된다. 이번에는 동경미술학교 소장항길과 총독부박물관 택준일 씨 등 일행이 개시를 앞두고 협의를 마치고 착수할 터이다. 이번 발굴도 대성산록 고분을 발굴하되 1개월 내지 2개월 동안 걸릴 터이고 또한 금년 봄에 많은 수확을 얻은 원오리 일대의 발굴공사도 그 속행여부를 작정할 터이라 한다(『매일신보』 1937년 9월 13일자).

1937년 9월

대구 칠성공원과 달성공원 부근의 하수도공사장에서 석부 6개가 발굴되다.[211]

1937년 10월 2일

1937년 10월 2일에는 황국신민의 서사[212]를 제정하여 더욱 일본화에 박차를 가하였다. 서사를 매일 외우게 함으로써 내선일체를 다짐하고 황국의 국민으로서 맹세를 강요하였다.

---

211 『東亞日報』 1937년 10월 1일자.
212 1. 우리들은 대일본제국의 신민이다.
   2. 우리들은 마음을 합하여 천황폐하께 충의를 다한다.
   3. 우리들은 인고단련하여 훌륭하고 강한 국민이 되겠다
   1. 우리들은 황국신민이다. 충성으로써 君國에 보답하리라
   2. 우리들은 황국신민으로 서로 신애협력하여 단결을 굳게 하리라
   3. 우리 황국신민은 인고단련한 힘을 길러 皇道를 선양하리라

1937년 10월 12일

목은영정牧隱影幀을 되찾다.

개성 장단군 소남면 홍화리 영당에 모셔두었던 고려 명신 이목은 선생의 영정을 지난 9월 29일 어떤 자가 자물쇠를 부수고 절취한 사건이 발생하였다.

그의 자손들은 이를 찾기 위해 백방으로 노력 중이었다. 그러던 중 10월 12

『매일신보』 1937년 10월 25일자 기사

일 개풍군 청교면 덕암리 목은의 후손 이기박 씨 집에 중년남자가 나타나 주인 이씨가 없는 사이에 그 부인에게 "주인이 부탁한 물건이니 받아두라"고 하고 신문지에 싼 물건을 주고 갔다. 중년남자가 돌아간 후 이를 살펴보니 영정이었다. 영정을 분실 후 그 후손들이 경찰에 신고를 하고 백방으로 찾고 있다는 소문이 각처에 퍼지게 되자 이를 훔쳐간 범인은 자기 신변의 위태함을 느껴 돌려준 것으로 보인다.[213]

---

213 『每日申報』 1937년 10월 25일자.

1937년 10월 15일

평남 강동군 만달면 고구려고분 조사

만달면 승호동 고분군(1917년 谷井濟一 복명서)

평남 강동군 만달면 승호리읍의 북동 만
달산의 남서록 임야에 군재해 있는 고구려
고분은 1917년 3월에 야쓰이 세이이치谷井濟一
— 일행에 의해 발굴조사가 되었고, 1927년
3월에 노모리 겐野守健에 의해서 이미 1기가
조사된 바가 있다.

이번의 조사는 일본인 주식회사의 공장
을 확장하게 됨에 있어 그 확장지역의 임
야에 있는 고분을 조사할 필요성이 있어
고적연구회의 사업의 일부로 급속히 14기

만달면 승호동 제7호분

를 조사하게 된 것이다.

조사는 10월 15일부터 11월 2일까지, 조사 작업은 노모리 겐野守健이 총괄하고 다쿠보 신고田窪眞吾가 함께 전 조사고분을 실측하고, 사와 슌이치澤俊一, 가야모토 가메지로榧本龜次郎가 발굴 작업과 사진촬영에 임했다.

이번 조사는 고구려고분에서 최초로 확실한 장신구라 할 수 있는 금제이식金製耳飾 및 동제완륜銅製腕輪과 완형完形에 가까운 토기 2점을 발견하여 고구려문화 연구의 중요한 자료를 출토했다.

정리하면 대략 다음과 같다.[214]

조사 일	위치	담당자	조사 고분	출토 유물
10월 15일부터 11월 2일까지	평남 강동군 만달면 승호리	野守健, 澤俊一, 田窪眞吾, 榧本龜次郎	제4호분	
			제5호분	靑銅鐶, 철정
			제6호분	철정
			제7호분	陶壺, 金製耳飾 1對, 철정 1개
			제8호분	金長靑銅鐶, 鐵鏡, 鐵釘 26개
			제9호분	철정 14개
			제10호분	철정 61개
			제11호분	
			제12호분	
			제13호분	철釘 12개
			제14호분	陶壺, 철정 12개

214 野守健, 榧本龜次郎, 「晩達山麓高句麗古墳の調査」, 『昭和12年度 古蹟調査報告』, 朝鮮古蹟硏究會, 1938.

조사 일	위치	담당자	조사 고분	출토 유물
			제15호분	青銅腕鐶, 五銖錢 1개, 토기편
			제16호분	철정 3개, 鐵金具殘片 1개
			제17호분	

만달산 고구려고분 조사와 관련하여 『매일신보』 1937년 11월 5일자에는 다음과 같은 기사가 있다

고구려 예술품 이식 등 수십 점 발굴, 고고학적 수확 다대

고구려시대의 금환 그 중에서도 귀걸이, 팔찌는 종래에 많이 도굴되어 아직 한번도 발견된 일이 없어 당국에서는 이것을 발견하려고 노력하여 오든바 이번에 우연히 완전한 순금귀걸이와 동으로 만든 완식腕飾 원형철제품, 기타 거울 등 고고학상 귀중한 것이 다수 발견되었다. 평남 강동군 만달면 승호리 부근의 1천4백 년 전 고구려시대의 고적이 3백여 기가 있는데 소야전 小野田 시멘트회사의 설치에 의하여 그 중 50기를 이미 발굴하고 다시 이 공장의 확장에 의하여 15기를 발굴하게 되어 본부에 조

『매일신보』 1937년 11월 5일자 기사

사를 의뢰하여 왔음으로 본부로부터 야수 촉탁 이하가 출장하여 발굴하였던바 이것은 모두 신라시대의 것과 대체 비슷한 것이나 고구려시대의 것으로는 아직 발견된 적이 없어 이번이 최초이다. 그리고 원형철제품은 직경 3치나 되는 것으로 거울같이 보이는 것이나아직 한 번도 발견되지 않은 것으로 이것이 확실히 거울인 것이 판명되면 당시를 말하는 절호의 한 자료라 하여 방금 야수 촉탁이 연구 중이라 한다.

1937년 10월 16일

《동양도자전람회》

1937년 10월 16일부터 11월 10일까지 도쿄제실박물관에서 《동양도자전람회》가 개최되었다. 이 진열품은 일찍이 요코가와 다미스케橫河民輔가 기증한 것이다. 그는 조선, 일본, 중국 도자기를 그간 1천여 점이 넘게 박물관에 기증했는데, 그 중에서 우수한 것을 모아 진열하였다. 이 전람회는 이런 등의 기증품을 중심으로 중국 역대제요, 한국 및 내지제요를 비교 대조할 수 있도록 했다. 이 속에는 한국 도자기도 많이 포함되었다.[215]

---

215 美術研究所, 『日本美術年鑑』, 1937년 11월, p.169.

1937년 10월 19일

황해도 황주군 황주면 성은암聖恩庵을 폐지하다.[216]

1937년 10월 20일

청주의 선화당宣化堂을 청주 용화사에 350원에 매가하여 10월 20일부터 이전 공사에 착수하다.[217]

1937년 11월

전북 부안군 변산 내소사 뒤에서 흙으로 만든 나한 10여 개를 한 고분에서 발굴하였는데, 미술적 가치가 있다하여 내소사에 보관하고 있었는데 그 사이에 모두 없어지고 한 구만 남았다.[218]

---

216 『朝鮮總督府官報』 1937년 10월 19일자.
217 『每日申報』 1937년 10월 24일자.
218 『東亞日報』 1937년 11월 26일자.

일본어를 해독(解讀)한 조선인 수

1937년 11월에 조선총독부학무과에서 '비祕'로 발간한 『학사참고자료學事參考資料』에 '일본어를 해독解讀한 조선인 수'를 조사한 것이 있는데 연도별 상황을 보면 다음과 같다.

년도	다소 해석할 수 있는 자	보통 회화에 지장이 없는 자	계
1932	825,506 명	716,937 명	1,542,443 명
1933	817,984 명	760,137 명	1,578,122 명
1934	857,168 명	833,612 명	1,690,880 명
1935	962,982 명	915,722 명	1,878,704 명
1936	1,052,903 명	1,051,059 명	2,103,962 명

이처럼 시간이 지남에 따라 일본어를 할 수 있는 수가 늘어 감을 볼 수 있다. 이는 바꾸어 보면 한국어의 해독능력이 감소되어감으로도 해석할 수 있다.

일제가 조선인을 얼마나 우민화愚民化시켰는지 당시 『동아일보』에 다음과 같은 사설이 실려 있다.

<전략> 우리는 우리 것을 연구한다. 하지만 우리 글로 된 자전字典 하나가 없으며, 우리 글자로 된 자랑할 만한 역사 하나가 없으며 우리의 회화, 건축 등이 소개, 선전되지 못했다. 우리가 우리의 현상을 세계에 아르킬 만한 외국문 조선문 간의 서적을 몇 책이나 발행하였으며, …… 각 민족은 각각 제 민족 특유의 문화, 역사 기타 제도를 각각 발달시키기에 노력할

뿐 아니라 그 자신을 해외에 선양宣揚하기에도 공효功効를 얻었다. <중략>
물론 그 민족의 문화, 역사, 제도 등을 연구 선양함으로써 무의식중에 어
떤 주의를 주입하려는 방편은 아니다. 주의는 별문제로 하고라도 그 민족
된 자로서 그 민족의 문화, 역사, 제도 등을 아는 것은 상식이요 의무다.
로서아인도 소학교만 졸업하면 그것을 알고 영국인도 그리할 지며, 인도
사람도 그러할 것이다. 근래 조선의 일부의 청소년을 보면 영어의 스펠 하
나나 한자의 획 하나가 잘못되면 그릇된 것으로 알면서 조선 글의 을, 를
을 구분하지 못하되 부끄러운 줄을 모르고, 나폴레옹, 힐덴부룩은 알고 을
지문덕을 모르되 당연시하는 이가 있다. 이 얼마나 가통可痛한 일이냐.[219]

이어 그들은 보편적 일본어 강습회를 개최하여 1년에 30만인의 일본어 해득
자解得者를 증가시킨다는 목표 아래 1938년에는 개설강습소槪說講習會 1천개소
를 만들어 10만 6천명에 대하여 강습을 했으며 1939년에는 1천개소를 더 개설
하여 총 2천개소의 강습회를 개최하여 완전히 일본어를 사용하는 세상을 만들
려고[220] 하는 한편 지방교육회를 중심으로 향토사연구회를 조직하여 소위 내
선일체內鮮一體를 강화히기 위한 자료를 만들기 위하여 전국 각 지방의 사화史
話, 전설傳說 등을 조사하여 내선일체에 유리한 것은 이를 신문 잡지 등이 발표
하고 이를 위해 각 도에 사적조사주사史蹟調査主事 또는 위원을 두어 향토사연구

---

219 『東亞日報』, 1932년 7월 12일자.
220 朝鮮總督府, 「內鮮一體ノ强化徹底ニ關スル件」, 『朝鮮總督府時局對策調査會諮問案參
考書』, 1938년 9월, pp.43-44 參照.

사무를 통제하였다.[221] 이는 고래로 우리나라 지방사적이나 전설에는 왜구나 왜적과의 항쟁에 관한 내용이 많았던 것을 감안하면 저들에게 유리한 것만을 취출取出하겠다는 심산으로 보인다.

이러한 상황에서의 우리나라 문화재는 일반 대중들로부터 그 가치가 저하低下될 수밖에 없었으며 유물에 대한 연구는 더 더욱 일본인들의 독점권역이었던 것이다.

『매일신보』 1937년 11월 23일자 기사

제주도에 도굴이 성행

제주도 일대에 고분 도굴단이 횡행하여 경찰에서도 적극 단속을 하여 40여 명을 일제 검속하기도 했는데, 그래도 이 경찰망을 뚫고 피해는 유연무연의 구별도 없이 매장한 지 불과 몇 해되지 않은 것이라도 함부로 발굴하여 백골이 노출하는 예가 허다했다. 오랜 무덤에 대해 그 자손들이 지키도 했으나 언재

221 朝鮮總督府, 『朝鮮總督府 時局對策調査會諮問案參考書』 '鄕土史硏究會要領試案'條, 1938년 9월, pp. 22-23.

까지 그리할 수 없어 문중회의를 열어 선영을 시멘트로 다시하고 또는 아주 파서 개장하여 그 피해를 방지하는 경우까지 속출했다.

1937년 12월

평북 강계군 화경면 길다동의 마선참 산중에서 안태선이란 자가 목재 채벌 중 고전古錢을 발견하다. 이 고전은 표면에「趙明刀」라고 쓰여 있는 동제銅製로서 길이 14센치 폭 8센치, 중량 16그람의 도형刀型으로 되어있다. 박물관의 감정을 거친 이 고전을 학무국에서 250원에 매수하다.[222]

만주국 민생부 국민박물관이 집안현의 고구려 고분에서 벽화를 발굴하다.[223]

같은 해

경성미술구락부 한국 중계인

1930년대에 들어오면서 경성미술구락부를 찾는 한국인이 증가하고 수집열

---

222 『東亞日報』 1937년 12월 4일자.
223 『東亞日報』 1937년 12월 8일자.

이 높아지자 1937년부터는 골동상 문명상회 이희섭, 한남서림의 이순황, 유용식, 조선미술관의 오봉빈 등이 세화인으로 참여 하였다.

경주 남산 조사

일찍이 경북 경주 내남면 배리에 도괴된 석불3체를 조사하고 건립할 용무로 경주에 출장하여 당시 별도로 총독부 명에 의해 현 평양박물관장 고이즈미 아키오小泉顯夫가 남산에서 일부 유적을 답사하여 3, 4의 새로운 것을 발견하고 돌아왔다. 이것은 1923년의 일로서 그 후 오바 쓰네키치小場恒吉가 남산을 등반하여 점차 발굴, 실측, 촬영 등 조직적 조사가 수행되었다.

남산에는 무수한 계곡에 곳곳에 사지가 있고 석불, 폐탑비 등이 매몰되어 있었다. 또 고분, 석기 포함층이 있는 유적의 대보고라 할 수 있다.

금년도의 오바 쓰네키치小場恒吉의 경주 남산의 주요 조사는 불곡의 석불, 탑곡의 제상, 보제사의 석불, 칠불암의 석불, 신선암의 마애반가상 등이다(조사날짜가 생략되어 있음).[224]

224　小場恒吉, 「慶州東南山の石佛の調査」, 『昭和12年度 古蹟調査報告』, 朝鮮古蹟研究會, 1938.

1937년도 도쿄박물관 수입품

1937년에는 이마이다 기요노리今井田淸德의 이름으로 기증한 평안남도 정백

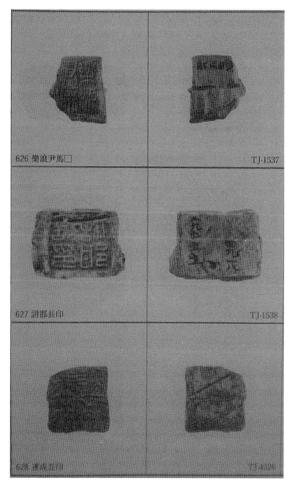

626 樂浪尹馬□　　　　　　　TJ-1537

627 誚郡長印　　　　　　　TJ-1538

628 漢成長印　　　　　　　TJ-

평양 토성리 출토 닉링봉니
『도쿄국립박물관도판목록 봉니편』(1998)과
『제실박물관연보(昭和12年 1月〜12月)』(1938)에는 1937년에 구입한 것으로 나타나 있다.

리 제127호분(왕광묘) 출토물과 정백리 제227호분 출토물이 있다.[225]

정백리 제127호분은 1932년 9월에 오바小場, 가야모토榧本 등에 의해 외관상 도굴당하지 않고 내용물이 풍부할 것으로 예상하고 발굴한 것이다. 1933년도의 정백리 제227호분 조사에는 일본학술진흥회의 사업으로 도쿄제실박물관 감사관보 야시마 교스케矢島恭介와 도쿄제실박물관 미술공예과 하마모토濱本가 발굴에 직접 참여했다.

1937년도 도쿄박물관 수입품 목록

품명	출토지	유물 번호	출처	비고
銅製弩 1개	평남 대동군 대동강면정백리 제127호고분 출토		『收藏品目錄』 1956	기증. 今井田淸德
大耳杯 6개	정백리 제127호 고분 출토	歷史部第11區 4910	『年譜(1937)』	기증. 今井田淸德 정백리127호분(유물번호 4900~4911)<대일청구 한국예술품 목록>에 들어 있다. 1960년 10월 1일자
小耳杯 8개	정백리 제127호 고분 출토	歷史部第11區 4902	『年譜(1937)』	기증. 今井田淸德
大盆	정백리 제127호 고분 출토	歷史部第11區 4903	『年譜(1937)』	기증. 今井田淸德
盤 5개	정백리 제127호 고분 출토	歷史部第11區 4904	『年譜(1937)』	기증. 今井田淸德
竈	정백리 제227호 고분 출토	歷史部第11區 4905	『年譜(1937)』	기증. 今井田淸德
臺 3개	정백리 제227호 고분 출토	歷史部第11區 4906	『年譜(1937)』	기증. 今井田淸德

225　東京國立博物館, 『東京國立博物館圖版目錄』 朝鮮陶磁篇(土器,綠釉陶器), 2004.

품명	출토지	유물 번호	출처	비고
甑	정백리 제227호 고분 출토	歷史部第11區 4907	『年譜(1937)』	기증. 今井田淸德
鉢	정백리 제227호 고분 출토	歷史部第11區 4908	『年譜(1937)』	기증. 今井田淸德
壺	정백리 제227호 고분 출토	歷史部第11區 4909	『年譜(1937)』	기증. 今井田淸德
瓦器殘片 일괄	정백리 제227호 고분 출토	歷史部第11區 4910	『年譜(1937)』	기증. 今井田淸德
瓦殘片 일괄	정백리 제227호 고분 출토	歷史部第11區 4911	『年譜(1937)』	기증. 今井田淸德
盒子	신라시대	美術工藝部第2區 1045	『年譜(1937)』	1937년 3월 17일 기증. 橫河民輔
天目釉盌	고려시대	美術工藝部第2區 1046	『年譜(1937)』	1937년 3월 17일 기증. 橫河民輔
鐵砂釉鉢	고려시대	美術工藝部第2區 1047	『年譜(1937)』	1937년 3월 17일 기증. 橫河民輔
靑磁瓶 等 靑磁 13점	고려시대	美術工藝部第2區 1048~1060	『年譜(1937)』	1937년 3월 17일 기증. 橫河民輔
搔落水瓶	조선시대	美術工藝部第2區 1061	『年譜(1937)』	1937년 3월 17일 기증. 橫河民輔
三島手盌 등 粉靑沙器 5점	조선시대	美術工藝部第2區 1062~1066	『年譜(1937)』	1937년 3월 17일 기증. 橫河民輔
平茶盌	조선시대	美術工藝部第2區 1067	『年譜(1937)』	1937년 3월 17일 기증. 橫河民輔
靑花盌 等 靑磁 4점	조선시대	美術工藝部第2區 1068~1071	『年譜(1937)』	1937년 3월 17일 기증. 橫河民輔
白磁壺	조선시대	美術工藝部第2區 1072	『年譜(1937)』	1937년 3월 17일 기증. 橫河民輔
釉裏紅八方缸	조선시대	美術工藝部第2區 1073	『年譜(1937)』	1937년 3월 17일 기증. 橫河民輔
釉裏紅瓶 2점	조선시대	美術工藝部第2區 1074, 1075	『年譜(1937)』	1937년 3월 17일 기증. 橫河民輔

품명	출토지	유물 번호	출처	비고
茶盌	조선시대	美術工藝部第2區 1076	『年譜(1937)』	1937년 3월 17일 기증. 橫河民輔
靑磁瓢形水注 等 靑磁 4점	고려시대	美術工藝部第2區 1272~1275	『年譜(1937)』	기증. 橫河民輔
三島手皿	조선시대	美術工藝部第2區 1276	『年譜(1937)』	기증. 橫河民輔
染付壺	조선시대	美術工藝部第2區 1277	『年譜(1937)』	기증. 橫河民輔
額皿	조선시대	美術工藝部第2區 1251	『年譜(1937)』	기증. 山田丑太郎
靑磁蓮葉形承盤			『東博圖版目錄』 2007, 圖62	기증. 1937년 8월 12일, 山田丑太郎
靑磁牧丹文盒子			『東博圖版目錄』 2007, 圖71	기증. 1937년 8월 12일, 山田丑太郎
粉靑印花聯珠文皿 등 백자 2점			『東博圖版目錄』 2007, 圖176, 453	기증. 1937년 8월 12일, 山田丑太郎

朝日修好條規

大日本國與

大朝鮮國素敦友誼歷有年所

洽欲重修舊好以固親睦此次

企權辦理大臣陸軍中將兼

華府朝鮮國政府簡列中樞府

隆特命副企橃辦理大臣議官

承各遵所添論旨議立條欵慨列于左

/第一欵

朝鮮國自主之邦保有與日本國平等之權嗣後兩

우리 문화재
수난일지

1938년 1월 17일

인출한 해인사 팔만대장경 만주국으로 이송

12월 중에 대대적으로 제본 공정이 완료되고 동시 경함 제작도 완료되었다.

이것을 1938년 1월 17일 경성역에서 출발 19일에 신경궁내부新京宮內府에 반입搬入하였다.[226]

1938년 1월 28일

충청도 소재 보물조사

촉탁 가야모토 가메지로栬本龜次郞와 고원 최영희崔詠喜는 1938년 1월 28일부터 2주 동안 충청북도 청주군, 보은군 그리고 충청남도 공주군, 부여군, 서천군, 청양군, 홍성군에 고적보존사무 협의, 지정 보물의 현상 시찰, 새롭게 지정할 물건에 대한 자료 수집 등을 마치고 돌아와 같은 해 2월 25일에 보고서와 사진이 첨부하여 복명서를 제출했다.[227]

---

226 高橋亨,「高麗大藏經板 印出顚末」,『朝鮮學報 第2輯』, 1951, pp.222~224.

227 「충청북도, 충청남도 소재 보물조사 복명서」,『국립중앙박물관 소장 조선총독부박물관 공문서』, 목록번호 ; 96-365.

1. 충북 청주에서의 보물 조사는 보물 제210호 용두사당간과 청주읍외의 용화사龍華寺 석조여래입상 2구, 석조보살입상 1구를 조사했다.

보물 제210호 용두사당간에 대해서는 청주경찰서 구내에 있다가 청주경찰서가 이전 후 이 자리에 청주극장이 건설되어 현재 동 극장 앞 광장에 하등의 설비가 없어 사람들의 접촉이 잦다. 목책 등의 설비가 있어야 할 것으로 보고하고 있다.

청주에서의 극장은 1916년 10월에 처음으로 앵좌극장櫻座劇場이 문을 연 이래로 관객들이 계속 증가하자,[228] 이를 옮겨 증축하게 되는데 그 자리를 물색하던 중 마침 경찰서가 다른 곳으로 이사를 가게 되어 1937년 6월에 그 자리에 앵좌극장이 들어서게 되었다.[229]

2. 충북 보은군 법주사 보물 조사에서는 보물 제22호 법주사쌍사자석등, 보물 제24호 사천왕석등, 법주사 대웅전, 법주사 석조, 아애 아미타여래상 등을 조사했다.

3. 충남 공주에서는 보물 제252호 공주 본정 석조(충남 공주군 공주읍 본정 251번지)는 "현재 보통학교 정원 모퉁이에 있다. 상 일부가 결실되고 일부는 손상되어 지상에 추락하여 방치되어 있다."

원(元) 제민천반 석조광배
(공주군청내 사진)

---

228 『每日申報』 1917년 2월 11일자.
229 『每日申報』 1937년 3월 12일자.

보물 제254호 공주 욱정 당간지주(공주읍 욱정 301, 302번지)는 "현재 민가 정내에 있다. 전년에 소직이 시찰할 때보다 경사가 더 심함"을 보고하고 있다.

보물 제253호 공주 욱정 석조와 석조여래입상 및 광배는 현재 공주군청에 옮겨져 있음을 밝히고, 석조여래입상 및 광배는 원래 주외면 금학리 부락 제민 천에 있던 것을 옮겼다는 것을 밝히고 있다.

공주군청 庭前에는 이외에도 주의할만한 것으로 서혈사지석조석가여래좌상 2구, 서혈사지석조연화좌 2구, 서혈사지비로자나불좌상 1구, 서혈사지석조연 화좌 1구, 대통사지연화석상 1좌(참고 소화7년 3월 복명서) 등을 들고 있다.

서혈사지석조비로자나불

대통사지연화조각석상

4. 충남 부여에서는 금성산 석조여래상과 장하리3층석탑을 조사했는데, 금성 산 석조여래상은 현재 부여고적보존회 진열관 정원으로 옮겼음을 밝히고 있다.

5. 충남 공주군 마곡사의 보물 조사에서는 5층석탑, 대웅전, 은상삼향로, 감 지은니묘법연화경 등을 확인했다.

6. 충남 서천에서는 봉남리5층석탑과 문석리3층석탑을 조사했는데, 봉남리 5층석탑은 충남 서남면 봉남리, 구등록대장에 제38호로 등록, 한 때 상인에 매 각되어 군산으로 옮겨질 뻔 했다는 것을 밝히고 있다. 문석리3층석탑은 원소재

지는 문석리 산32번지에 있었으나 현재는 문석리 농촌진흥회사무소로 옮겨져 있으며, 이외 주의할만한 것으로 문산면 수암리230번지 7층석탑, 한산면사무소 내 3층석탑, 마산면 성산리 101번지 석불좌상, 마산면 성북리216번지 8층석탑을 들고 있다.

7. 충남 청양에서의 보물 조사는 충남 청양군 청양읍 청양군청 안에 있는 청양읍 석조삼존불상과 역시 군청에 있는 청양읍 3층석탑을 확인하고 사진을 첨부하고 있다.

봉남리3층석탑(소화13년 2월)

청양읍 삼층석탑

청양읍 석조삼존불입상

8. 충남 홍성에서의 조사는 홍성읍 당간지주를 확인했다.

1938년 2월 12일

강원도, 함경남도 소재 보물조사

조선총독부 촉탁 사세 나오에(佐瀬直衛)와 고원 이종국이 1938년 2월 12일부터 2월 25일까지 강원도 춘천, 강릉, 고성, 회양, 함경남도 함흥, 신흥, 북청 소재 고적의 보존사무 협의 및 지정 물건 보존 상황에 대한 조사를 마치고 돌아와 같은 해 3월에 복명서를 제출했다.[230]

요선당리 칠층석탑

오죽헌

조사 목록을 보면, 강원도에서는 보물 제117호 춘천요선당리 7층석탑(강원도 춘천군 춘천읍 소양통), 보물 제116호 춘천 전평리 당간지주(춘천군 춘천읍 전평리

---

230 「강원도, 함경남도 소재 보물조사 복명서」, 『국립중앙박물관 소장 조선총독부박물관 공문서』, 목록번호 : 96-365.

244, 수도주택 지역 내), 소양정(춘천의 일명승지), 보물 233호 월정사8각9층탑(평창
군 진부면 동산리 63번지, 제6층 笠石 등이 다소 파손), 보물 제234호 월정사석조보
살좌상(월정사8각9층탑 앞), 보물 제249호 강릉객사문, 보물 제124호 강릉 대창리
당간지주, 보물 제125호 수문리 당간지주, 강릉문묘(읍의 북방 구릉의 산복), 보물
제123호 한송사석불상(강릉읍 본정 군청 내, 두부와 우수를 결실), 강릉 오죽헌, 경
포대, 낙산사, 신계사, 보물 제120호 장안사 사성전, 표훈사, 마하힐 등을 조사했다.

함경도에서는 보물 제146호 황초령 신라 진흥왕순수비, 보물 제12호 북청여
진문자석각 등을 조사했다.

보물 제117호 춘천요선당리 7층석탑은 전지畑地의 한 모퉁이에 있으며 지질이
약하여 도괴의 우려가 있으니 시급히 수리를 가하여 보존의 완전을 기할 필요가
있음 복명하고 있다. 또 보물 제249호 강릉객사문에 대해서는 현재 강릉공립보
통학교 정문으로 사용하고 있으며 아동들이 빈번하게 출입을 하고 있어 다소 손
상된 흔적이 있다. 최근 강릉공립보통학교가 이전하기로 결정되어 이전 후에는
학교 부지 전부를 매각하기로 되어 강릉객사문 부지敷地는 국비로 이를 매수하

북청 여진자비

황초령 진흥왕순수비각(진흥전)

여 객사문은 수리를 가하여 완전하게 보존할 필요가 있음을 복명하고 있다.

1938년 2월

동해중부철로공사장에서 사천왕사 초석이 출현

동해중부선 공사장에서 사천왕사의 초석이 발견되어 경주고적보존회에서는 곧 발굴을 시작하다.[231]

1938년 3월 2일

정조대왕 필 금병풍을 찾다.

속설로 인해 잃어버렸던 보물을 되찾다.

정조왕 즉위 18년 갑인에 왕께서 임진왜란 때 공적이 큰 서산대사에게 내린 금병풍은 표충사에서 소중하게 보관해 왔었다. 병풍은 6폭으로 이루어 진 것으로 4폭은 금니로 어필한 것이다.

이 병풍을 도난당하여 30여 년이 지난 후에 다시 찾은 일이 일이 있었다. 병풍은 두 번씩이나 도난을 당하였다. 첫 번째는 광무4년(1900)에 목포에 거주하던

---

231 『조선일보』 1938년 2월 12일자.

곤도近藤란 자가 오두재라는 곳에 살던 박두칠이라는 자에게 몇 푼의 돈을 주고 훔쳐 내오게 했다. 곤도는 이것을 일본으로 반출하여 모처에 전매하였다. 나중에 이것이 밝혀지자 당시 정부로서 목포 일본영사관에 교섭하여 찾아온 적이 있다.

그 후 1907년에 재차 도난을 당하였다. 당시 표충사에서는 백방으로 이 병풍을 찾으려고 하였으나 아무런 단서를 찾지 못하였다. 몇 십 년이 흘러 이런 일을 까마득히 잊고 있을 즈음인 1938년 3월 2일에 이 병풍을 가지고 있던 자가 스스로 표충사로 병풍을 가지고 찾아왔다.

이 병풍을 가지고 온 자는 일본 가고시마鹿兒島에 살고 있는 가토 토라오加藤虎雄란 자이다. 가토는 자신에게 이 병풍이 전해오기까지는 다섯 번째인데, 매입하기 전에 잘나가던 자기의 사업이 매입 후에는 계속 실패만 했다고 한다. 게다가 그의 장남까지 병을 얻어 생사의 기로에 있었다. 그래서 가토는 혹시 병풍으로 인하여 자기의 실패가 거듭되는 것이 아닌가 하여 전에 소지하였던 자들을 추적하여 조사를 했다고 한다. 처음 구입을 하였던 자는 거처도 없고, 두 번째 산 사람은 사망하였고, 그 다음으로 산 사람은 대사업에 실패하여 아주 빈곤한 상태로 있는 것을 보고 놀랐다. 자신의 실패도 역시 이 병풍으로 인한 것으로 판단하게 되었다. 더구나 장남이 생사의 기로에 있는지라 원 주인인 표충사에 돌려줌으로서 화를 면하겠다는 것이었다.

그는 병풍을 돌려주면서 이런 말을 했다고 한다.

7, 8년 전에 이 병풍을 구입했는데 그 뒤로 이상하게 가세가 기울고 되는 일이 없었습니다. 어느 예언자에게 물으니 절의 보물을 가졌기 때문이라는 것이오. 빨리 돌려줘야 집안이 평안해 진다는 말을 듣고 이 병풍을 소유 했던 사람을 수소문해서 확인해 보니 모두 다 폐가하여 곤궁에 빠져 지

『동아일보』 1938년 3월 9일자 기사

내는 거예요. 그래서 돌려주려고 왔습니다.

병풍을 다시 찾은 표충사에서는 가토에게 왕복 여비와 사례금으로 3백 원을 주었다고 한다.[232]

1938년 3월 5일

《고려자기선전즉매회》가 3월 5일부터 8일까지 개성부 주최로 미츠코시三越

---

232 『東亞日報』 1938년 3월 9일자.

4층 홀에서 개최되었다.[233]

1938년 3월 25일

3월 2일자로 창경궁 이왕가박물관은 문을 닫고 이전 준비에 착수하다.

30여 년의 창경궁 이왕가박물관은 1938년 3월 25일로 문을 닫게 되었다. 명전전과 그 좌우에 있는 북행랑 및 남행랑의 건물에 진열하였던 고미술품들은 신축한 덕수궁미술관으로 옮기게 되었다.

창경원 박물관에 진열하였던 진열품을 새로이 건축한 덕수궁미술관으로 이전한 후로 창경원 박물관을 비롯한 명정전 등이 비게 되어 이 박물관의 건물을 어떻게 할 것인가 하다가 구박물관은 도서관으로 개조하고 이왕직 소장의 서적 1만여 권을 진열하여 관람자에게 관람케 하기로 하였다. 명정전 일대는 원장 이하 동물원 직원이 20여 년간 모은 조선 특산의 동물 표본 1만여 점을 진열하기

『매일신보』 1938년 3월 24일자 기사

233 『每日申報』 1938년 3월 4일자.

로 하였다. 이와 동시에 오는 3월경에 도서관과 표본실을 개관하기로 했다.

창경원 안에 있는 박물관을 덕수궁으로 옮기게 됨에 따라 그 명칭도 미술관
으로 개칭하게 되었다.[234]

1938년 3월 31일

덕수궁에 신축한 미술관

설계자는 공학사 나카무라 요시헤이中村興資平이며 건축연시를 보면 1936년
8월 21일에 기공하여 1938년 3월 31일에 준공하였다. 여기에는 8실의 전시실
과 수장고 강당 등을 갖춘 본격적인 미술관 건축으로서 창경궁내의 이왕가박
물관에서 미술품만을 이관하여 이왕가미술관이 발족된 것이다.

1938년 3월

조선사편찬 사업 완성

조선사 35권 3월말로서 모두 발간

조선사편찬위원회 제1차 위원회에서는 조선사의 완성예정 연한을 10개년으로

---

234 『每日申報』 1938년 3월 24일자.

정했으나 1923년 관동대지진으로 재정형편이 어려워 2년을 연장하여 1933년도에 완료하는 것으로 변경하였다. 1925년 6월 6일 새로운 조직의 관제를 공포하고 예정연한 내에 완성하기로 했다. 그러나 조사가 진행됨에 따라 새로이 발견되는 중요한 사료의 분량이 더욱 많아져 편찬사업을 예정대로 진행할 수 없게 되어 1개년을 더 연장했다. 하지만 1925년 12월 본회 제1차 위원회에서 1개년을 연장하여 1935년도로서 완료할 예정을 세웠다. 그 후 편찬작업이 진행됨에 따라 사료의 분량이 계속 불어나서 당초에 계획했던 발간예정 책수를 다시 5책 5권 증가시켰기 때문에 예정연한인 1935년도 까지도 완성시킬 수 없어, 또 2개년을 연장해서 1937년도에 완성을 보게 되었다. 그래서 1938년 3월에 6권 4호까지 발간하게 된다.

최초의 예정으로는 10개년에 조선사 30권을 완성할 계획이었던 것이 16년간에 걸쳐『조선사』35권[235]과『조선사료총간』20종,『조선사료집진』3질을 편찬하고 1938년 3월로서 사업을 완료할 수 있었다.[236]

1938년 3월에 간행한 조선사

235 나중에 추가하여 37권이 된다. 마지막『朝鮮史總索引』은 1940년 3월에 발행한다.
236 朝鮮總督府朝鮮史編修會,『朝鮮史編修會事業槪要』, 1938;『每日申報』1937년 2월 19일자.

이 사료집들은 식민 통치에 유리하다고 판단한 자료들을 선택적으로 편집한 것이었다. 이 과정에서 단군조선이 부정되었고, 한국의 역사상은 정체되고 타율적인 것으로 그려졌다. 일본인 학자들은 침략서책侵掠書策 조선사의 입론立論의 기반에 있어서 민족정신, 민족설화, 국가의식 등이 왕성하였던 등, 그 소위 조선사 편찬사업의 벽두劈頭에 지대한 장애가 되는 단군조선을 제거함으로써 이 나라 사기의 첫머리를 한사군으로부터 시작하여 이 나라와 이 나라 사람들은 애당초부터가 독립적인 것이 아니라 종속적從屬的인 성질의 것이라는 이론을 내세워[237] 식민지 지배의 숙명론을 확립하고자 하였던 것이다.

조선사편수회에서 1923년 1월 8일 제1차 조선사편찬위원회 이후 사료 조사와 함께 사료채방은 1938년 3월까지 사료는 4,950책을 헤아리며 그 밖에 사진 4,510매, 문권, 화상畵像, 편액 등이 무려 453점에 달했다.[238]

경희궁 홍정전(興政堂) 매각

경희궁의 홍정전興政堂은 회상전의 정남에 위치하였는데, 1915년 4월에서 1925년 3월까지 임시소학교 교원양성소 부속 단급소학교單級小學校의 교실로 사용하다가 1938년 3월에 경성부 서사헌정 광운사光雲寺 : 通稱 高野山에 매각하

237 文定昌,『軍國 日帝强占 36年史』, 伯文堂, p.468.
238 朝鮮總督府朝鮮史編修會,『朝鮮史編修會事業槪要』, 1938.

여 동사同寺 동부東部에 이건했다.[239]

경주 천군리사지3층석탑 복원 공사

천군리 사지는 경주군 내동면 천군리 서라벌초등학교에서 백여 미터 떨어진 곳에 위치하며 사명寺名을 알 수 없어 동리의 이름을 따 가칭의 명칭을 부여한 것이다. 본래의 사명 내지 가람의 창건년대에 대해서는 확실한 자료가 없으며 1924년에 부근 흙 속에서 '현각사玄閣寺'라 각자刻字된 기와가 발견된 사실이 있으나[240] 이 사지와 어떤 관계가 있는지 밝혀지지도 않았다. 이 사지에서 출토된 문양와紋樣瓦와 치미鴟尾 등이 『조선고적도보』 등에 수록되어 있을 뿐이다.

사지에 남아 있는 동서 양탑 모두 2중기단 위의 탑신부塔身部는 탑신과 옥개석이 한 돌로 이루어져 있어 통일신라기의 일반형에 속하는 3층석탑으로 규모나 수법이 동일하여 같은 계획 아래 세워진 동시대의 것으로 추정된다.[241] 동탑

---

239 京城府, 『京城府史』 第2卷, 1934, pp.355~357
    岡田貢, 『京城の沿革と史蹟』, 京城府廳, 1941.
240 『조선일보』 1938년 5월 25일자.
    경주군 내동면 천군리 명활산성 아래 경주 감포간 연변에 넘어져 있던 신라시대의 석탑 두 개
    는 금번 총독부촉탁 米田의 감독하에 공비 2천4백원으로 그 복원공사를 행하여 준공되었음으
    로 지난 5월 11일 관민 다수 참석하에 준공식을 거행하였다. <중략> 거금 14년 전에 흙 가운데
    서 '玄閣寺'라고 刻字한 기와가 발견되었음으로 보아 절터였던 것을 짐작할 수 있다고 한다.
241 고유섭은 쌍탑 형식의 가람에 대해,
    "원래 사찰에는 단탑가람형식과 쌍탑가람형식이 있어서 후자는 唐代 이후 교리의 변천
    으로 말미암아 탑에 대한 가치사상의 변천에서 생겼을 뿐더러 삼국기에 유행한 평지가
    람제와 통일 후 현출한 산간가람세가 一因이 되어 탑파형식에 多分의 변화를 내게 된

천군리석탑 서탑 도괴 상태(『조선건축사론』 1929년 8월 藤島 撮影)

은 상륜부를 모두 잃고 서탑은 일부만 남아 있다.

이 두 탑은 일찍 도괴되어 『조선보물고적조사자료』에는, "천궁사지川弓寺址
라 칭稱 3중석탑2기도괴三重石塔二基倒壞 명활산동록천군리부락전중明活山東麓千軍
里部落田中에 있음" 이라 하고 있다.

또 후지시마藤島의 기록에는,

근년 당사지에서 계속하여 우수한 문양을 가진 와당을 발굴하여 매매하

것이다. 편지가람에는 단탑형식, 산지가람에는 쌍탑형식이 원칙적으로 이용되어 단탑
형식의 가람에는 대개 5층 이상의 탑파가 경영되고 쌍탑가람에는 3층탑이 경영되었다"
고 하며, 2중기단과 옥신 옥개석이 1석으로 이루어진 시대에 대해서는, "初代에는 기단
이 단층이었으나 통일기로부터 2중기단이 생겨 기단이 불단같은 의미를 갖고 탑신을
받았으나 차차로 기단이 대죄의 의미를 갖게 되었으니 건축적 구성가치에서 멀어진 것
은 이에서 알 것이요 기단, 탑신, 상륜 등에도 조각수법이 가미되고 탑신 오개들이 각
1석으로 조성되어 통일 이후 조선석탑의 한 準則이 되었다"고 한다.
高裕燮, 『朝鮮美術文化史論叢』, 서울신문사출판국, 1949, p.83.

는 자들이 있어 방임하기 어려운 상태에 이르러 일층 취체를 엄히 하고 경주박물관 제씨諸氏에 의하여 1938년 여름에 발굴을 하였던 바 거의 완전한 치미鴟尾 1개를 발굴하고 <중략> 와당의 문양은 아주 우수하여 신라 와당 문양 중 최수최미最秀最美하다.[242]

해체 수리 전의 모습

하는 것으로 보아 도굴꾼들의 주목을 상당히 받아 왔음을 알 수 있다. 그리고 "동서 양탑은 도괴되어 있다"고 하며 그가 촬영한 사진 제133도(1929년 8월 藤島 撮影)를 보면 서탑이 무참히 허물어져 있어[243] 도저히 자연적 도괴로 볼 수 없다. 불법자들이 보물를 도취하고자 이렇게 한 것으로 추정된다.

1936년 최남주는 명활산성 아래에 위치한 천군리의 들판에 있는 폐석탑 주변을 답사하던 중 통일신라시대 연화문이 장식된 막새 몇 점을 수습하였다. 이것을 경주박물관으로 가져가 당시 관장 사이토齋藤忠에게 보였다. 다음날 사이토와 함께 천군리 사지를 답사하고 조선고적연구회의 우메하라에게 보고하였다. 그 결과 1936년에 오바 쓰네키치 小場恒吉에 의해 석탑 실측이 이루어졌다.

242 藤島亥治郎, 「朝鮮建築史論(其二)」, 『建築雜誌(第44輯 第533號)』, 1930, p.119.
243 藤島 前揭書, p.200.

1937년도 '조선 고적 보물 유적 보존위원회'는 본사지 양 석탑에 대하여 재건하는 것을 조건으로 보물로 지정할 것을 가결하고, 위원 오바 쓰네키치小場恒吉가 이 석탑을 실측하고 재건원안을 설계하여 조사위원 후지타 료사쿠藤田亮策, 기수 오가와 게이키치小川敬吉에 의해 시행계획을 추진하였다.

1938년 3월부터 경상북도지사의 감독 하에 고적연구회의 사업의 일부로 재건되었는데 이때 요네다 미요지米田美代治가 현장공사감독을 맡아 약 1개월에 걸쳐 재건공사를 하였다.[244] 공사에 착수하면서 도괴 시 손실된 부재의 탐색을 겸하여 부근 발굴조사를 하였다. 그 결과 서탑 부근에서 노반, 복발, 상륜의 일부와 상당

탑 기단공사

량의 우수한 고와를 발견했다. 양 석탑은 제3층 탑신의 상면上面 중앙에 폭 약 8촌 깊이 5촌의 사리공이 있었으나 안에는 아무것도 남아 있지 않았다.[245] 불법자들에 의해 이미 도실 당한 것이다.

석탑 복원 공사가 행해지는 동안 고적연구회의 사업으로 사지의 발굴 조사가 함께 수행되었는데 후지타藤田, 오가와小川, 스에마츠 야스카즈末松保和, 우메하라 스에지梅原末治, 최남주가 사지의 발굴 작업에 참가하였다. 그 결과는『소화13년도 고적조사보고』의「경주 천군리사지

---

244 米田美代治,「慶州 千軍里址 及 三層石塔調査報告」,『昭和13年度 古蹟調査報告』, 朝鮮總督府.
245 米田美代治,『朝鮮上代 建築의 研究』, 秋田屋, 1944, pp.49-50.

및 삼층석탑 조사보고」로
보고서가 작성되었다.[246]

최근 모습

도쿄국립박물관 소장
목록에 이곳에서 출토된
와瓦가 15점이 나타나 있
는 것으로 보아 상당수가
반출된 것으로 추정된다.

1938년 4월 1일

《조선민예전》

4월 1일부터 7일까지 일본민예협회 주최로 일본에서 《조선민예전》이 개최되
었다.[247]

《동양도자특별전》

4월 1일부터 5월 31일까지 오사카미술관에서 《동양도자특별전》이 열렸다.[248]

---

246 米田美代治, 「慶州千軍里寺址び三層石塔調査報告」, 『昭和13年度古蹟調査報告書』, 朝
     鮮古蹟研究會, 1940.
247 『陶磁』 제10권 제1호, 東洋陶磁研究所, 1938년 4월.
248 『陶磁』 제10권 제2호, 東洋陶磁研究所, 1938년 6월.

1938년 4월 6일

경상북도 문경군 산북면 반야암般若庵을 폐지하다.[249]

『매일신보』 1938년 4월 14일자 기사

1938년 4월 12일

4월 12일 경성 창신정의 김모의 집터를 고르던 중 대형가마솥과 고려자기접시 한 개를 발견하다. 이 자리는 단종의 임시 궁소宮所가 있었던 자리라는 이야기도 있다.

1938년 4월 17일

생구사生駒寺 대종 도난

4월 17일 오후 9시경 경성부내 하왕리에 있는 생구사에 장치한 종 80관 짜리

---

249 『朝鮮總督府官報』 1938년 4월 6일자.

를 도난당하다.[250]

1938년 4월 23일

4월 23일 경성 계동정에 있는
대동상업학교에서 운동장 확장공
사를 하던 중 석조물 6점을 발견
했는데, 그 중 4점은 항아리 같이
조각한 것이고 2점은 방형이다.

발견 석조물(『동아일보』 1938년 4월 27일자)

1938년 4월 27일

4월 27일 고원군 산곡면 덕산리 팔봉산 중턱에서 오유석이란 자가 밭을 갈
다가 고려자기 1개와 숟가락 1개를 발견하다.[251]

---

250 『每日申報』 1938년 4월 19일자.
251 『每日申報』 1938년 5월 14일자.

부여 동남리 사지 조사

　1938년에는 부여신궁조영계획으로 이 일대의 유지에 대한 조사가 이시다 시게사쿠石田茂作과 사이토 타다시齋藤忠에 의해 4월 27일부터 시작되었다. 발굴 동기에 대해 조사보고서는 "부여는 최근 부여신궁의 조영과 함께 광대한 신도 경영의 계획이 있고 그에 따라 부근 일대의 백제시대 유적 조사의 일이 급하다고 느끼게 하고 있다. 그러므로 본회에서는 전년도의 작업을 이어서 조사의 방침을 세우게 되었다"고 하고 있다. 발굴은 4월 27일에 시작하여 5월 17일에 종료하게 된다. 소요된 인부의 총수는 188인이다.[252]

　부여 동남리東南里 폐사지의 발굴조사에서는 납석제불상파편蠟石製佛像破片,

동남리 사지 발굴 장면

---

252 石田茂作,「夫餘東南里廢寺址 發掘調査」,『昭和13年度 古蹟調査報告』, 朝鮮古蹟研究會, 1940.

철정鐵釘, 와제광배파편瓦製光背破片, 도기류陶器類, 소옥小玉 등이 발견되었다. 조
사보고서의 결론 부분에서는,

> 백제사지의 연구에 대하여 또 넓게는 그것과 연계를 생각하는 일본 아스
> 카시대飛鳥時代 사지寺址의 고찰에 하나의 새로운 자료를 제공하는 것이라
> 할 만하다.[253]

하는 것을 보면 발굴조사의 최종적 목적이 일본의 고대불교관계를 규명하기
위한 것임을 알 수 있다. 즉 사이토가 말한 바, "백제의 불교문화는 아국(일본)
의 불교문화의 영향을 끼친 하나의 모태로서 주의注意"[254]하여 그들 불교 원류
를 찾기 위한 목적이었던 것이다. 뿐만 아니라 이를 이용하여 일본 아스카시대
飛鳥時代 사원寺院과 백제사원百濟寺院은 동일同一한 구조를 가지고 있음을 들어
내선일체를 강조하는데 이용하였다.[255]

253 石田茂作,「夫餘東南里廢寺址 發掘調査」,『昭和13年度 古蹟調査報告』, 朝鮮古蹟研究
     會, 1940, p.43.
254 齋藤忠,『朝鮮古代文化の研究』, 地人書館, 1943, p.118.
255 『每日申報』, 1941년 8월 6일자에는 '石田博士의 新研究'라 하여 '遺蹟이 말하는 內鮮一
     體'라는 題下의 글이 있다.

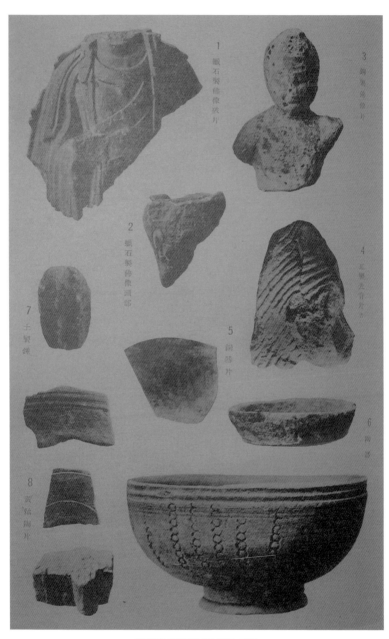

부여동남리 폐사지 출토 유물

1938년 4월

경상북도 사방공사 시행 지역 내 고적조사

조선총독부 촉탁 요네다 미요지米田美代治는 1938년 4월 5일 경성을 출발 경상북도 경주군 내동면 천군리 소재 보물 제283호 3층석탑의 재건공사 감독을 위해 출장 중 추가하여 경주군 내남면 및 경북 고령군과 영주군의 사방공사 시행 지역 내에 있는 고분 유물의 보존과 관련하여 현장 입회조사를 하고 5월 13일 귀임하여 1938년 5월 30일 복명을 했다.[256]

경북 고령군 고령면 본관리 사방공사 시행 지역 안 고적조사는 1917년에 이마니시 류今西龍에 의해 조사되어 대정6년도 고적조사보고서 제7편 제1장에 게재되어 있다. 사방공사 시행지역 내의 고적 관계 지역은 가야시대 고분군이 유존하고 있다. 사방공사시행지역 내의 고분의 현상을 보면, 15기 중 11기는 이미 도굴된 상태였다. 고분은 최근(1938년 3월 경) 도굴된 것으로 추정되는 것도 있었다.

영주군 순흥면 석교리 사방공사 시행 지역 안의 산31 임 고분 약 20기, 산36 임 고분 약 15기,

고령 산 5 고분 도굴 흔적

---

256 「경상북도 사방공사 시행 지역 내 고적조사 복명서」,『국립중앙박물관 소장 조선총독부 박물관 공문서』, 목록번호 : 96-365.

산37 임 고분 3기는 모두 도굴 파괴되어 토기편 등이 산란했다.

경주군 내남면 제1호구 사방공사 시행 지역에는 남산성지가 포함되었다.

요네다는 관계자와 협의하여 사방공사 안의 유적은 원직석으로 현상 보존해야 하지만 파괴된 고분의 용석재는 사방 용재로 사용하고, 공사 시행 중 출토된 유물은 조선총독에 신고하는 것으로 했다.

『매일신보』 1938년 5월 7일자 기사

1938년 5월 3일

홍제동 5층석탑(현재 보물 제166호)이 보물로 지정되다.

5월 3일 조선보물고적명승천연기념물보존령에 의해 경기도 강화군내 정수사 법당 외 26점이 보물로, 경북 경주군내 금척리고분군 외 18점이 고적으로, 전남 진도군내 진도견 외 18점이 천연기념물로 지정되다.[257]

이 때 홍제동 5층석탑(현재 보물 제166호)도 보물로 지정되었다.

『경성부사』에 의하면, 홍제원 터의 북쪽 홍제정 296번지 밭 가운데에 대기臺基를 갖춘 5층석탑이 있다. 이것은 신라 말기의 풍격이 담긴 우수한 예술품이

---

257 『朝鮮總督府官報』 1938년 5월 3일자; 『每日申報』 1938년 5월 7일자.

지만 그 유례는 아직 상세히 알려져 있지 않다. 이 부근에는 장의사라든가 사미사 등의 사찰이 있었으나 혹시 그러한 유적과 어떤 관계가 있다고 판단한 것인지는 모르겠으나, 이 탑은 1938년 5월 3일 보물로 지정되었다.[258]

이 석탑은 사현사沙峴寺 세워진 것으로 알려 있다. 연대에 대해서는 안성 칠장사 혜소국사비(보물 제488호)의 비문에 의하여 이 절이 고려 정종 12년(1045)에 창건된 것임을 알 수 있어서, 이 탑도 절을 창건할 당시에 만들어진 것으로 보인다.[259] 이 석탑은 사현사 탑으로 알려져 있는데 사현사는 시가지 확장에 따라 진관외동으로 옮겨가고, 이 석탑은 1970년에 경복궁 경내로 옮겨졌다가, 현재는 국립중앙박물관 정원에 있다.

홍제동 소재의 석탑 모습을 보면 상륜부 일부가 남아 있었으나, 현재는 분실하고 보이지 않는다.

홍제동 5층탑 원경(국립중앙박물관 소장 유리건판)

---

258 서울특별시 시사편찬위원회, 『국역 경성부사』 제3권, 2014.
259 『문화재대관 4』, 대학당, 1986.

홍제동 소재의 모습　　　　국립중앙박물관 현재의 모습

『根津家所藏品展觀目錄』(『고고학잡지』
28-6, 1938년 6월)

1938년 5월 8일

《근진가 소장품 전람회》

　　일본고고학회본회 제43회 총회가 1938년 5월 7일, 8일 양일간에 걸쳐 개최되었다. 총회 2일째인 8일에는 도쿄 네즈 가이치로根津嘉一郎 의 저택에서 네즈 소장품을 다수 진열하여 《근진가 소장품 전람회》를 가졌다. 이는 말이 전람회지 실제는 특별 진열하여 이날 정오부터 오후 4시까지 일본 고고학회 회원에 한해서 공개를 했다. 네즈의 진열관은 청동기진열실, 불상, 칠공예실 등을 위주로 전람을 하였다. 이 속에는 조선에서 출토한 토소경통土燒經筒, 낙랑출토 칠안漆案, 김제이식(勾玉 2개 添) 28개, 김제이식 66개, 김제이식 16개 등이 포함되었다.[260]

1938년 5월 13일

강릉 심복사지탑 도굴

그간에 한적한 산간의 외진 밭 가운데 고이 보존되어 오던 이 석탑도 세인들에게 알려지면서 주변 민간인들의 방문은 물론 불법자들의 침입을 초래하고 말았다. 불법자들은 1938년 5월 13일 야음을 틈 타 탑을 무참히 무너트리고 탑 내의 보물을 훔쳐 달아났다. 당시『동아일보』1938년 5월 24일자에는 다음과 같은 기사가 실려 있다.

『동아일보』1938년 5월 24일자 기사

260 「雜錄」,『考古學雜誌』제28권 제2호, 1938년 6월, pp.61~62.

심복사尋福寺 유탑遺塔을 파훼破毁

보물을 훔쳐 내려 하였습니까? 국보 강릉 신복사지神福寺址의 석탑을 떼어내어 넘어트린 괴 사건이 돌발되었다. 강릉군 성덕면 심복동 403번지 밭 가운데 있는 화강암 방형석탑은 전하는 바에 의하면 지금으로부터 1천 50년 전에 있던 대가람 신복사의 유탑으로 고가 14척 2분이오 기경基經이 8척 2촌 7분이나 되는 것으로 소화9년도에 조선보물고적천연기념물보존령에 의하여 지정을 받어, 이래 국보로서 같이 남은 유상遺像 석불과 함께 찬연한 고대문화를 말하고 있는바 의외 소화11년도 강릉공립공업학교 오사다 켄지長田謙二씨가 주은 기와 2편에 '神福' 2자가 새겨진 것을 발견하여서 종래 불리어 오던 찾을 심尋자 심복사尋福寺는 전혀 그릇 전해진 것이 판명되어 학계에 크나 큰 센세이션을 일으켰으며 그 후 아마츄어 연구가 김홍경 씨도 역시 신복사神福寺라 쓰여진 기와를 얻어 절대 의심할 여지가 없게 되었는데 이런 일 저런 일로 해서 그런가 일반의 신복사에 대한 인식은 가일층 더하여 사가史家의 발길은 물론 신앙부녀 등의 치성이 끊일 사이 없던 중 더구나 지난 4월 그믐께는 총독부박물관 주임 고이즈미小泉 씨도 계원을 대동하고 강릉에 와서 신복사 옛터를 조사하였다는바 역시 귀신 신자 '神福寺'라고 씌여진 커다란 기와 한 장을 또 얻어서 이제는 더 말할 나위가 없게끔 된터인데 그 후 한 20일 남짓 하였을까 말까한 지난 13일밤 어떤 자가 그 육중한 탑을 전부 무너트리고 돌함 속을 텅 비게 해놓았다한다. 이 급보를 접한 소관서에서는 당장에 현장을 조사하는 등 일대 수사망을 펴고 방금 범인을 염탐 중이라 한다.

1938년 10월 3일의 모습(近藤豊, 『한국건축사도록』, 1974)

　『광복이전 박물관자료목록집』을 보면, '신복사지3층석탑 적직공사積直工事비
내역서'와 '신복사지 및 굴산사지부도 곡구공사 사양서仕樣書'가 보이나 날짜가
명기되어 있지 않으며, 곤도 유타카近藤豊의 『한국건축도록』에는 1938년 10월
3일자 사진에 도괴된 상태의 사진이 수록된 점으로 보아 당시 곧바로 복원공사

도쿄제국대학로 반출한 신복사 출토 瓦(『조선고적도보』)

가 이루어지지 못하고 한참 후에 복원이 이루어 졌던 것으로 보여진다.

1953년에 발행한 『강원도지 상』에 의하면, 일제말경에 정체불명의 불법자들이 탑 중의 보물을 훔치기 위해 고의적으로 탑신을 붕괴했다[261]고 하며, 1959년에 발간한 『강원명승고적』(강원체육회)에도 "15, 16년 전에 붕괴된 것을 재건축한 것이다" 라고 하고 있다. 이는 1943, 1944년 경에 또 다른 도굴의 만행이 있었다는 것으로 2차에 걸친 도굴의 수난을 당하였다.

이 사지는 강원도 강릉시 내곡동에 소재하는 것으로, 창건 및 폐사에 관한 자세한 기록이 없다. 건립연대에 대해서는 범일梵日에 의하여 개창되었다하나 범일이 도굴산파闍崛山派를 개창한 이후 이 사를 말사로 하여 법을 펼쳤을 것으로 보이며, 이곳에서 출토된 기와편으로 보았을 때 대략 통일신라시대에 사찰이 창건되었던 것으로 추정되고 있다.

1916년에 발간한 『조선고적도보』 제4책에는 탑 부근에서 발견한 '신복神福' 명銘

---

261 『江原道誌 上』, 江原道誌 編纂委員會, 1959.

의 와편이 실려 있으며, 해설편에는 "탑의 연대와 사의 명칭을 알 수 있는 참고자료"라 하고 있다. 스기야마 노부조杉山信三는 신라말기에 건립된 사찰로 보고 있으나 명확한 근거는 들지 않고 있다.[262] 그러나 사찰의 창건년대에 대한 가장 확실한 연대를 올려 볼 수 있는 것은, 신천식 씨에 의해 현지에서 '천흥天興' 이란 년호가 있는 와편이 수집됨으로서[263] 통일신라시대에 사찰이 창건되었던 것으로 볼 수 있다.

『강원총람江原總攬』에 의하면, 1932년까지는 신복사의 '신神'을 지명과 같이 '심尋'으로 써오다가 당시의 불교 포교사 김홍경金弘經 씨가 현지답사에서 '신복神福' 이란 명銘의 기와를 발견한바 있고, 이듬해 박물관 직원 고이즈미 아키오小泉顯夫가 같은 명문이 있는 기와 2매를 발견하여 이후 신복사神福寺라 개명케 되었다[264]고 한다. 그러나 『다이쇼원년고적조사약보고大正元年古蹟調査略報告』에 의하면, 세키노 타다시關野貞 일행은 1911년 10월 30일에서 11월 2일 사이에 신복사지를 조사한 것으로 나타나 있으며 "폐신복사廢神福寺"로 기록하고 있어 이미 사명寺名에 대한 물증자료 즉 당시 조사에서 발견한 '神福' 재명와에 근거하고 있음을 알 수 있다. 따라서 이미 1911년에 세키노 일행에 의해서 신복사神福寺라 밝혀졌으나 널리 알려지지 않았을 뿐이었다.

신복사神福寺는 사찰이 폐하여 진 후 오랜 세월이 흐르면서 신복사神福寺가 유사음類似音의 지명인 심복尋福을 따라 한동안 심복사尋福寺로 불리었던 것으로

262 杉山信三,『朝鮮の石塔』.
263 申千湜,「韓國佛敎史上에서 본 梵日의 位置와 崛山寺의 歷史性 檢討」,『嶺東文化』創刊號, 1980.
264 『江原總攬』, 江原道企劃管理室, 1974.
    『동아일보』1937년 11월 30일자와 1938년 5월 24일자의 기사에 의하면,『江原總攬』에서 말하는 1932년은 1936년의 誤記로 보인다.

지역주민들 사이에 일반화되었던 것으로 추정된다.

당시 일본학자들의 조사와 더불어 중요한 일부 자료는 수거해 일본으로 반출하였던바, 1916년에 발간한『조선고적도보』제4책에 '신복사神福寺' 명銘의 문자와(도판번호1520~1522) 등이 도쿄제국대학 공과대학 소장으로 되어 있다.

이곳의 석탑은 전형적인 고려시대 석탑으로 특히 탑 앞에 보살좌상(보물 제84호)이 있어 특히 주목된다. 이 보살상은 오늘날 약왕보살藥王菩薩이라 전칭傳稱되고 있는데[265] 탑을 향해 왼 무릎을 세우고 공양하는 자세로 왼팔은 무릎 위에 올리고 모아 쥔 두 손은 가슴에 붙이고 있는 모습이다.

『조선고적도보』제4책에는 신복사3층석탑이 파손 없이 완전한 상태로 게재되어 있으며,『조선보물고적조사자료』에도 "강릉에서 서남 약 10정의 심복동尋福洞 후곡後谷 전중田中에 고 14척 석탑과 고5척3촌의 석좌불상石座佛像이 잔존함"이라 하여 완전함을 기록하고 있다.

신복사석탑 상륜부(조선고적도보)

---

265 黃壽永,「新羅 半跏思惟像의 新例」,『考古美術』142, 韓國美術史學會, 1977년 2월,

1936년에는 강릉공립공업학교 교장 나가타 겐지長田謙二에 의해 신복사지에서 또 다시 '神福' 이라 새겨진 기와가 발견되었다. 이와 관련하여 당시 강릉포교당의 김홍경이 "이 귀신 신神자 절 이름은 매우 드문 것으로 만약 강릉 심복사尋福寺가 신복사神福寺였다면 반드시 여기에는 이유가 있을 것이다" 라고 한 예기가 주민들의 입에 오르고 신복사의 사명에 대한 신비감이 더해 가면서 세인들의 주목을 받게 되었다.

일제강점기의 도괴 전의 모습과 현재의 복원한 탑 모습을 보면 현재의 탑 상륜부의 순서가 바뀌어 있음을 알 수 있다. 이는 일제말기 성급하게 석탑을 복원하는 과정에서 이 같이 된 것이 아닌가 추정된다.

현재의 모습

황해도 봉산군 문정면 고분 조사

1938년 5월 12일 황해도청으로부터 전화로 봉산군 문정면에서 고분 발견을 알려 왔다. 이에 촉탁 사이토齋藤忠가 출장하여 5월 14일부터 19일까지 황해도 봉산군 문정면 소재 고분 1기를 조사했다. 고분의 위치는 문정면 석성리 652 전田으로, 저축고분은 이미 천정부를 결실하고 연도 쪽에는 수로가 있었고 고분 내는

오실奧室(북쪽에서 바라봄)
/ 오실(동쪽에서 바라봄)

물이 차있었으며 고분의 구조를 살피는데 그쳤다. 다수의 문양전을 채집했다.[266]

1938년 5월 18일

나주 반남면 고분 발굴 조사

전라남도 나주군 반남면 신촌리, 덕산리, 대안리, 덕흥리 및 석천리에 걸쳐 낮은 구릉 밭 사이에 대소 30여 기가 산포되어 있다. 1917, 1918년에는 2회에 걸쳐 야쓰이 세에이치谷井濟— 일행이 이들 중에서 6기를 발굴 조사했다. 발굴품은 총독부박물관에 수장하였다.

그런데 1938년에 들어와 이 고분군의 도굴이 심하여 조선고적연구회에서 1938년의 사업에 포함시켰다. 사와 슌이치澤俊—와 아리미츠 교이치有光教—가 5월 18일부터 28일까지 5기의 옹관묘와 1기의 석실고분을 조사했다. 그 결과 그 도굴의 화는 예상보다 심했다.[267]

266 「황해도 봉산군 문정면 고분 조사 복명서」, 『국립중앙박물관 소장 조선총독부박물관 공문서』, 목록번호 : 96-365; 齋藤忠, 「黃海道鳳山郡文井面に於ける古墳の調査」, 『考古學雜誌』 28-7, 1938년 7월.

267 有光教一, 「羅州潘南面古墳の發掘調査」, 『昭和13年度古蹟調査報告書』, 朝鮮古蹟研究會, 1940.

신촌리 제6호분 발굴 장면

아리미츠의 보고서에는 나타나 있지 않지만 대안리 제9호분도 이 당시에 조사한 것으로 보인다.[268]

발굴 일정과 출토 유물은 대략 다음과 같다.[269]

조사 일정	위치	조사자	조사 고분	출토 유물
1938년 5월 21일~26일	나주 반남면	有光敎一, 澤俊一	신촌리 제6호분	完全甕棺 2개, 破損甕棺 4개·靑銅環, 鐵鏃, 鐵器, 土器 등
1938년 5월 22일~24일	나주 반남면	有光敎一, 澤俊一	신촌리 제7호분	破損甕棺1·管玉 1개, 土器
1938년 5월 19일~22일	나주 반남면	有光敎一, 澤俊一	덕산리 제2호분	마제석족 1개

268 早乙女雅博, 「新羅の考古學調査 100年の研究」, 『朝鮮史研究會論文集』 39, 朝鮮史研究會, 2001년 10월, p.83.

269 有光敎一, 「羅州潘南面古墳の發掘調査」, 『昭和13年度古蹟調査報告書』, 朝鮮古蹟研究會, 1940; 早乙女雅博, 「新羅の考古學調査 100年の研究」, 『朝鮮史研究會論文集』 39, 朝鮮史研究會, 2001년 10월, p.83.

조사 일정	위치	조사자	조사 고분	출토 유물
1938년 5월 18일~24일	나주 반남면	有光敎一, 澤俊一	덕산리 제3호분	파손옹관3, 금동식금구파편, 銀製空玉 6개, 유리옥 16개, 관옥 4개, 처정, 철족, 토기 수개
1938년 5월 19일~22일	나주 반남면	有光敎一, 澤俊一	덕산리 제5호분	石片 수개
1938년 5월 25일~27일	나주 반남면	有光敎一, 澤俊一	흥덕리 석실고분	鐵釘, 鐵製金具
1938년 5월	나주 반남면	有光敎一, 澤俊一	대안리 제9호분	

1938년 5월 24일

풍우 5백년의 혜화문이 헐리다.

혜화문 일명 동소문[270]은 1928년 문루가 헐리고, 남아있던 모든 것은 1938년 5월 24일로 드디어 헐리고 말았다. 경성부의 시가정리구역에 들어가 지난 20일에 동소문은 사정없이 헐리기 시작하여 24일로써 마지막 아치의 형식조차 영원히 사라지고 말았다.[271]

270 惠化門 此門은 속칭 東小門이니 元名은 弘化門으로서 成宗14년에 昌慶宮 東門을 弘化라 칭한 후 兩門의 名이 서로 混同됨으로 中宗6년에 惠化門이라 改稱하엿다. 그 譙樓도 英祖20년 8월에 御命으로 御營廳에서 始建하고 惠化門이란 扁額을 揭하얏다(門內漢, 「京城 八大門과 五大宮門의 由來」, 『별건곤』 제23호, 1929년 9월).
271 『東亞日報』 1938년 5월 25일자.

1938년 5월 29일

덕수궁으로 옮기는 흥천사종

창경궁의 이왕가박물관 미술품이 덕수궁으로 옮기면서 창경궁에 있던 흥천
사종[272]을 5월 29일부터 6월 3일에야 덕수궁으로 운반하게 되는데, 『동아일보』
1938년 6월 6일자에는 다음과 같은 기사를 남기고 있다.

신장의 미술관으로 시집가는 "인경"

창경원에서 대한문까지 운반 6일

창경원 안에 있던 구 박물관 진열품이 덕수궁 안에 새로 건축한 미술관으로
모두 옮겨졌는데 그 중 제일 품들고 무거워 소 20마리 사람 20명이 6일간이
나 걸려 운반한 굉장한 물건이 있다. 명정전 두 행랑에 안치해 있던 인경이
그것으로 지난 29일 오후 모두 볏짚으로 만든 옷을 입혀 가지고 소 20마리
를 채찍과 고함으로 독려, 인부 20명이 연일 밤낮으로 땀을 흘려가며 운반

---

272 흥천사종이 창경궁으로 옮김에 대해, 『별건곤』 제23호(1929년 9월)에 실린 靑吾의 「京
城五大鍾辨正錄」에는 다음과 같이 설명하고 있다.

貞陵鐘은 興天寺가 廢한 뒤에 圓覺寺(今 塔洞公園址)에 移懸하얏다가 中宗7년에 圓
覺寺가 又廢하니 당시 權臣 金安老가 東大門에 移置하야 晨昏에 鳴코자 하다가 未幾
에 安老가 失敗하야 여의치 못하고 爾來 350여 년을 東大門側에 잇다가 英宗24년 5월
에 上이 『地部의 臣에게 謂하야 日 興仁門內와 光化門外에 各히 一鐘이 잇는데 鐘面에
光廟(世祖)와 內殿의 徽號가 잇고 또 御製가 잇스니 다 閣을 設하고 貯하라』 命함으로
그 閣을 設하고 置하얏다가 최근 李太王3년 丙寅 光化門 重建時에 各寺 승려를 命하
야 東大門鐘을 運搬하야 門樓에 달고 法會를 設하며 門의 落成을 祝하얏더니 隆熙4년
4월28일에 李王職博物館에 移藏하얏다.

하기 시작한 것이 금 3일에야 겨우 덕수궁 안 석조전 맞은편에 도착되었다.

이제 이 인경의 회포 품은 신세를 말없는 인경 자신의 입으로부터 들어보기로 하자.

내가 입을 닫고 말없어진 지가 벌써 29년, 이대로 창경원에서 여생을 보내려고 했더니….

내가 세상에 나오기는 이조 6대 세종6년 수많은 공장들의 손에 주조되어 지금의 총독부인 경복궁의 광화문루각에 올라가 서울장안을 보아오며 이래 4백년간을 자정과 정오마다 목소리를 높이 시각을 알려 왔더니만 그 후 명치 40년 9월 광화루 누각에서 끌려 내려와 창경원박물관에 옮겨져 세상물정과 담을 쌓아왔네. 그랬더니 이번에 이 모양으로 덕수궁에 옮겨왔는데 노후老後라고는 하나 이 같이 내몸이 무거워 사람과 소에게 힘을 씌웠는걸… 이번 이 모양을 하고 거리를 지나노라니 20여 년 사이에 세상이 아주 달라졌는걸.

1938년 5월

부여 가탑리사지 조사

가탑리는 읍의 동북 금성산의 남쪽 구릉지에 위치한다. 부여에 설치된 중견 청년수련소의 부지로 선정되어 조만간 공사에 착수하기 때문에 그것에 앞서 이시다石田茂作에 의해 학술적 조사가 행해졌다. 이시다는 부여 동남리 폐사지 조사를 마친 후에 5월에 가탑리 폐사지 조사를 계속했다.

사지에서는 치미편, 전편, 다수의 고와를 발견했다. 이 시다는 "이 유적에 관해서는 현재 백제시대 축조에 관련되는 하나의 작은 당우의 존재를 추정할 뿐이다. 이 성질에 관하여 남쪽에 있다고 생각되는 건축지의 조사에 의

가탑리 폐사지

히여 고찰하는 것이 온당할 것이다. 이 부근에는 민가에 운반 이용되고 있는 초석 등이 적지 않다"고 하고 있다.[273]

만주 집안현의 고구려 고분

1938년 5월부터 7월 하순까지 도쿄미술학교강사 겸 조선고적연구원 오바 쓰네키치小場恒吉와 시치다 타다유키七田忠志는 만주 집안현의 고구려 고분을 조사하였다.

당시 오바 쓰네키치는 벽화고분 112호분(2실총, 풍속화), 65호분(사신총), 62호분(소위 17호분)의 벽화를 모사하는데 대부분의 시간을 보내고, 시치다 타다유키七田忠志는 주로 장군총을 청소하고 파괴된 고분과 고와 산포지를 조사했다. 당시 발견한 유물은 65호분에서 두개골, 62호분 봉토에서 철부鐵斧, 파괴된 1기의 고분

273 石田茂作,「夫餘佳塔里廢寺址 發掘調査」,『昭和13年度 古蹟調査報告』, 朝鮮古蹟研究會, 1940.

집안현 통구 출토
황갈유사이도호(黃葛釉四耳陶壺)
(『조선고문화종감』제4권 도판 170)

에서 황녹유도기黃綠油陶器와 장신금구裝身金具를 발견하고, 112호분 북방의 한 고분에서 와제조瓦製竈를 발견했다. 이 유물에 대해서『고고학잡지』1938년 11월호에서는 "목하 교토대 고고학교실에서 접합 복원 중"이라고 하는 점으로 보아 발굴 후 곧 바로 교토대학 고고학교실로 가저간 것으로 보인다.[274]

집안현 통구 출토 황갈유사이도호에 대해서는 요시이 히데오吉井秀夫에 의해 실측 소개한 바 있으며,[275] 1951년에 간행한『교토제국대학 문학부진열관 고고도록』에도 "시치다 타다시七田忠志 기증"으로 하여 도판으로 소개하고 있다.[276]『조선고문화종감』제4권에도 도판으로 소개하고 있다.[277]

조사 고분과 출토 유물은 대략 다음과 같다.[278]

274 七田忠志,「滿洲國安東城集安縣高句麗遺蹟の調査」,『考古學雜誌』28-11, 1938년 11월, pp.66-67.
275 吉井秀夫,「日本 西日本地域 博物館에 所藏된 高句麗 遺物」,『高句麗 遺蹟 發掘과 遺物』, 高句麗硏究會, 2001.
276 京都帝國大學 文學部,『京都帝國大學 文學部陳列館 考古圖錄』, 1951, 圖版 40.
277 梅原末治, 藤田亮策,『朝鮮古文化綜鑑』제4권, 養德社, 1966.
     圖版 160 집안현 통구 출토 黃釉陶盤, 圖版170 동지 출토 黃葛釉四耳陶壺, 圖版172 陶製甕는 모두 京都大學文學部 所藏으로 기록하고 있다.
278 七田忠志,「滿洲國安東城集安縣高句麗遺蹟の調査」,『考古學雜誌』28-11, 1938년 11월;『日本美術年鑑』美術硏究所, 1938년 11월, p.165.

1938년 5월~7월	집안	小場恒吉, 七田忠志	벽화고분 제112호분 (2실총, 풍속화)	112호분 북방의 한 고분에서 瓦製竈의 明器
1938년 5월~7월	집안	小場恒吉, 七田忠志	제65호분(사신총)	제65호분 현실에서 두개골 발견
1938년 5월~7월	집안	小場恒吉, 七田忠志	제62호분-벽화모사-소장	제62호분- 鐵斧, 파괴된 1기의 고분에서 黃綠油陶器, 裝身金具
1938년 5월~7월	집안	小場恒吉, 七田忠志	장군총 현실 청소, 고와산포지 조사	

1938년 6월 5일

덕수궁미술관 신관 개관

『매일신보』 1938년 6월 1일자 기사

창경궁 이왕가박물관의 미술품을 덕수궁으로 가져올 계획이 있게 되자 이를 진열할 공간이 필요하게 되었다. 조선과 일본의 신·고미술품을 모아서 진열할 계획으로 석조전에 인접한 곳에 신관을 1936년 8월에 기공해서 1938년 3월에 준공했다. 설계자는 공학사 나카무라 요사헤이中村與資平이다.[279]

---

279 『삼천리』 제10권 제5호(1938년 5월)의 「機密室, 朝鮮社會內幕一覽室」에는 다음과 같은

1938년 3월 31일에 신관이 준공됨에 따라 이왕가박물관 소장품 중에서 고미술품과 함께 미술공예에 속하는 것을 선택·진열하여 석조전에 진열된 근대 일본미술품과 함께 공개하기로 하였다. 창경궁 내에 있던 이왕가박물관과 덕수궁 석조전 및 신축한 미술관을 합하여 명칭을 새로이 '이왕가미술관'이라 하고 1938년 6월 5일부터 개관하게 되었다.[280]

신축한 미술관에는 8실의 전시실과 수장고 강당 등을 갖춘 본격적인 미술관 건축으로서 창경궁내의 이왕가박물관에서 옮겨온 미술품을 중심으로 진열하였다.

2층 중앙홀에는 철조석가여래좌상(중앙), 통일신라시대 석각대일여래좌상石刻大日如來坐像(우측), 성거산 천흥사종(左側)을 진열했다.

제1실(고려도자기실)에는 조선출토 고려시대 도자기를 진열했는데 개성과 강화를 중심으로 한 지방의 출토로, 주병, 수주, 완, 명 등을 비롯하여 향로, 합,

---

'소식'이 있다.

德壽宮 美術館에 三十萬圓

京城長安 40만 府民에게 1일의 淸遊를 제공하는 유원지인 府廳 건너편 덕수궁 안에는 또한 새로히 미술관 하나가 벗꽃 욱어지는 이 봄을 앞에 두고 준공되어 府民들 앞에 나타나리라는 명랑한 뉴-쓰 - 이 미술관은 舊 석조전의 바로 앞에 작년 7월경부터 기공해서 總工費 30만원으로서 건축 중이엿든 바, 요사히 그 外廓만은 완성되어 「루네쌍스」식의 웅장 미려한 자태를 양광의 하늘 밋헤 찬연하게 빗내고 잇다.

이 미술관은 3층 건물로서 각 층 300여 평, 총 연평 1千 29杯 석조전보다는 훨신 크다. 느저도 4월 말 까지는 내부 장식을 끗맛치고 현재 昌慶苑 박물관에 진열해 잇는 李朝의 精華 미술공예품을 옴겨다가 일반의게 관람식힌다는 것이다.

또한 그 前庭에는 크다란 水盤을 만들어 鯉, 鮒, 金魚 등을 살리게 하며 아름다운 분수대도 맨드누라고 공사를 급히하고 잇다.

금년 여름 신록이 무르녹는 덕수궁 안에는 석조전과 新裝의 미술관이 은은하게 솟아잇서 서울 사람들의 눈에 청량한 一景을 뵈여 줄 것이다.

280 李王職,『李王家美術館要覽』, 1938, p.6;「이전된 이왕가박물관」,『조광』4권 8호, 1938년 8월.

2층 중앙홀(국립중앙박물관 소장 건판)

정병, 연적, 탁잔, 침, 필통 등을 진열했다.

　제2실(고려도자기실)에는 고려청자 중의 상감을 위주로 진열했다. 각종의
기물 중에 운학, 국화, 모란, 당초, 포류수금 등의 문양을 흑백으로 상감하고 혹
은 따로 진사를 사용한 청자를 진열했다.

　제3실(중국도자기실)에는 고려시대의 분묘로부터 출토한 중국도자기를 진열했다.

　제4실(조선도자기실)에는 주로 조선시대의 도자기 중 분청사기, 백자, 청화,
진사유, 절사, 잡유 능을 진열했다.

　제5실(공예실)에는 삼국시대로부터 조선시대까지의 각종 공예품 중, 금공,
옥석, 목공, 죽공, 각장품 등을 진열했다.

　제6실(회화실)에는 주로 조선시대의 회화를 진열하다. 고려 공민왕 필이라
고 전하는 '천산대렵도'를 비롯하여, 조선시대 명가들의 작품을 진열했다.

　3층 중앙홀에는 신라, 가야토기를 진열했다.

　제7실(불상실)에는 조선시대, 고려시대, 통일신라시대와 삼국시대의 제작인

불상 전시실

도자기실

불상을 진열하다.

제8실(고분벽화모사실)에는 고구려벽화의 모사를 진열하다. 평안남도 강서군과 룡강군 소재의 고구려 고분의 벽화를 원형대로 모사한 것이다.

그리고 아래층 수장실에는 2, 3층에 진열하고 남은 것을 소장해 두고 특별한

사람에만 관람을 허락했다.[281]

1938년 6월 9일

《조선공예전람회》

가격표

문명상회의 제4회 《조선공예전람회》
는 1938년 6월 9일부터 18일까지 조선
공예연구회 주최와 조선총독부의 후원
으로 개최되었는데, 도록에는 오사카
시미술관의 고바야시 이치로小林市郎의 「조선도자의 미에 대하여」란 짧은 글과
「조선역대 대조표」라 하여 한국, 중국, 일본의 연대표가 삽입되어 있다.

또 가격표까지 만들었는데 '고려청자동자포도문상감대병'의 경우에는 75,000
엔, '고려청자일월교룡리어문상감병'은 23,800엔 이라는 가격표가 붙어 있다.

노록 뒷면에는 「조선고미술전람회 개최에 대하여」란 글이 있는데 말미에,
"경성 문명상회 이씨는 반도 구가에 태어나 전심으로 조선 고미술의 진가 선전
에 노력 헌신하여, 가장 열성진지熱誠眞摯한 고미술 수집가로 일찍이 전반도에

---

281 신축한 미술관의 미술품 진열에 대해『매일신보』1938년 6월 6일자 기사에 간략하게 전
하고 있으며,『삼천리』제12권 제9호(1940년 10월)의 「지상견학, 고궁-덕수궁」이란 글에
는 새로이 진열한 신관의 미술품에 대해 구체적 설명을 하고 있다.

신망이 두텁고, 이미 내지에 동경 및 당지에서 3회의 전관展觀을 개최한 사계에 절찬을 두루 받아 왔다"고 치켜세우고 있다.

*제4회 전람회 주요 목록

품명	목록번호	비고
고려청자동자포도문상감대병	1	아타카(安宅)컬렉션으로 들어감
高麗靑磁日月蛟龍鯉魚文象嵌瓶	2	"고려병 중 名品"
高麗三島 연화문상감편호	3	"편호 중 최우품"
고려상감국화문수주	4	"정교무비한 최고 絕品", 아타카(安宅)컬렉션으로 들어감

품명	목록번호	비고
조선진사연화문대호	5	 "본품은 이미 전반도에 선전" 『安宅컬렉션 名陶展』(1976)에 수록
낙랑경	6	
삼국시대 및 신라불상	7~9	

품명	목록번호	비고
신라불상	10~11	
고려귀와당	19~30	
고려청자상감용두수주	52	
고려청자국화문음각수주	58	
~259 도판		
낙랑	260~280	
신라, 고구려, 고려	281~550	
조선	551~1000	
이하 250점 목록 생략		

 * 목록번호 5번으로 나타난 '조선진사연화문대호'는 함안의 송원흥업 대표

마츠하라 준이치로松原純一郎가 소장했던 것으로 문명상회로 매각되기 전부터 이름난 도자기이다. 이것은 1942년에 간행한 타나카 토요타로田中豊太郎의『이조도자도보』에 도판 32로 게재되어 있다.

마츠하라는 백자 일품과 연적을 상당히 수집하였다.『조선고적도보』제15책(1935)에는 '백자진사회연화문호白磁辰砂繪蓮花紋壺', '청화백자진사쌍금매죽문호靑華白磁辰砂雙禽梅竹紋壺'를 비롯한 백자 15점과 연적 5점이 수록되어 있다. 백자 일품을 가장 많이 수집한 사람 중의 한사람이다.

노모리 겐野守健은『고려자기의 연구』(1944)에서 마츠하라가 소장하고 있던 '청자음각 '照淸造' 명연화문병'을 도판으로 실으면서 마츠하라의 거주지를 도쿄로 기록하고 있어 그의 수장품은 해방 전에 대부분 일본으로 가져간 것으로 추정된다.

1938년 6월 27일

강릉 전(傳) 예국토성(濊國土城)

아리미츠 교이치有光教一와 현명섭 등이 1938년 6월 27일부터 7월 11일까지

강원도 강릉 및 함경남도 영흥군 일대의 지정이 필요한 물건에 대해 필요한 사항을 조사했다.[282]

1938년 7월

안성군에 있는 석탑 도난

경기도 안성군 안성면 장계리에 있는 백제시대의 석탑을 그 동네에 거주하는 강춘흥 외 두 명이 수일 전에 훔쳐다가 경성 방면에 팔아 버린 후 어디로 도망하여 안성경찰서에서는 경기도 경찰부와 합동하여 전국에 수배를 하다.[283]

국민정신총동원조선연맹 결성

1937년 7월 중일전쟁에 돌입한 일제는 군수산업에 혈안이 되어 전대미문의 식민지에 대한 인권유린으로 노동력의 통제와 징용을 강제하여 대부분의 기업이 군수품생산업체로 전환했다. 1937년 10월에 일본에서 '국민정신총동원중앙연맹'이 결성되자, 1938년 7월에는 총독부 학무국을 중심으로 조선 민간단체

282 「강원도 강릉 및 함경남도 영흥 조사 복명서」, 『국립중앙박물관 소장 조선총독부박물관 공문서』, 목록번호 : 96-380.
283 『조선중앙일보』 1936년 7월 31일자.

및 개인을 발기인으로[284] 하여 '국민정신총동원조선연맹'을 결성하였다. 국민

총동원운동은 한반도 전역에 내선일체를 전파하는데 가장 효과적이고 강압적

인 운동조직이라 할 수 있다. 조선연맹의 강령은 황국정신 발양, 내선일체의 완

성, 생활의 혁신, 전시경제정책에 협력, 노동보국, 생업보국, 총후의 후원, 방공

방첩 등이다. 그 조직은 도, 부, 군, 면, 동, 부락연맹 그 외 관공서, 학교, 회사,

은행, 공장, 상점 등 각종 연맹과 그 아래 '애국반愛國班'을 두었다.[285]

　애국반은 5호 이상 20호 이하로 조직하였다. 이로 인해 1939년 초에는 경성

부에서만 1만개 이상의 애국반이 조직되었다. 애국반은 매월 1일 애국일로 정

하여 월례회를 열고 긴밀한 연락을 취하면서 국민정신총동원 실천운동을 하도

록 했다.[286] 이러한 조직별 활동은 전 지역이 마찬가지였다.[287]

284　1938년 6월 12일에 일본인 5명과 한국인 윤치호(伊東致昊), 한상룡, 조병상(夏山茂),
　　박영철, 최린(佳山隣) 등 민간 유력자 10명이 총독부에 모여 국민정신총동원조선연맹
　　결성의 준비위원으로 협의하고, 14일에 총독부에서 정식 발기인 준비위원회를 열었다.
　　6월 22일에 경성부민관에서 65개의 유력단체와 한일 유지들이 모여 발기인 대회를 가
　　졌다(森田芳夫,『朝鮮に於ける國民總力運動史』, 國民總力朝鮮聯盟, 1945, p.24).

285　綠旗聯盟,『今日の朝鮮問題 講座』第4冊, 綠旗日本文化硏究所, 1939, p.37.

286　국민총력조선연맹에서는『국민총력총서』,『시국과 내선일체』 등의 책자를 애국반에는
　　배부하여 강제로 읽게 하고 실행할 것을 강요하였다.
　　『시국과 내선일체』(국민총력조선연맹, 1942)에서 미나미는
　　"말하자면 조선교육령의 획기적 개정, 육군특별지원병제도의 창설, 창씨제도 설치, 황국신민서
　　사 제정, 부여신궁의 창건 등의 여러 가지의 시설과 국민총력연맹의 애국반 조직의 보급 철저
　　운동으로 해서 내선일체는 자꾸만 실현되는 중이며 또한 지나사변 이후 급격하게 높아가고 있
　　는 반도 민중의 애국심의 발로는 한층 더 실현시키고 있는 것도 사실입니다. 그러나 아직까지
　　도 내용이나 형식이 다같이 완전한 내선일체는 되지못한 것도 또한 유감으로 생각합니다.
　　이렇게 어려운 시기를 당하여 내선인은 한층 더 노력을 다하여 하루라도 빨리 우리의 생
　　각하는 목적을 이루고 그래서 힘 있는 신동아의 빛나는 기초를 세우는 동시에 더욱 나가
　　서 시국이 어려움을 이기고 큰 사명을 달성히도록 매진해야 하겠습니다" 라고 하고 있다.

287　경기도사편찬위원회,『경기도사, 제7권』, 2006, p.102.

서울의 경우에는 1938년 7월 7일에 '국민정신총동원 경성연맹'을 결성했다.

당시 「조선보물고적명승천연기념물보존령」이란 제령制令이 있어 문화재 보호차원의 제도적인 법이 있었으나 '국방목적의 달성을 위하여 국가의 전력全力을 가장 유효하게 발휘할 수 있도록 인적 물적 자원을 통제統制 운용運用' 하는 국가총동원법 앞에서는 무용지물이었다. 그 결과 민족문화와 문화재가 무참히 파괴되고 수탈되었다.

평양고적연구회가 평남 대동군 조왕리 낙랑소학교운동장에서 낙랑고분을 발굴하다.[288]

1938년 8월 9일

보물고적도록 제1책(『불국사와 석굴암』)을 궁내성에 기증하다.[289]

---

288 『東亞日報』 1938년 7월 20일자.
289 1938년 8월 9일(기안) 학무국장이 궁내성 문서과장에게 보낸 '보물고적도록 제1책(『불국사와 석굴암』) 헌상의 건'이 있다.

1938년 8월 13일

도쿄제대 후지시마藤島 교수는 8월 13일부터 강원도내 철원, 통천, 양양, 고성, 강릉, 영월, 원주 등지의 보물과 고적을 답사 중인데, 20일간을 계속하기로 예정한다고 한다.[290]

1938년 8월 17일

고적애호일에 대한 행사 요령 통첩

총독부에서는 1938년 9월 10일 고적애호일 맞아 특히 시국의 중대함에 비추어 이 운동을 통하여 내선일체를 역사적으로 끼워 맞추어 동조동근으로 불가분의 관계에 있다는 것을 강조하여 이것을 일반 민중에게 철저히 알리고자 8월 17일 각 도지사에게 통첩을 발송하였다. 동일 각도에서는 각지의 근로보국대와 민간유력단체와 중소학교 생도들을 총동원하여 그 관내의 명승고적의 보전청정사업을 하게하고 특히 내선관계에 중점을 둔 고적애호에 관한 강화와 좌담회 등을 거행하는 각종 행사를 성대히 거행하게 했다.[291]

총독부 사회교육과에서 고적애호일을 맞아 국민정신총동원연맹 근로보국대

---

290 『每日申報』 1938년 8월 25일자.
291 『每日申報』 1938년 8월 20일자.

및 각급 학교에 보낸 통첩 내용은 다음과 같다.

통첩 요지는 다음과 같다.

통첩요지通牒要旨

1. 보존회와 보승회는 물론 각지의 근로보국대를 농원하여 관내의 고적 또는 명승을 보전청정케 할 것. 고적명승이 없는 지방에서는 신사神社, 불각佛閣의 정화, 신단神壇 제단祭壇의 청소 또는 경승지景勝地의 보전작업으로 대신할 것.

『매일신보』
1938년 8월 20일자 기사

2. 주요 고적지와 명승지의 부읍면 기타 단체로 하여금 고적애호(특히 내선관계에 치중할 것)에 관한 강화 또는 좌담회를 개최게 할 것.

3. 관내 각 초등학교에서는 당일 또는 전후 적당한 기회에 고적애호에 관한 훈화를 행할 것.

4. 각지의 박물관 향토관으로 하여금 고적애호일의 취지에 맞는 제반행사를 행할 것.

5. 이 운동을 행하여 국민도덕의 향상, 지방의 순풍미속淳風美俗을 보존케 하고 폐습을 개선하는데 진력케 할 것.

6. 조선보물·고적·명승·천연기념물보존회 기타 관계 법률의 취지를 철저히 주지시킬 것.

7. 당일의 집회에서는 황거요배皇居遙拜, 국가합창, 황국신민서사제송皇國臣民誓詞齊誦 등을 하게 할 것.

8. 당일에는 총독부 학무국장과 동 사회교육과장

의 고적애호와 내선일체內鮮一體에 관한 방송이 있을 것임.[292]

고적애호일을 각종단체의 정신적 무장을 철처히 하는 동기로 삼고자 했다.

1938년 8월 20일

대구의 오구라 다케노스케小倉武之助의 소장 불상 10여 점을 도난 당하다.

오구라 다케노스케小倉武之助는 전국적인 조직망을 가지고 고고유물을 수집한 대수장가이다. 그는 대구의 저택에 유물 진열관을 만들어 수집품을 보관해 두었는데, 8월 20일에 어떤 자가 진열관의 문을 비틀고 그 안에 보관한 불상 10여 점을 훔쳐 달아났다.

오구라 소장의 불상 도난 기사
(『매일신보』1938년 8월 23일자)

평양박물관 진열품 도난

평양 모란대의 부립박물관의 순시가 20일 아침 7시에 순시를 하던 중 동관

---

292 『東亞日報』1938년 8월 20일자.

남쪽의 천정에 끼어 있는 유리 두 쪽이 깨어져 있는 것을 발견하고 살펴보니 도적이 든 것을 확인하고 경찰서에 급보를 했다. 조사결과 도둑은 박물관에 진열한 금속제품을 중심으로 훔쳐 달아났다. 다음과 같은 관련 기사가 있다.

'평양박물관 고미술 도난 목하 범인을 염탐 중'
조선의 세계적 자랑거리인 고고학계의 보고인 낙랑 고구려 출토품을 진열하고 있는 평양 모란대의 부립박물관의 순시 김용수가 20일 아침 7시 쯤 되어 순시를 하던 중 동관 남쪽의 천정에 씌어져 있는 유리 두 짝이 깨어져 있음으로 대단히 놀라서 조사하여 본 즉 문이 따진 것이 알게 되었음으로 곧 평양서에 급보하였다. 이 급보를 받고 경관과 부윤이 함께 출장하여 조사한 결과 도적이 들어온 경로는 정문은 굳게 잠기어 있음으로 뒤로 사다리를 놓고 지붕으로 올라가 박물관 속으로 들어간 것이 확실하게 되었고, 금동제품 1,230원어치 32점이 도적맞은 것으로 범인을 염탐 중이라(『매일신보』 1938년 8월 21일자).

『매일신보』 1938년 8월 21일자 기사

도난품은 22점, 전부가 금은으로 만든 골동품
동 박물관에서는 지난 19일 밤 10시부터 20일 오전 0시, 동 2시, 동 4시 등 4차례 순시를 정확히 하였는데 범인은 순시하는 사이 2시간을 틈을 타서 들어왔던 모양이고 앞문 뒷문은 모두 자물쇠로 잠 가두었더니 만큼 뒤뜰 안에 놓아두었던 사다리를 이용하여 지붕으로 올라가서 누각의 유리창을 파괴한 후 그곳에서 노끈을 메고 진열장으로 내려갔던 모양 이다. 도난현장에는 유리알 깨어진 것이 흐트러져 있었고 피 흔적이 약간 남아 있었던 것으로 보아 범인은 손목 같은 데를 부상한 모양이었으며 사다리를 놓 은 것이 순시숙사에서 가까운 사실과 도난품 가운데는 적은 물건이 많이 있는 것은 사실로 보아 몸이 가볍고 기민한 연소자의 소위인 듯 하다 한다.

그리고 도난품 22점은 학술적 가치는 비교적 적으나 모두 다 금, 은, 동 같은 귀금속으로 가공한 것이라 최근 귀금속 가격이 오른 것을 알고 이것을 녹여 팔아먹을 작정으로 훔친 모양이나 녹이면 불과 몇 푼 가치도 못가는 것이라 하며 골동품 가격으로 하면 잘 받아야 약 2천원에 달하리라 한다. 범인이 물 건을 녹여버리면 고고학적 참고자료만 없어질 것이 근심된다 하여 경찰에서 는 빨리 범인을 검거하고자 대활동 중이오 도난품의 대부분은 개인 소유임 으로 박물관에서는 크게 초조해하고 있다(『매일신보』 1938년 8월 22일자).

1938년 8월 24일

경주읍 교리 최대식이라는 사람은 집 앞의 흥륜사 절터 석탑 앞에 놓였던 봉로 대奉爐臺를 소장하고 있었는데, 8월 24일에 이것을 경주박물관에 기증하였다.[293]

---

293 『朝鮮日報』 1938년 8월 28일자.

1938년 8월 27일

도굴품 몰수

1938년 8월 27일에 공주군 박영원 외 2명은 공주군 임천면 가신리의 고분 2기를 도굴하였는데, 그 이튿날 경찰에 발각되어 2명은 검거되고 도굴한 물품은 몰수했다. 1938년 8월 30일자로 부여경찰서장이 충청남도 경찰부장에게 보낸 '몰수물품 처분에 관한 건'[294]에 의하면,

부사 제248호

소화13년 8월 30일

부여경찰서장

충청남도 경찰부장 전

'몰수물품 처분에 관한 건'

본적 공주군 탄천면 운곡리 박영원

본적 공주군 탄천면 견동리 정순석

우 양자는 공주군 주외면 주미리 전태관(도주자)과 공동으로 소화13년 8월 27일 오후 1시경부터 동 7시경까지 관하 임천면 가신리 속칭 보광사지 普光寺址 부근에서 고분 2기를 허가를 받지 않고 발굴하여 좌기 고물을 취득 도주 중 동월 28일 당 서의 눈에 발견되어 동일 당서에서 조선보물고적명승천연기념물보존령 제18조 제1항 동 22조 1항에 의하여 각 벌금 30원

---

294 「昭和8~18년도 인계품, 기부품, 채집품 문서철」,『총독부박물관 공문서』, 목록번호 : 97-발견20.

을 즉결처분에 붙이고 함께 발굴품은 몰수 언도하여 동 품은 당지 고적연구회 촉탁 스기 사부로杉三郞에게 감정한 결과 고려시대 제품으로 합계 시가 24,5원에 지나지 않으나 고고자료로 당 부여고적보존회에 기부하는 것이 적당할 것으로 사료되어 처분에 대한 지시를 바람.

이란 내용과 함께 몰수물품의 목록을 기재하고 사진을 첨부하고 있다. 몰수물품에 대해서는 부여고적보존회에 기부할 것을 원하고 있으나, 이는 수락되지 않은 것으로 보인다.[295]

몰수 물품 사진

295 1938년 10월 13일자로 충청남도 부여경찰서에서 조선총독부 학무국장에게 보낸 '몰수 물품 송부에 관한 건'이 보인다.

1938년 8월

경기도 고양군 은평면 불광리에 사는 호장성은 경성 남대문 이종화, 오복남, 차군평, 등과 공모하고 시흥군 신동면 서초리 산에 있는 파주 성덕경 소유 묘지에 있는 문인석, 촉대석과 묘총에 있는 고려자기 등을 파내어 마차 4대에 싣고 경성방면으로 팔려고 가는 것을 동네 사람들이 발견하고 신동면 주재소에 신고하여 체포하였다.[296]

1938년 9월 16일

대구 대명동 고분 조사

대구 대명동 영선지반 충령탑 부근 구릉지에 있는 고분군은 이번에 충령탑 부속건물을 건설할 계획으로 부지 내에 있는 고분에 대한 조사를 총독부에 의뢰하게 되었다. 충령탑 남방에 있는 고분묘 7기를 1938년 9월 16일부터 10월 초순까지 아리미츠 교이치有光敎—에 의해 발굴하여 금동제관, 금동두병두태도, 청동제령, 청동제탁, 고배, 토제방추차 등 상당한 유물을 발견했다.『동아일보』 1938년 10월 1일자에는 다음과 같은 기사가 있다.

신라시대고분 대구지방 중심으로 발굴. 금관, 금동령 등 귀중품 50점 발견
대구부를 중심으로 부근 해안면 불로동, 달서면 비산동, 수성면 대명동 일대

---

296 『東亞日報』 1938년 8월 18일자.

에 삼국시대 신라고분묘가 산재하여 신라문화의 자랑꺼리를 발하고 있는데 총독부 촉탁 유광 학사는 지난 16일 대구에 와서 목하 대명동 충령탑 남방에 있는 고분묘를 발굴 중인데 지금까지 발굴한 신라문화의 유물이 50여 점이 발굴되었다. 그 중에 경주 금관과 같은 금동제관(높이 1척) 및 금동환두병두태도(길이 2척 5촌) 등은 고고연구학상 귀중한 재료로써 학계에 많은 도움을 주고 있다. 그리고 유광씨는 30일까지 7기의 고분묘를 발굴하고 10월 초순에 귀임할 예정인데 앞으로 또 여하한 유물이 발굴될지 일반은 비상히 주목하고 있다.

『동아일보』 1938년 10월 1일자 기사

1938년 9월

강릉에서 거대한 석조 고분 발견

9월에 강릉 도립의원 외과과장 박건원이 강릉 안인 사구지대砂丘地帶에서 거대한 석조고분을 발견했다. 이 소식을 접한 동아일보 강릉지부 기자가 찾아가 박건원의 안내를 받아 고분 발견지를 답사했다.

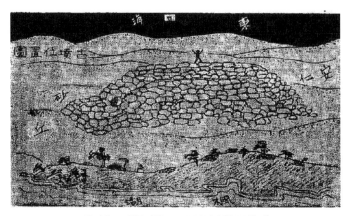

석조분묘도(『동아일보』 1938년 9월 22일자)

강릉 안인 일대는 대단히 넓은 사막지구로 무수한 고분이 모두 평지화하여 사람의 뼈와 짐승의 뼈가 사방에 흩어져 있고 중앙에 거대한 고분이 있었다. 기사 내용은 다음과 같다.

백골을 발로 걷어차며 기어오른즉 앞에는 넓은 제단이 있고 이어 석조분묘가 동북간방東北間方으로 향해 누웠다. 씨(박건원)의 목측한 바에 의하면 분묘 최하부 주위가 250미터, 최상부 주위가 100미터, 상부 길이 60미터, 상부 폭 13미터, 높이가 8미터나 되는 거대한 묘였다.

이에 대하여 풍호일대 신라고총을 해마다 탐승 연구하는 강릉공립농업학교장 장전겸이長田謙二 선생은 다음과 같이 말하였다.

"대단히 놀라운 발견이올시다. 이것은 틀림없는 신라고분이올시다. 부근 군소군총에서도 훌륭한 기구릉속이 속출하는 형편이므로 이 속에는 물론 무

엇이 있을 줄을 확신합니다" 라고 하며 분묘도墳墓圖를 감수하여 주었다.[297]

정몽주충렬비 손상(損傷)

전시로 중석의 다량적 수요에 착안
하여 일확천금을 노리는 도굴배들이
명승지를 좀먹어 들어가는 예가 빈번
하여 빈축을 받고 있다.

여말의 충신 정몽주의 충렬을 후세에
전하기 위해 고종황제가 세운 어제어필의
비석이 중석과 같다하여 어떤 자가 비의
한 모퉁이를 파괴하는 불상사가 생겼다.

개성 선죽교에는 고려말 충신 포은
정몽주의 절개를 기리기 위해 선죽교 건
너편에 조선 영조와 고종이 포은의 충절

麗末鄭夢周忠烈碑
重石禍로一部損傷

『동아일보』 1938년 9월 13일자 기사

을 흠모하는 의미에서 비석을 세우고 비각을 건립했다. 그 중 고종이 어제 어필하
여 세운 비는 고종9년에 건립한 것인데 약 2촌 가량이 깎여 있음이 최근에 발견
되었다. 이 같은 행위는 이 비가 중석으로 만든 것을 여겨, 중석 여부를 알려는 자
의 소행으로 보고 있다. 그것은 최근 어떤 자가 이 비석의 건립에 대한 문헌을 조

---

297 『東亞日報』 1938년 9월 22일자.

선죽교 비각(중앙박물관 소장 건판)

사하는 사람이 있다는 소문이 있음에 비추어, 중석이 확인되면 비의 원산지를 찾
아 중석을 캐겠다는 속셈에서 이같은 소행이 있었던 것으로 추정하고 있다.[298]

1938년 10월 25일

평양 청암리 폐사지 발굴 조사

　　고구려의 금강사지金剛寺址로 추정되는[299] 청암리 폐사지는 1938년도 조선고적
연구회의 사업으로 10월 25일부터 11월 3일까지 고이즈미 아키오小泉顯夫, 요네

---

298 『東亞日報』1938년 9월 13일자.
299 梅原末治, 藤田亮策 編著『朝鮮古文化綜鑑』第4卷(1966, 養德社, p.17)에서는『三國遺
　　事』,『東國輿地勝覽』,『高麗史』의 記事를 들어 金剛寺로 추정하고 있다.

다 미요지米田美代治, 사카이坂井, 오
노小野 등에 의해 조사되었다.

청암리 사지에서 약 5천 평에 달
하는 주요지역에 대한 발굴조사가
있었다. 사지는 이미 경작화耕作化되
어 부근의 민가에는 본 지역에서 출
토된 것으로 알려진 각종 초석이 산
재해 있었으며, 사지의 지표상에는
와편이 산란했다.

이곳 사지에서는 일찍부터 우수
한 고구려 와당이 출토되어 각 수집
가들의 손에 들어갔다. 평양 모로카

청암리폐사지

에이지諸岡榮治의 수집품 중 본 유적지 출토라 하는 귀면와당鬼面瓦當이 있다.

이번 조사에서 '寒川' 재명의 희귀한 문자전, 금동소령, 금동락천소상金銅樂天
小像, 금동제금구, 청동제대금구, 귀면와 등을 발견했다.[300]

관련하여 다음과 같은 기사가 있다.

---

300 「平壤淸岩里廢寺址の調査」,『昭和13年度 古蹟調査報告』, 朝鮮古蹟硏究會, 1940.
　　당시 발굴조사에는 평양중학교 전교생이 勤勞奉仕라는 이름 하에 20여 일간 동원되있
　　다(小泉顯夫,『朝鮮古代遺跡の遍歷』, 六興出版, 1986, pp.339-340).

고구려 왕궁지에서 8각 대기단 발굴

금년 첫 가을부터 시작된 청암리 발굴사업이 진

척됨에 따라 왕궁지가 발현되고 있었다함은 기

보한 바이어니와 그 기단 발굴작업을 계속하고

있던 중 12일에 이르러서는 한 변 길이가 약 9

미터에 달하는 8각형의 광대한 기단 전부가 들

어났다. 이 8각형기단은 법륭사 몽전의 그것과

청암리폐사지 출토 귀면와
(『소화13년도 고적조사보고』)

방불한 것이나 그보다도 규모가 큰 것일 뿐만아

니라 고구려 유물 기단으로서 이렇게 큰 것이

발현되기는 이 작업이 전연 처음이어서 이번 발굴 작업의 큰 수확이고 고고

학계에 찬란한 이채를 발하는 것이라 한다(『매일신보』 1938년 11월 15일자).

평양고적보존회에서는 평양부 청암리 일대를 발굴도중 고구려시대의 왕

궁과 사원의 기단을 발견하다(『동아일보』 1938년 11월 16일자).

1938년 11월 1일

《고대내선관계자료 특별전》

조선총독부박물관은 1938년 11월 1일부터 7일까지 박물관주간 동안 고대

의 일본 내지와 조선관계 자료 약 100여점을 뽑아 '고대 내선관계 사료전'이라

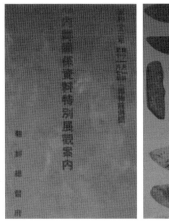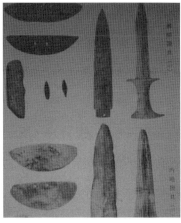

《고대내선관계자료 특별전관》 표지 및 도판

는 특별전을 개최했다.[301] 이는 조선총독 미나미 지로南次郎의 통치철학을 구현한 것으로 사세 나오에佐瀬直衛가 쓴 「박물관주간에 있어 특별전관과 내선일체의 사실에 대해」에는 조선총독의 반도 통치의 이념인 선만일여와 내선일체를 강고히 심기 위해 마련했다고 한다. 구체적으로는 일본과 반도 2천년의 역사를 돌이켜 보여주기 위해 마련되었다고 한다.

유물과 사진에서 한국과 일본 두 나라 고대사의 유사점을 밝히고자 하였다. 백제 유물과 일본에서 출토된 유물을 함께 진열하였으며, 경상남도 김해, 동래지방의 유적 유물과 일본의 북구주 중심의 유물 등을 진열하였다.

특히 미나미 총독은 "유물상으로 보이는 것은 아국과 가장 친선관계를 맺고 종시 아국에 의존하여 국가를 유지해온 백제와의 교통관계를 한눈에 볼 수 있

---

301 朝鮮總督府, 『古代內鮮關係資料特別展覽案內』, 1938.

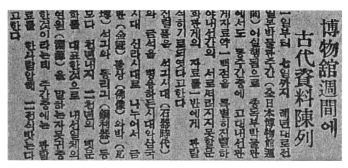

『매일신보』 1938년 11월 2일자 기사

고 내선일체의 사실을 회고케 한다"[302]고 했다. 그리고 "고대에 있어서의 내선일체의 사실을 회고하고, 우리 동포들이 더욱 그 결속을 단단히 하고, 총후 국민의 적성赤誠을 피력披瀝할 수 있을 것으로 생각한다"[303]고 했다.

1938년 11월 4일

황거요배 강요

황거요배는 10월까지는 이를 장려하다가 11월 4일부터는 부터는 전 국민이 매일 아침마다 실행하는 것으로 강요했다. 이후 각 지방의 실행 상태를 연일 보도하고 있다.

302 佐瀨直衞, 「博物館週間に於ける特別展觀と內鮮一體の事實に就て」, 『朝鮮』, 朝鮮總督府, 1938년 12월, p.41.
303 佐瀨直衞, 「博物館週間に於ける特別展觀と內鮮一體の事實に就て」, 『朝鮮』, 朝鮮總督府, 1938년 12월, p.43.

『매일신보』 1938년 11월 4일자 기사

1938년 11월 8일

《조선명보전람회》

조선미술관 주최 매일신보사 후원으로 11월 8일부터 12일까지 5일간 경성부 내 태평통 경성부민관 강당에서 조선 명작 서화와 조선에 관계있는 작품을 망 라하여 조선명보전람회를 개최하였다.

전람회 광고 및 『매일신보』 1938년 11월 1일자 기사

이 전람회는 조선미술관 주최, 매일신보사 후원으로 열리게 되었다. 이왕가박물관에서는 강산무진도권, 총독부박물관에서는 연담의 달마도와 공재의 인물도 등을 출품하였으며, 박영철, 박창훈, 장택상, 김은호, 이한복, 한상억, 이병직, 임상종 등을 비롯하여 함흥에서 김명학, 신천에서 이계천 등 그 외 김찬영, 김주익, 민규식, 손재형, 후지츠카 지카시藤塚鄰 등의 대표적 소장품이 출품되었다.[304]

특별히 화려한 『조선명보전람회도록』(오봉빈 편)까지 조선미술관에 의해 간행되었다. 『매일신보』 1938년 11월 29일자에는 홍순혁의 「조선명보도록」이란 조선명보도록에 대한 감상문을 게재하고 있다. 이 글에서 홍순혁은 도록의 구

304 『每日申報』 1938년 10월 27일자, 11월 31일자, 11월 7일자, 11월 8일자, 11월 9일자, 11월 10일자.

성과 내용을 비롯하여 서지학적 가치를 논하고, 아울러 이 전람회를 주최하고 도록을 발행한 오봉빈의 공로를 찬하고 있다. 다음은 그 내용의 기사이다.

홍순혁, 「조선명보도록」

지난 8일부터 닷새 동안 경성부민관에서 조선미술관 주최의 조선명보전 람회가 개최되었다. 지방에 있어 중앙의 학계와 사이를 멀리하고 있는 필 자로서는 마음대로 참관할 수 없는 비애와 불편을 얼마나 애닯어 하였을 까 의외에 미술관 주관 오봉빈 씨로부터 도록의 혜증惠贈을 받고 이어 전 람회 출품 1부의 감흥전관이 있어 애닯음의 일부나마 <중략> 도록 독후감 을 초草하는 이유가 오씨의 후의에 사謝하려 함보다도 사계 발전을 위하여 연래로 노력하는 씨의 공을 상賞코저 겸하여 도록의 내용을 소개하여 동 호제가同好諸家의 청감淸鑑을 권勸코저 함에 있다.

도록은 국판 지의紙衣의 담장淡裝으로 도록과 목록 권두의 서, 권말의 「주최 자의 담」 각 1엽으로 되어있다. 도록에는 115점의 서화의 정철精綴한 사진 판이 수용된바 제명과 수장가명이 일일이 기록되어 있으며 대개는 작가연 대순으로 배열되었으나 간혹 그렇치않은바 있음은 도면의 대소에 따른 배 치상 관계이었으라고 생각된다. 도록의 내용을 보면 서 34점(고비탁본 2 점), 화 80점(불화 1점, 초상화 3점), 서화 합작 1점, 계 115점으로 되어있다. 이를 작가별로 보면 7점의 지나(중국) 서화를 제하고는 모두가 조선인의 일류명작으로 7점의 지나의 것도 대개는 조선과 인연 있는 것이다.

조선고미술계의 도록 중 화로는 조선총독부 발행의 조선고적도보 권14를 제일로 칠 것이다. 이조화 221점을 수집한 것으로 이왕가박물관, 총독부박물관의 것을 중심으로 민간 수장의 약간을 가한 것이다. 이보다 앞서 국민미술협회 주최의 조선명화전람회가 소화6년 춘에 동경부미술관에서 성대히 개최되었을 적에 발행된 목록이 일부 호고가好古家에게 알리어져 있으니 36매의 도록에 80여 점이 수용되어 있는 것이다.

조선 고서의 도록으로는 재래식 출판이 없지않으나 모두 목판식으로 감상상 가치가 적고 오직 조선서도청화朝鮮書道菁華 5책과 동경 평범사 간행 서도전집 28책 중에 소수所收된 조선 각시대 금석문탁본, 명가필적이 비교적 완전한 것으로 생각된다. 그러나 조선명화전람회목록은 당시 회장 입구에서 매진된 성황이었다 하며 조선고적도보 14는 원래 비매품으로 경성미술품상이 1책 20원에 특약 분양하였으나 지금은 시가 40, 50원을 상하하여 용이히 입수키 곤란하며 조선서도화 또한 발행부수가 적었음인지 고서 시장에 별로 나타나지 않으며 오직 서도전집이 고서점두에 나타나 있으나 전질 27, 28원의 호가로 우리로서는 쉽게 구독하게 되지 않는다.

우리 반도 고미술 - 서화, 도자, 목공, 석물, 금공 등 진기품珍奇品의 가치는 우리들 반도인들 보다도 다른 분들의 선각선견에 의하여 이미 연구 수장되었음에 깨달음이 있는 오씨는 일찍이 서화전문의 조선미술관을 세우고 사계의 발전을 위하여 분투노력해왔다. 동경서 개최된 조선명화전람회에는 반도 민간 측 위원으로 활약하였으며 그 후 동 전람회를 경성에서도 개최하도록 주선하여 성공하였고 단독으로 해마다 전람회를 열기 여러 차례였으며 이번에는 서화가 감상가 등 일류대가를 총동원한 12위원의 엄선하에 경향 수장가의 비장진수秘藏珍蒐를 1당에 모아 대전람회를 개최하고 겸하여 도록 발행하니 누구라서 그 애씀과 수고함에 경의를 표하지 않을 수 없

전람회 화보(『매일신보』 1938년 11월 9일자)

다. 그 도록의 내용이 또한 영리가의 간판적 목록이 아니고 중요한 것을 거
의 다 수록함에 있어어랴 더욱 실비로 제공하는 씨의 봉사적 정신에는 누
구나 실물을 손에 드는 이로 필자와 동양의 감사를 가질줄 믿는다. <중략>
또한 민간에 비장된 진품을 다수히 모아 세상에 발표함에 더 큰 의의가 있
는 줄 믿는다.

1938년 11월 14일

대구 신지동고분 조사

대구 신지동 구릉지대에 산재한 고분군은 북에 10기, 남에 30기 정도로 대부
분이 이미 경작지화 되어 봉토가 사라지거나 도굴되어 원형이 심하게 훼손되
었다. 조사는 11월 14일부터 2주에 걸쳐 행해졌다.

이를 정리하면 대략 다음과 같다.[305]

1938년 11월	대구	藤田亮策, 末松保和, 白神壽吉, 大坂金太郎, 崔南柱, 齋藤忠,	신지동(현 대명동)북구릉 제7호분	銀装鐶頭大刀 1구, 鐵地銀張心 葉形帶金具 4개, 鐵鎌 1개, 銀板片 1개, 토기편 3개분
1938년 11월	대구	藤田亮策, 末松保和, 白神壽吉, 大坂金太郎, 崔南柱, 齋藤忠,	신지동 북구릉 제8호분, 제2호분	鐵刀, 토기 11점
1938년 11월	대구	藤田亮策, 末松保和, 白神壽吉, 大坂金太郎, 崔南柱, 齋藤忠,	신지동 북구릉 제2호분	金製耳飾斷片
1938년 11월	대구	藤田亮策, 末松保和, 白神壽吉, 大坂金太郎, 崔南柱, 齋藤忠,	신지동 남구릉 제1호	鐵鉾 1개, 響片 1개, 토기편 2개분
1938년 11월	대구	藤田亮策, 末松保和, 白神壽吉, 大坂金太郎, 崔南柱, 齋藤忠,	신지동 남구릉 제2호분, 고총	響引手殘缺, 鐵製刀子 1개, 토기편 4개분 高塚-토기편

신지동북구릉 제7호분 환두태도 유존상태

---

305 齋藤忠,「大邱府附近に於ける古墳の調査」,『昭和13年度 古蹟調査報告』, 朝鮮古蹟硏究
會, 1940, pp.58~61.
齋藤忠,『朝鮮古代文化の硏究』, 地人書館, 1943, p.139.

신지동북구릉 제8호분

1938년 11월 20일

대구 대봉동 지석묘 조사

대구 대봉동 지석묘는 1927년에 고이즈미 아키오小泉顯夫에 의해 제2구가 발굴되었으며, 1936년 9월에 가야모토榧本에 의해 제2구 및 제3구가 발굴 조사되었다. 1936년 10월에는 후지타藤田, 가야모토榧本가 제4구의 발굴 조사하여『소화11년도조사보고』에 그 개요를 기술하고 있다.

1938년 11월에 대구여자고등보통학교 시라가미 주키치白神壽吉가 대구의 유지들에게 대구부내에 산재해 있는 고적을 소개하기 위하여 자금을 모집하고 이 조사를 행할 것을 독려했다. 이로 사이토 타다시齋藤忠가 신지동에서 2군의 고분묘를 발굴조사하고, 후지타藤田, 스에마츠 야스카즈末松保和, 시라가미 주키치白神

대구 대봉동 제1구 제2지석묘

壽吉, 가와사키川崎文治가 대봉동 제1구와 제5구의 지석묘를 발굴하게 되었다.

대봉동 제1구와 제5구의 지석묘의 발굴은 11월 20일에 개시하여 28일에 종료했는데 석검, 석족, 토기편 다수를 출토시켰다.[306]

제1구 제1지석묘와 제1구 제1지석묘부근 석실

---

306 藤田亮策,「大邱大鳳町支石墓調査」,『昭和13年度古蹟調査報告書』, 朝鮮古蹟研究會, 1940.

1938년 11월 25일

보물, 고적 새로이 24점 지정

1938년 11월 25일 총독부에서 열렸던 조선보물고적천연기념물 보존회 제4회 총회는 오노大野 정무총감을 회장으로 하고 일본으로부터 후지시마藤島 도쿄대교수, 공학박사 이토 쥬다伊東忠太, 문학박사 이케우치 히로시池内宏, 미요시三好 도쿄대교수 등 각 위원 27명이 출석하여 심사를 한 결과 작년

『매일신보』 1938년 11월 26일자 기사

보다 30점을 더하여 전부 101점을 보물, 고적으로 지정하였다.

『매일신보』 1938년 12월 1일자 기사를 보면, "보물, 고적을 통해 내선융화內鮮融化를 강화, 빛나는 신지정 24점" 이란 머리글 아래 다음과 같이 선전하고 있다.

이 중 24점은 내선일체를 규명하는데 있어 두 번 다시 얻기 어려운 사적이라 하여 만장일치의 추천으로 영구히 총독부의 손에 의하여 보존하기로 되었다. 그런데 이와 같이 내선일체의 귀중한 사실을 웅변으로 말하는 고적과 보물을 찾아내기까지는 총독부 당국의 적지않은 노력이 숨어 있다. 내선일체를 조선 통치의 근본방침으로 하는 남 총독은 역사상으로 내선일체의 사실을 말하

『매일신보』1938년 12월 1일자 기사
"보물, 고적을 통해 내선융화(內鮮融化)를 강화, 빛나는 신지정 24점"이란 기사
바로 위 1단에는 지원병을 사열하는 미나미 총독의 사진을 게재하고 있다.

는 백제, 임나 등의 고적과 보물을 적극적으로 조사 보호하도록 대야 총감과 염원 학무국장에게 명하였으므로 이 뜻을 쫓아 사회교육과에서는 김 과장이 직접 지휘지가 되어 직원을 내선일체의 사적이 가장 많이 남아 있는 경남, 전남, 충남의 각도로 파견하여 상세한 실지 조사를 하여 보존회에 그 심사를 의뢰한 결과 전기와 같이 내선일체의 귀중한 고적으로 지정을 보게 된 것이다.

이번에 새로이 지정된 보물과 고적 등을 통하여 "내선융화 강화에 새로운 박차를 더하게" 활용하기 위해 새로이 지정된 보물, 고적은 다음의 24점이다.

보물

부여 장하리3층석탑, 금동관세음보살입상(백제 관계 보물), 금동석가여래입상(백제 관계 보물).

고적

행주산성(백제 관계, 문록경장역 관계 고적), 남한산성(백제 관계 고적), 부여나성(백제 관계 고적), 부여 청산성(백제 관계 고적), 한지산성(백제 관계 고적), 고령 주산성(백제 관계 고적), 물금증산성(문록경장역 관계 고적), 창녕 화왕성(임나 관계 고적), 창녕 목마산성(임나 관계 고적), 김해 분산성(임나 관계 고적), 함안 성산산성(임나 관계 고적), 김해 전 수로왕 비릉(임나 관계 고적), 김해 삼산리고분(임나 관계 고적), 나주 대안리고분군, 나주 신촌리고분군, 나주 덕산리고분, 고령 지산동고분군(임나 관계 고적), 창녕고분군(임나 관계 고적), 공주 공산성(지역 추가)

1938년 11월

달성군 해안면 고분 조사

경북 달성군 해안면의 고분은 발굴에 앞서 오사카 긴타로와 스에마츠가 함께 이 지역을 답사하고 고분들을 일일이 점점했는데 해안면 고분군은 대소 70~80여 기나 되는데 도굴이 심하여 석곽이 노출된 것이 많았다.[307] 그 중에서 해안면 고분군에서 가장 거대한 고분 1기(1호분, 도굴분)와 비록 소형분이지만 도굴을 면한 고분 1기를 선정하였다. 고분의 선정은 가장 큰 1호분은 비록 도굴분이지만 무덤

---

307 「大邱附近に於ける古墳の調査」,『昭和13年度古蹟調査報告』, 朝鮮古蹟研究會, 1940.

해안면 제1호분(『소화13년도 고적조사보고』)

의 구조와 형식을 파악함으로서 한국 고대의 무덤형식과 편년관계를 연구하려는 의도였다. 소형분은 외형상 같은 모양을 가지고 있으나 도굴을 당하지 않았기 때문에 부장품을 발굴하여 도굴당한 1호분의 유물 관계를 연구하려는 목적이었다.

제 1호분은 해안면 고분군 중에서 가장 장대한 것으로 밑변 남북으로 28m, 동서로 62m, 높이 약 7m에 달하는 거대한 무덤이다. 이 고분을 사이토齋藤忠와 최남주가 함께 발굴을 하였다. 그 발굴 과정의 일부를 보면,

조사는 26일부터 최남주 씨의 원조를 받아서 실시되어 정상 동쪽부터 파 들어가 3일 째에 이르러 깊이 1.2m로 해 차츰 천정돌 윗부분의 구석에 도달했다. 즉시 부근을 넓게 파 내부에 들어가 조사를 진행했던바, 실은 좁고 길며, <중략> 중간에 경계벽을 두어 두 개의 실로 나뉜 특수한 구조를 갖고 있음을 알았다. 전실은 이미 도굴되는 불행에 처해 유물도 없고 경계벽도 상부가 파손되고 후실 또한 토기의 파편이 발 디딜 곳이 없을 정도로 산재하여 도굴자에게 유린교란蹂躪攪亂 당한 흔적을 보였다. 이에 이 토기 파편을 전부 외부로 꺼내 청소하고 더 한층 구조 등의 조사를 실행했다.

이 고분은 전실에 유해를 안치하고 후실에 부장품을 둔 전·후실을 갖춘 구조

의 무덤형식임을 확인했다. 유물로는 이미 도굴을 당하여 후실에서 토기편이나 금동 운주잔결金銅雲珠殘缺을 수습하는데 그쳤다.

2호분은 1호분과 같은 구조를 가지고 있었으며 전 후실에서 토기류 83점, 철꺽 쇠 37개분, 철도자鐵刀子 1본, 철도끼 2개 가 출토되었다.[308]

대구부근 발굴 유물
(1, 2-신지동북구릉 제8호분, 3-해안면
제1호분, 4, 5-해안면 제2호분 출토)

뉴욕에 소개될 오구라 다케노스케(小倉 武之助) 소장품

1939년 봄에 뉴욕에서 개최되는 만국박람회에 출품할 물품에 대해 일본 문부성에서 심사를 했는데 그 중에는 오구라가 소장한 한국 유물이 상당수 선정되었다. 다음은『조선일보』1938년 11월 23일자 기사 내용이다.

'뉴욕'에 소개될 신라시대 미술품, 19종을 만국박람회에 출품

남선합동전기회사 사장인 오구라 다케노스케小倉武之助 씨는 고고미술공예 품의 수집가로 저명한터 인바 씨의 소장인 신라시대의 고대예술품이 금년

---

308 齋藤忠,「大邱府附近に於ける古墳の調査」,『昭和13年度 古蹟調査報告』, 朝鮮古蹟研究 會, 1940, pp.58~61; 齋藤忠,『朝鮮古代文化の研究』, 地人書館, 1943, p.139.

봄에 문부성 일본미술품심사회에 18점이나 입선되었는바 금번에는 명춘
明春 미국 뉴욕에서 열릴 만국박람회에 17점이 출품케 되었다는바 이 박람
회를 통하여 천년전 신라의 예술이 널리 세계에 소개될 것이라고 한다.
출품 명목

낙랑시대 부쑬 1점, 낙랑와 3점, 삼국시대 동불상 3점, 이조시대 칠기 1점,
이조시대 칠기수상 1점, 삼국시대 괘축삼존불 1점, 삼국시대 고화 3점, 삼
국시대 주도경 1점, 목조 2점

1938년 12월

정읍에 있는 고탑을 매도

『매일신보』 1938년 12월 6일자에는 다음과 같은 기사가 있다.

정읍에 있는 고탑을 개인에게 매도계약, 지방주민들이 반대

전북 정읍군에는 상당한 고적이 산재해 있는데 그 중에도 국보로 편입되
어 있는 영원면 은선리 구명 탑성리에 있는 5층탑을 위시하여 고부면 고
부리며, 덕천면 우덕리와 북면 탑동에 있는 5층탑을 합하여 4개의 고탑이
있는데, 대정4년(1915)경에 부근에 사는 부랑자 김채중이라는 자가 영원
면에 있는 전기 5층탑을 팔아서 사복을 채우려다 발각되어 처형까지 당한
일이 아직까지 일반의 기억에 남아 있는 이즈음에 전기 북면 탑동에 있는

『매일신보』 1938년 12월 6일자

5층탑을 그 면 당국자가 학교 경영비에 충당한다는 명목으로 군산에 사는 개인 내지인 모에게 1천6백 원에 팔기로 계약까지 하였다 하여 면민 일반과 군내 유지들은 본군에 있는 국보적 존재를 설령 교육기관에 보조한다 할지라도 개인에게 매도하여 한 개의 완상물로 만들게 하는 것은 온당치 못하다 하여 매도 중지할 것을 강구 중이며 면 당국자의 임의처리는 불온 당하다하여 즉시 계원을 불러 매도를 중지시키는 동시에 전기 고물이 있는 다른 면에 대하여도 이와 같은 일이 없도록 전달하게 하였다고 한다. 이 사실에 대하여 정읍군수 주시헌 씨는 말하되, "군에서는 전연 모르는 일이다. 교육기관에 보충할려고 그랬다고 하니 취지는 좋으나 본군 내에 있는 유수한 고적물을 경경히 처분한다는 것은 생각하여야 할 문제이니 사실을 조사하여 될 수 있는대로 군내의 고적을 보존하도록 하겠다" 운운.

문제의 탑은 정읍 북면 복흥리[309] 탑동에 소재한 탑으로,『조선보물고적조사자료』에는 '사지, 탑' 조에, "북면 복흥리(사유림), 복흥리 와룡부락에 재하고 탑의 전고20척의 석탑, 부근에 와편이 다수 산재" 하다고 기록하고 있다.

1936년에 간행한『정읍군지』의 '석탑' 조를 보면, "북면 복흥리 구내 탑입리에 있으니 당지는 고려초에 우마사牛馬寺라는 사찰이 있는 관계상 그 시에 건조한듯하다. 본시 6층으로 건조한 것으로 매 층의 4귀에 풍반風磬을 매달았으며 조각의 정교함이 본군 석탑 중 으뜸인데 위3층은 이미 훼락毀落됨이 오래며 현존한 것은 고가 20척 가량이다. 그리고 동소同所의 6칸 여에 높이 15, 16척의 입석 2개가 상대하여 섰으니" 이라 하고 있다.[310] 따라서 1936년 까지는 원 위치에 비록 사는 폐했어도 그대로 남아 있었다.

그런데 1938년에 북면 당국자가 이 탑을 학교 경영비에 충당하기 위해 군산에 있는 일본인에게 매도한 것이다. 주민들과 군의 유지들이 이를 저지하는 항의가 빗발치자 신문에까지 기사화된 것으로 보인다. 그러나 당시 미온적인 정읍군수의 태도로 보아 강력한 반환을 추진하지 않은 것으로 보인다. 결국 이 석탑은 군산으로 반출되고 말았다.

2006년에 발행한『정읍문화』제15호에는, "마을 중앙(복흥리 360번지)에 5층

---

309 복흥리(伏興里)는 정읍군 북면 지역인데 1914년 행정구역 개편 때 복용리(伏龍里), 대흥리(大興里), 우탄리(牛灘里), 와용리(臥龍里), 장구리(藏龜里)를 병합하여 그 으뜸 마을 복용, 대흥을 약칭하여 복흥리(伏興里)라 하고 북면에 편입시켰다(복흥리 유래, 북면사무소).
310 張奉善,『井邑郡誌』, 履露齋, 1936.

석탑이 서있었는데 대략 1930년경에 일본인들이 철거하여 반출해 가고 지금은 그 기단만 남아 있는데" 라고 하고 있다.

* 정읍의 기타 석탑

앞의 『매일신보』 기사에는 정읍의 중요한 석탑 4기를 들고 있는데, 조선보물고적조사자료를 보면 은선리탑과 복흥리탑 이외도, 칠보면 무성리의 사유임야에 칠보면 시산리의 서방의 전중에 3층탑이 있고, 영원면 장문리(양지동) 사유림에 5층석탑, 영원면 장문리 등전동_{嶝田洞}의 사지에 탑의 대석이 현존, 고부면 남복리 동남방 탑동의 동방산록에 고3칸의 3층석탑, 고부면 복흥리 해정동 동방의 산복에 고 8척5촌의 3층석탑, 태인면 백산리 북방 배산의 남동록의 평탄한 사지 내에 탑의 대석, 립석, 탑신 각 1개가 현존하고 있음을 조사 기록하고 있다.

그리고 『정읍군지』(1936)의 석탑 조를 보면, 정읍의 석탑은 앞의 은선리탑과 북면 복흥리 탑 이외의 탑으로, 내장산 대웅전 앞의 탑, 고부면 남복리 구내 탑동에 있는 탑(남복리5층석탑), 고부면 고부리 구내 사직단 변에 있는 탑, 고부면 장문리에 있는 탑(장문리5층석탑), 칠보면 무성리 구내 원촌상에 있는 탑, 칠보면 석탄사에 있는 탑, 망제리탑을 들고 있다.

*** 은선리석탑**은 1915년에 반출미수에 그친 것으로 『조선보물고적조사자료』에는 "영원면 은선리(탑입동) 탑입동의 동방 약 2정의 전중田中에 있음, 고 24척의 3층석탑으로 완전하며 부근에 와편이 산재함" 이라 하고 있다.

1928년 8월초에 이곳을 답사한 이마니시 류_{今西龍}는 「전라북도 서부지방 여

행잡기」에서 명칭은 '탑입리석탑'이라 하고 '탑입리'라는 동명은 바로 이 고탑에서 유래한 것이라 하고, 석탑의 상태에 대해서는 "탑은 3층으로 고 4척 여, 폭 7척 여의 기단 위에 세워져 있으며 제1층은 고7척5촌, 폭 4처5촌 총고 24척으로 2층탑신은 1석으로 이루어져 이곳에 구멍龍을 뚫고 개폐할 수 있는 석비石扉를 만듬, 지금은 열린 상태로 감실 안에는 소석이 차있다. 장엄하고 우수한 탑"[311]이라고 하고 있다.

1936년에 간행한 『정읍군지』(張奉善 著)의 석탑 조에, "4중탑 영원면 은선리 구내 탑입리에 있으니 거금 1천2백여 년 전 신라시대 고사부리군의 읍지가 이에 재在한 당시의 신축한 것이라 한다. 탑의 축조는 4층이며 제3층에 석문石門을 장치하였다. 고적보존의 취지에 기基하여 군, 면에서 상당히 보존하는 중이다" 라고 기록하고 있다.

1957년에 간행한 『신편 정읍군지』(崔玄植 외 2명 共著)에도 "4중탑(一云 백제탑). 영원면 은선리 탑립부락 천대산 서록에 있으며 지금으로부터 약 1300년 전 백제시대 고사부리군(古夫의 古號)의 읍지로 있을 당시 건조한 것이라고 하는 바, 탑의 구조는 4층이며 3층에 석문을 장식하였다. 근래에 와서 국보 제282호로 지정되어 보호하고 있다" 라고 기술하고 있다.[312]

이 탑은 다행히 반출 직전에 저지를 당하여 현존하게 되었다. 현재 정읍 은선리 3층석탑(보물 제167호) 안내표지판을 보면, "이 탑은 백제탑의 양식을 받아 고려시대에 만든 석탑으로, 높이는 6m 정도이다. 단층의 기단 위에 3층으로

---

311 今西龍,「全羅北道西部地方旅行雜記」,『百濟史研究』, 1934.
312 崔玄植 외 2명 共著,『신편 정읍군지』, 1957.

구성되어 있는데, 1층 탑몸(탑신) 높이는 약 2m로 대단히 높은 반면 2층부터는 급격히 낮아졌다. 2층 탑신 남쪽면에 두 짝의 문을 단 감실이 있는데 문짝을 하나만 새기는 다른 탑과 비교해서 특이한 것이다. 옥개석은 평면으로 처리하여 간결한 멋이 있다. 소박한 멋을 풍기는 이 탑은 백제 정림사지5층석탑을 모방한 것으로 목탑에서 석탑으로 변화되어 가는 탑 건축양식의 변화과정을 잘 보여 주고 있다" 라고 하고 있다.

은선리 3층석탑(보물 제167호)

*정읍 망제리8층탑은 정읍 덕천면 망제리에 있던 것으로 고려시대로 추측되는 높이가 35척 정도의 8층탑으로 조각의 정교함은 당시의 예술을 짐작케 한다.

망제리탑에 대해『조선보물고적조사자료』에는, "탑 망제리의 서남 약6정의 천곡산 산록에 재하며 고가 4칸반의 7층석탑으로 입석釼石의 이면에 조각을 시施하고 매우 웅대 완전하다" 라고 한다.

1930년에 간행한『전라북도의 명승과 고적』에, "덕천리 망제리에 있다. 고려시대 때 모 승니가 건설한 것으로 정방석조正方石造의 8층탑으로 폭 7척5촌 높이 34척이다"[313] 라고 기록하고 있는데, 원래는 부근에 똑같은 8층석탑이 있었

313 瀨戸道一,『全羅北道 名勝と古蹟』, 朝鮮總督府, 1930, p.90.

는데 1927년경에 일본인들이 일본으로 반출해갔다. 그런데 전하는 말에 현존한 것은 남승이 축조한 것이며 반출된 것은 여승이 축조한 것이라 한다.[314]

1936년에 간행한 『정읍군지』의 석탑 조에,

> 8중탑 덕천 망제리 구내 천곡약천 아래 있으니 고려시대 승려의 건설인데 고가 35척 여로 실로 조각이 정교하다. 그런데 부근에 같은 8층의 석탑이 또 있더니 십 수년 전에 모 내지인이 운거하였다.
> 주, 현존한 것은 남승의 축조요 내지에 운거한 것은 여승의 축조라 한다.[315]

라고 기록하고 있다. 즉 망제리의 다른 한 탑은 1926년 이전에 일본인에 의해 외지로 반출된 것이다.

같은 해

《제실박물관복흥개관기념진열도자기전람회》

제실박물관(도쿄국립박물관 전신)에서는 관동대지진의 15주년을 맞아 전국의 사사, 박물관, 개인들이 비장하고 있는 명품 도자기들을 수집 동원하여 대규

---

314 『井邑郡誌』, 1957.
315 張奉善, 『井邑郡誌』, 履露齋, 1936.

묘의 전람회를 가졌다. 그 중 한국 유물은 다음과 같은 것이 진열되었다.[316]

품명	소장처 및 소장자	비고
新羅綠釉托盞	제실박물관	
新羅綠釉盌	제실박물관	
高麗靑磁象嵌葡萄文水瓶	岩崎小彌太	
高麗靑磁九龍凸起文水瓶	小倉武之助	
高麗靑磁無文水瓶	橫河民輔	寄贈
高麗靑磁双鳳文鉢	橫河民輔	寄贈
高麗靑磁象嵌草花文丸壺	橫河民輔	寄贈
高麗靑磁象嵌文角形杯	田邊武次	함북 길주의 주식회사 '북선제지화학공업' 감사역[92]
高麗黑花寶相華文瓶	反町武作	
高麗天目白雲鶴文瓶	長尾欽彌	
井戸茶碗	團伊能	重要美術品
井戸茶碗	前田利爲	
御所丸茶碗	岩崎小彌太	重要美術品
吳器茶矴	松平直亮	
粉引茶碗	松平直亮	
三島刷毛目茶碗	德川家達	
熊川茶碗	小出英延	

316 「帝室博物館復興開館記念陳列陶磁器品目」, 『陶磁』 제10권 제5호, 東洋陶磁硏究所, 1938년 12월
317 中村次郎, 『朝鮮銀行會社組合要錄』, 東亞經濟時報社, 1935.

1938년도 도쿄국립박물관에 들어간 한국 유물

조선총독부는 1938년 양산부부총 출토품 일체와 창령 교동고분군 출토품 97건을 제실박물관에 기증했다.

양산부부총 유물 전체 272점은 1938년 9월 5일 기증 수리한 것으로 『동경박물관소장품목록』(1956)에는 조선총독부 기증으로 역사부 33987~34159으로 기록하고 있다.

창녕 교동고분군 출토품은 1958년 4월 제4차 한일회담의 결과로 교동 제31호분 출토유물은 한국으로 반환되었다.[318]

---

318 제4차회담 진행 중에 일본 측은 어부 송환을 촉진하기 위해 창령고분 출토 106점을 반환했었다. 이 일에 대해 황수영 박사와 이홍직 박사는 분통을 터트리고 있다.
그들은 이를 과대포장하기 위해 "무슨 큰 보물이나 가져오는 것 같이 정중한 포장을 한 큰 상자를 차에 실어서 예복을 입은 사자를 붙여서 전달식을 거행하였다"고 한다. 일측은 이것을 기증하는 것이라고 하였으나 우리 측은 반환을 주장하여 결국 그 중간으로 생각되는 讓渡라는 말을 썼다. 返還해 온 106점의 유물 중에서 물건다운 것은 순금 귀걸이 한 쌍이고 그 외 80여 점은 목걸이의 조그만 구슬을 하나하나 세어서 만든 點數이며 나머지는 토기조각들이다. 이를 과대포장하여 한국 측을 기만하였다. 후에 이홍직 박사는 일측과 회담할 때에 이점에 대해서 그들의 태도와 기만성을 논박하기도 했다.

朝日修好條規

大日本國與
大朝鮮國素敦友誼歷有年所今
浴欲重修舊好以固親睦是以日本國政府簡特命
全權辨理大臣陸軍中將兼然上
華府朝鮮國政府簡列中樞府事申櫶副總管尹滋
承各遵所奉諭旨議立條欵開列于左

一，第一欵

朝鮮國自主之邦保有與日本國平等之權嗣後兩

우리 문화재
수난일지

1939년

1939년 1월 13일

타나베 다케지田邊武次 소장의 고려청자상감당초문각형배高麗青磁象嵌唐草文角形杯와 이와사키 고야타岩崎小彌太 소장의 고려청자상감포도문호노형수주高麗青磁象嵌葡萄文胡蘆形水注가 일본 중요미술품으로 지정되다.[319]

1939년 1월

트롤로프 신부의 수집 도서 확인

영국인 트롤로프(Mark Napier Trollope) 신부는 1891년에 선교사로 한국에 건너와 어려운 여건 속에서 선교활동을 하면서 한국에 미친 영향은 지대하다. 1930년에 런던에서 귀로 중 일본 고베神戶에 사고로 객사했다. 그러나 그동안 그가 한국의 고문헌 등을 수집하는데 엄청난 노력을 쏟았다는 것은 거의 알려져 있지 않다. 그는 한국에서 활동하는 동안 만여 권의 고서적과 사임당화첩, 명현필적 및 초상화까지 수집하여 보장했었으니,『동아일보』1939년 1월 12일자에 그의 수집에 관한 기사가 있어 그 전문을 보면 다음과 같다.

---

319 『陶磁』제11권 제1호, 東洋陶磁研究所, 1939년 4월.

우리 문화보고의 신발견

성공회의 고 '마가瑪可' 승정僧正

진본희서珍本稀書 만권을 비장

무릇 문화인들의 끼쳐놓은 문화란 오랠수록 빛이 새롭고 또한 귀히 받들어 지는 것이매 써 알뜰한 전수傳守와 계승 잘 잘못이 곧 그 문화인들의 문화사적 흥망의 자취를 뚜렷이 후세에 남겨 놓는 것이다. 돌아보건대 우리의 과거에 있어서 여러 가지로 빛나는 자랑거리가 믿었건만 오늘날에 와서 문헌으로 나타나 있는바 너무나 산만되고 그 가운데서도 ??하나마 취하여 알만한 것은 또한 경향京鄉에 어즈러히 흩어져 동에 하나, 서에 둘, 이렇게 보존이 완전치 못하여 그런 것이 있었더냐 하리만큼 우리의 기억에서 쫓아 점점 쓰러져가고 있는 이때 더욱이 만근 10, 20년을 두고 서구西歐의 유신사조維新思潮가 동으로 풍미하여 젊은 학도의 머리를 지배하게 되면서부터는 그까짓 것 하는 과대적 심리에서 우리의 옛 글귀쯤은 눈도 거들떠 보지않아 사실의 진편이요 부문인 푸대접으로 시대적 비운쪽으로 산망散亡의 한 길을 걸어오던 것이 작금에 이르러 새삼스레 느껴지듯 싶은 복고復古 경향과 따라서 고전연구의 미치는 열에서 불야불야 여항궁부閭巷窮部를 뒤지어 찾노라니 그것에 완전한 모습을 얻기는 그리 쉬운 일이 아닐 것은 뻔한 일이나 이에 있어서 전연 우리와 언어와 풍습이 다르고 문물과 제도가 같지 않은 해륙 수만리밖의 사람으로 이 땅에 들어와 이 땅의 문화를 찾기 위해서 문헌으로서 수집저장한 것이 경사자집經史子集 각 부분을 통하여 지금와서는 구하려야 구할수도 없는 진본과 또는 귀중한 역사적 문헌을 범 만여 권의 서적을 거두어 두었다면 이 어이 놀라운 일이 아니냐(사진은 상 고 瑪可, 하 현 교주)

경성의 태평통 거리를 걸어가노라면 정동의 중턱 아담스레 지어진 근대식 건물 속에서 아침저녁 들려오는 청아한 종소리를 들을 수 있고 앞가슴에 십자가를 느리운 신부님네들의 조용한 걸음걸이를 볼 수 있으니 여기가 성공회의 전당이요 그 안에 들어가 중앙으로 조선식 기와집이 덩그런 건물이 있으니 여기가 바로 우리 옛문화의 여러 부분을 총괄해 놓은 보창寶倉이다. 이렇듯 위엄을 세워놓은 노력의 주인공은 영국인 고 마가·트로롭 씨로 1890년 28세로서 단돈 5백 원을 갖고 이 땅에 들어와 온갖 고초를 무릅쓰고 전도에 종사하는 일방 일찍이 지나(중국)에서의 약간 배워온 한문으로 조선의 문헌을 뒤지어 이 땅의 문화를 연구하려는 의도에서 조선말을 배우는 한편 한해두해 한 권 두 권한 것이 무릇 근 50년에 범 만여 권의 서적을 모으게 된 것인데 혹 다른 서적도 몇 가지씩 끼어있으나 대개가 이 땅에서 만들어진 순순 조선의 문헌으로서 멀리 고려시대로부터 가장 근세에 이르기까지 역사, 지리, 의학, 성력星曆 등과 불관도적에까지 손을 뻗치어 조선에 관한 것이면 덮어놓고 사들려 완연 한 개의 도서관을 이루게끔 되어 있다.

마카 씨는 더욱이 신세身世를 양망兩忘하다시피 오로지 문헌과 수집에만 열중하여 나아가 두루 구하여 교회에서 싫은 소리까지 들어가며 열중하여 모아놓은 것인데 항상 말하기를 현재 쌓아둔 서고에 가득하도록 사들이는 것이 소원이라고 하였다는 바(현재는 그 집에 반이나 찰 듯) 불행히 지금으로부터 9년 전 고국인 영국에 갔다 돌아오는 길에 큰 뜻을 못 이룬 채 고베神戸에서 선중의 불귀객이 되었다. 그 유해는 제2의 고향으로 자처하던 이 땅을 떠나지 않고 지금도 그대로 성공회 안마당에 고이 수호되고 있으나 한 가지 한 되는 일은 고인이 간 후 누구 하나 그의 뜻을 이어 더 수집하지 않고 또 수집해 놓은 것조차 별반 돌아보는 이 없어 긴마루에 찬바람만이 넘쳐 돌고 있는 것이다(사진, 하는 비장된 만권들의 일부).

영구히 보존코 독서자讀書子에 공개

현 교주 쿠퍼 씨 담

그러면 이 많은 진본희서를 주인이 없는 오늘 장차 어떻게 처리하느냐 하는 것이 가장 궁금한 문제인데 현재의 교주 세실·쿠피 씨의 말을 들으면 현재 성공회 내 수십 평의 퇴락한 건물이 서있으니 꼭 언제 실현될 지는 단언할 수 없으나 머지않은 앞날에 이것들을 헐어버리고 새로운 건물을 세워 도서관식으로 정렬하여 일반의 관람에 제공할 의사라고 하는데 우리의 고문헌이 히소한 금일 하루바삐 실현되었으면 하는 것이니 만큼 한구석에 모여있다는 것만으로도 다행이 아닐 수 없으며 한편 우리 손으로 못하고 남의 손으로 이루어졌다는 것이 부끄럽기 또한 짝없는 일이다. 이에 그 중 몇 가지만 진본으로 혹 있기도 하고 영영 구할 수 없는 몇 가지를 추려보면 대략 다음과 같다.

국조오례의, 동국문헌비고, 사임당화첩, 불경사, 양금신보, 명현필적 및 초상, 노걸대, 삼국사기, 고려사, 황명배신전?해, 경국대전, 만기요람, 통문관지, 눌재집, 어간집, 익재난고, 계원필경, 충무공전집

등등인데 이외에도 조선인의 문집으로서 과거에 출판된 것은 거의 다 수집되었다 하리만큼 문집만이 수백 종에 달하는 실로 방대한 문헌의 보고이다.

대구박물관 신설 시도

부여에서는 부여신궁 건설의 붐이 일어나고, 경북 고령에서는 1937년부터

시작된 내선일체의 교육장을 만들기 위한 운동의 일환으로 내선일체의 유적비를 건립하기위한 운동이 구체화 되어가고 있었다. 1938년에 대구에서 상당한 유물이 발굴되자 이에 뒤질세라 대구에도 정세에 발맞추어 내선일체 교육의 장으로 박물관 건설을 시도했다. 『매일신보』 1939년 1월 25일자에는 다음과 같은 기사가 있다.

대구박물관 신설, 고적발굴품과 대구 특산 진열, 부국 당국과 유지 발기

대구부근에는 임나 신라시대의 고적이 많고 고대문화의 연구에 학계의 주목을 끌어 작년 말에는 등전 교수를 비롯하여 말송, 제등의 제씨가 대구에 와 대명동 충령탑 부근 대구중학교 앞 해안면의 돌멘과 신라고분을 발굴하여 귀중한 고고학상의 자료를 얻어 내선일체의 역사적 사실을 명확히 하여 학계에 다대한 공헌을 남기었는데 고령을 중심으로 한 임나고적 보존운동의 구체화와 함께 대구 경주지방에서 발굴한 여사한 고적을 영구히 보유하여 찬연한 신라의 문화를 일반부민에게 관람케 하며 아울러 내선일체의 역사적 일체와 고고학상의 참고에 제공하고자 대구부 당국을 중심으로 부내의 유지가 발기가 되어 공회당 1실을 빌려 발굴품을 진열하여 박물실을 신설할 계획 중이라 한다. 그리하여 현재 공회당은 각실이 다 사용하고 있음으로 현재 공회당 내에 있는 상공회의소의 신축 이전을 기다려 실현될 것으로 기대되는 바이다. 이와 동시에

대구특산품의 진열실도 신설될 것이라 한다.

1939년 2월

1939년 2월 평양부근 출토로 전하는 동과銅戈, 동모銅鉾, 동제립형병두銅製笠形柄頭, 차형두동금구車衡頭銅金具 등 일괄 유물이 일본으로 건너가 교토의 가와이 사다지川合定治의 소유로 들어갔다.[320]

목록 도판

2월 5일부터 4월 16일까지 오사카시립미술관에서 《오사카시립미술관도침특별전》이 개최되다.[321]

1939년 3월 18일

《부내 토정빈일土井實- 씨 소장품 이조도자기 공예미술품 매립회》

1939년 3월 18일, 19일 양일간에 경성미술구

---

320 梅原末治, 藤田亮策, 『朝鮮古文化綜鑑』제1권, 養德社, 1947.
321 『陶磁』제11권 2호, 1939년 7월.

락부에서《부내 토정빈일 씨 소상품 이조도자기 공예미술품 매립회》가 열렸다.

1939년 3월 22일

1939년 3월 22일부터 26일까지 야마나카山中상회에서《동양고술전》을 열었다.[322]

1939년 3월

평양 정백리 제356호분 조사

1939년 3월에 평양 정백리 취토장에서 발견된 정백리 제356호분을 평양고적연구회에서 조사하어 철부鐵斧, 철수부鐵手斧, 동제철모잔결銅製鐵鉾殘缺, 금동마면 등이 출토되었다.[323]

금동마면
(『박물관진열품도감』 제16집)

---

322 『陶磁』 제11권 제1호, 東洋陶磁硏究所, 1939년 4월.
323 梅原末治, 藤田亮策, 『朝鮮古文化綜鑑』 제2권, 養德社, 1948, p.47-48.

평양 대동강면 오야리 목곽분 조사

대동강 제2철교가설공장에서 공사에 소용되는 흙을 오야리 평양방송국 근처에서 채취했는데, 3월 5일에 이르러 이 채취장에서 목곽분 1기가 발견되어 도끼파편 등 많은 출토품이 발견되었다. 이 같은 신고를 받은 평양박물관장 고이즈미는 6일에 다케다武田 시학관과 동행하여 조사를 했는데 분묘는 이미 3분의 1이 파괴를 당하였다. 조사는 13일까지 계속되어 병부부柄付斧, 수부手斧, 이배耳杯, 노弩, 칠안漆案 등 다수가 발견되었다.[324]

『매일신보』1939년 3월 15일자에는 다음과 같은 기사가 있다.

낙랑고분 속에서 유품 다수 발견

부내 오야리 철도공사 채토장에서 낙랑고분 1기가 새로이 발굴되었다. 평양고적연구회에서는 이래 그 발굴공사를 진행 중에 있던 바 13일까지에 이배耳杯 수십개를 비롯하여 칠안漆案 4개, 칠식대漆食臺 1개, 화장구상자 1개와 도끼, 손도끼, 여차輿車, 끌 등 여러 가지 유물이 출토되었다. 여차는 주요한 부분과 직경 6척되는 산傘이 달려있는 것으로 지금까지의 기로에 의지하면 5한시대의 조각 가운데 그 면영面影을 남겼을 뿐이던 것이 이번에 실물로 나타난 것이오. 도끼, 손도끼, 끌 같은 것도 종래의 그것들은 대개 상류사회의 장식품에 불과하던 것임에 불구하고 이번에 출토된 것은

---

324 齋藤忠, 「昭和14年に於ける朝鮮古蹟調査の槪要」, 『考古學雜誌』 31-1, 1940년 1월; 『東亞日報』 1939년 3월 8일자; 『每日申報』 1939년 3월 일자.

실생활에 필요한 실용기구라 당시 대중생활의 일단을 엿볼 수 있어서 모
두 특기할 출토품이라 하며 고고학계에 큰 반향을 일으키고 있다.

1939년 4월 1일

1939년 4월 1일 조선총독부박물관은 부여고적보존회 진열관을 흡수하여 부
여분관으로 발족시키다.

이 박물관에는 주로 백제시대의 유적 유물을 수집 전시하는 한편 부여 일대
의 고적조사와 보존관리에 역점을 두었다.

부여분관의 승격과 함께 새
로이 부여분관을 신축하기로
결정했다. 신축될 박물관은 전
콘크리트제 건물로 총 공비
대략 20만원으로 1940년 봄에
착공하기로 했다.[325]

부여고적보존회 진열관(백제구도명승사진첩, 1934)

---

325 『東亞日報』 1939년 5월 24일자.

1939년 4월 5일

1939년 4월 5일. 평안북도 강계군 어뢰면 풍룡동의 김모라는 자가 경작지에서 경작에 지장이 있다고 하여 지표상 하의 돌을 제거하다가 석관을 발견했다. 석관 속에서 토기 2개, 벽옥제관옥 2개, 구형석기球形石器 1개가 발견되었다. 이에 4월 24일 소할경찰서장이 동지 주재소를 시찰할 때 현장에 임하여 잔여 유물을 출토 수집했다. 석관에서 더 발견된 잔여 유물로는 벽옥제관옥 25개, 소옥 7개, 청동제구青銅製釦 1개, 마제석족파편 1개 등이 발견되었다.[326]

1939년 4월 17일

전라북도 부안군 산내면 석포리 백양사 말사 지장암地藏庵을 폐지하다.[327]

1939년 4월 18일

1939년 3월 8일에[328] 이어 4월 18일에 또다시 미나미 총독은 부여신궁 조영

---

326 有光教一,「平安北道江界郡漁雷面發見の箱式石棺と其副葬品」,『考古學雜誌』제31권 3호, 1941년 3월.
327 『朝鮮總督府官報』1939년 4월 17일자.
328 1939년 3월 8일 총독부 당국에서는 부여신궁 조영의 필요성에 대해 다음과 같이 담화

에 대해 다음과 같이 훈시하였다.

국민정신의 앙양은 국민 각인이 황국신민인 본본의 자각과 이에 기基한 훈련, 조직 있는 행동에 의하여 기할 수 있는 것으로서 이 굳센 정신적 결속이 내외의 시난時難을 극복하는 원동력으로 되기를 확신하는 것이다.<중략> 상고에 있어서 야마토大和조와 삼한과의 교통, 문화에 대한 것 중에서 백제와의 일체적 관계는 최온후긴밀最溫厚緊密한 것의 하나로서 금일 백제의 고지를 찾아 왕도의 땅에서 1천수백년의 왕시往時를 생각하면 누구나 무한의 감이 없을 수 없는 것이다. 이에 당시 한토와 가장 깊은 교섭을 갖고 황덕皇德을 보급시킨 응신천황, 제명천황, 천지천황, 신공황후의 어사주의 신을 권청勸請하여 이 부여의 땅에 관폐사의 창립을 봉앙하시는 것이 본년

를 발표하였다.

미증유의 비상시국을 맞아 반도의 사명은 더욱 가중 혼연일체(渾然一體) 대륙전진기지로서의 중대사명달성에 직면하고 있어 총독부로서는 시정의 전반에 걸쳐 갱(更)히 일반의 비약적 진전을 도모하여 전력을 경주하고 있는데 이 경우 서정진전(庶政進展)의 원동력으로 되는 것은 숭고하고 왕성한 정신력에 있는 것은 말할 것도 없는 것이다. 따라서 총독부에서는 나날이 국민정신총동원운동의 확대 강화를 도모하여 이 같은 실적의 거양(擧揚)에 노력하고 있는데 조선은 원래부터 상호 일체의 바른 이해를 하는 것이 절대로 필요하다고 믿는 것이다. 그런데 이야말로 멀리 상대에서 접하건데 상고 아국과 삼한제국과의 관계는 극히 깊고 그 중에서도 백제와는 피차의 왕래 빈번하여 정치, 경제 내지는 문화에까지 진정으로 골육과도 같은 관계에 있었던 것이어서 이 동안 6세 120년여 년 동안의 왕도인 부여에 따로 다시금 내선일체의 구현결실을 보게 된 일대인연의 곳이다. <중략>
금후 각기 수속을 다하여 만반의 준비를 진행하려고 하는 것이다. 이에 널리 관민 각위에 있어서도 총독부의 뜻한 바를 양승(諒承)하고 본 계획에 대하여 전폭의 지지를 아끼지 말기를 갈망한다(『동아일보』 1939년 3월 9일자).

도 이후 5개년 연속예산으로 이의 조영에 착수하기로 결정한 것은, 그 소재지는 충청남도이나 전국적의 의의를 가지는 것이므로 내선관민은 이 취지를 잘 이해하기 바란다. <중략>

내선일체의 목표는 반도인으로 하여금 충량忠良한 황국신민이 되게 하는 데 있다. 충량한 황국신민의 본질은 천황중심주의 아래 황도를 진력하는 데 있다.[329]

즉 내선일체는 한국인으로 하여금 충량한 황국신민을 만드는 근본으로, 대동아공영권을 건설하는 데는 무엇보다 조선 사람을 완전히 일본인화 하는 정신교육, 정신훈련이 필요하다는 것이다. 그래서 일본인과 조선인은 동조동근同祖同根이라는 인식을 똑바로 심어주기 위해선 그 역사의 발상지인 부여에다 내선일체의 도장으로서 신궁을 만들어야 한다는 주장이다.

1939년 4월 23일

범종 질취

전남 광산군 송정리읍 도산리에 사는 김성암은 23일 오전 1시경에 운수리에 있는 절 운선암雲仙庵에 침입하여 불당 앞에 있는 무게 11관 가량의 종을 떼어

---

329 『동아일보』 1939년 4월 19일자.

동네 철공장에서 매각하려다가 현장이 발각되어 검거되었다.[330]

1939년 4월 29일

봉은사(奉恩寺) 대화재

1939년 4월 29일 경기도 광주군 삼성리 봉은사에 불이 나 판전을 제외한 대부분의 건물이 사라졌다.

당시 『매일신보』에는 다음과 같은 기사가 있다.

위험 등산객 담뱃불, 봉은사 연멸煙滅은 '하이커'의 실수

지난 29일 광주군에 있는 한강 건너 봉은사에서 대낮에 불이 나서 대웅전, 명부전 운하당 등 총독부 지정의 고적들이 전부 재가 되어버릴 만큼 큰 불이 일어났는데 원래 이 절에는 음력 초하루로 보름에만 부엌에 불질을 하므로 부엌의 불단속을 잘못한 것은 절대로 아니라고 하면서 역시 이 절의 통행로가 부엌으로 통해 있는 관계로 보아 그 날 유난히 많은 '하이커'들이 담뱃불을 잘못 던져 부엌에 쌓아놓은 솔개비로 당겨 붙어 절 전체가 다 타버렸다 한다.

이 절은 조선 31본산의 하나로 신라시대에 창건되어 조선시대에 명찰로 유명해 졌으며 고적이 많은 것으로 유명한 것이며 때마침 부근에 있던 수

---

330 『每日申報』 1939년 4월 28일자.

많은 '하이커'들이 진력으로 2시간 만인 3시경에 불을 잡았고 법당의 부처
도 끌어냈다고 한다(『매일신보』 1939년 5월 4일자).

봉은사는 신라시대는 물론이고 고려 때에도 역대 군왕이 자주 행차하사
법석法席을 베풀었고 조선초에도 태조께서 가끔 행차하여 주석하였으니
이러한 기록은 고려사와 조선시록에 나타나 있다. 그리고 조선 중기에는
성종의 선릉과 중종의 정릉을 이 부근에 모시어 수호의 중임을 맡아 이 사
찰이 얼마나 왕가의 원호를 받아왔던 것인지를 알 수 있다.

유명한 서산대사와 사명대사도 이곳에 주하면서 승과에 합격한 승들이다.
그러나 본사는 창설 이래 1,150년간에 법경대사法鏡大師의 2창과 허응대사
의 3창, 벽암대사의 제4창과 호봉대사의 제5창이 있었다. 전임주지 나청
호 선사의 제6회 중수가 있어온 뒤로부터 20년간 해마다 가람을 수선하여
불각보전이 찬란하고 청정하여 경성 부근으로부터 일상참배자가 매일 천
을 산하게 되었다. 그래서 본사종무소로부터도 각별하게 주의하고 화기를
엄금하며 사원존엄보지寺院尊嚴保持에 대하여 특별히 용의하여 왔었다. 그
러던 것이 이번에 불행하게도 실화되어 맹풍과 가세하여 가지고 화염을
잡을 새도 없이 양선승당, 창고, 대웅전, 명부전, 진여문, 만세루 등 중요건
물 7동이 소실되어 피해액이 실로 20여 만 원에 달했다. 이는 유독 봉은본
말사에만 한한 손실이 아니라 조선불교의 일대손실이라 하겠다.

본사에서 불행 중 다행하게 이안하여 모셔낸 본당삼존의 앞에 서맹을 올
리고 본사의 소실의 비보를 듣고 애석히 여기는 눈물이 마르기 전에 하루
바삐 복흥 신축을 하여야 겠다는 각오를 가져야 될 것이다(金泰洽, 「奉恩

寺의 烏有」,『每日申報』1939년 5월 12일자).

봉은사에 관한 내용은『삼국사기』에는 794년 7월에 창건한 것으로 나타나 있고,『고려사』에도 여러 차례 나타나지만 현재의 삼선동에 소재한 봉은사와 어떤 관계인지 명확하지 않다.

삼성동 봉은사의 시작은 1498년 연산군4년에 선릉 옆에 있던 견성사見性寺를 중창하면서 부터로 보고 있다.『연산군일기燕山君日記』 1495년 12월 7일 조에는 에 의하면, "견성사見性寺가 능 곁에 가까이

불타기 전의 봉은사 전경
(『朝鮮寺刹三十一本山寫眞帖』, 1929)

있어 중들이 불경 외는 소리와 새벽 종소리 저녁 북소리가 능침陵寢을 소란하게 하고 있으니" 견성사를 헐도록 하자는 의견이 있었다.『연산군일기』 1498년 5월 23일 조에는, 견성사를 철거하지 못하겠으면 다른 곳으로 옮겨지어야 한다는 기사가 보이고 있다.

그리고 『연산군일기』 1499년 12월 12일 조에는, "새로 창건한 봉은사에 전토가 없으니 각

사라진 봉은사 대웅선

도 절에서 거둔 세와 소금을 옮겨 주게 하다"는 기사가 보이고 있다. 이를 미루어 보아 1499년에 선릉宣陵 근처에 전부터 있던 견성사見性寺를 왕릉에서 조금 떨어진 곳으로 옮겨 대대적으로 확장하고 사명寺名을 봉은사로 바꾸었음을 알 수 있다.

봉은사 구지舊址는 원래 선릉 동록에 있었던 것인데 명종17년에 정릉靖陵을 선릉宣陵 동쪽에 천봉遷奉하고 봉은사를 수도산에 이건하였는데 병자호란에 불타버리고, 선화대사禪華大師가 중건하여 옛 모습을 회복하였다. 그 후 1715년에 화재를 입어 복구공사를 하였으나 아직 완공을 보지 못하고 있던 차에, 숙종왕이 양릉에 참배하여 행차를 하는 중에 봉은사의 모습을 보고 후사하여 중건을 마칠 수 있었다고 한다.[331]

봉은사는 왕실 원찰이자 선릉의 조포사造包寺로서 왕실로부터 전답을 비롯한 경제적 후원을 받게 되면서 계속 번창하면서 많은 귀중 유물을 소장하게 되었다. 봉은사의 비장 유물에 대하여 1917년에 일반에게 공개하여 관람을 허가한 적이 있는데『매일신보』1917년 5월 5일자에 그 유물을 게재하고 있는데 그 내용은 다음과 같다.

봉은사의 보물
오동향로烏銅香爐와 유리배琉璃盃
이는 조선 중엽 임진란에 사명대사가 휴대하였던 것이다.
십이지불화十二支佛畵, 팔김강八金剛, 사보살四菩薩
이는 대부분 조선화가의 명작으로 총수 24매인데 필자는 계백桂伯의 필이

---

331 李能和, 「名刹奉恩寺」, 『매일신보』 1917년 5월 1일자.

라 필력이 웅건장용雄建壯勇하다.

옥석매화판玉石梅花板

조선 명종대왕의 생모 문정왕후로부터 승 보우普雨에게 하사한 것이라 하
며 보우는 일시 궁중의 세력을 입었다가 문정왕후의 승하 후 이율곡의 상
소로 유배한바 되었다가 말기에 장살杖殺되었다한다.

소초화엄경疏鈔華嚴經(80권), 유마경維摩經, 준제천수합벽準提千手合壁, 천대삼
은시집天臺三隱詩集

이 경권판목은 전내가붕殿內架棚 중에 적치하였는데 이 1매를 보면 자획
이 방정하고 조각이 정미하니 이는 철종6년 을묘에 남호율사南湖律師가 개
간開刊한 것이라 율사의 휘는 언규彦圭요 속성은 정이다. 14세에 형과 함께
삼각산 승가사 대원노숙에 발髮을 축祝하고 후에 강원도 지장암에 들어가
아미타경을 사寫하고 그 후 봉은사에 들어와 경판을 조성하였다.

김추사 필 현판

장경전 입구에 걸어놓은 '판전板殿' 이라 기한 액은 완당의 인이 있으며 또
선원의 '유마판維摩版' 이라 서한 액도 역시 완당의 인이 있는데 이는 김추
사의 절필絶筆이라 하며 양자 모두 웅건하다.

종루 하의 대종

무게가 백근이니 강희59년 주조요.

대방헌종大房軒鐘

무게 3백근 강희21년 주조, 원래 남한산성 장경사長慶寺의 종이오

대웅전내의 종

무게가 3백근 홍무25년 주조

금고金鼓

무게 130근 건륭20년 주조

이상은 중요한 것이요 기타 진품도 다수함

1939년 4월의 화재로 판전을 제외한 대웅전, 만세루, 진여문, 심검당, 운하당, 명부전, 창고, 불상 20좌, 집기 등 대부분의 건물이 사라졌기 때문에[332] "불교문화의 중요한 물건인 법당 불상과 대장경, 불구까지도 건지지 못하여 총 손해액만 22만여 원에 달하였다"[333]는 것으로 보아 귀중 보물의 대부분이 소진되고 말았다.

경판각의 '판전板殿'에 대해 이능화李能和는 "'版殿' 2자를 대서하고 그 액자

화재를 면한 판전(『매일신보』 1917년 5월 4일자)

---

332 『동아일보』 1939년 5월 1일자, 5월 4일자.
333 『매일신보』 1939년 6월 7일자.

불타버린 봉은사 벽화(十二支佛畵)
(『매일신보』1917년 5월 13일자, 1918년 1월 1일자)

좌측에는 '七十一果病中作'의 7자를 세서細書하였으니 이는 김완당 정희 씨 가 만년에 과천에 거주한 고로 노과老果라고 자호自號한 것인데 봉은사 판전 의 현판은 완당의 필생의 전완력全腕力을 다한 최종의 휘호라 필법이 주경 遒勁하여 용사비등龍蛇飛騰의 세를 나타내니 완당도 자지 평생 소서所書 중에 제일이 된다고 과언誇言하니라" 라고 평하고 있다.[334]

---

334 李能和,「名刹奉恩寺」,『매일신보』1917년 5월 4일자.

1939년 4월

국가총동원법 발포

4월에 '국가총동원법國家總動員法'을 발포하여 개인의 생명, 재산을 완전히 묶어 버렸다.[335] 이는 국가가 필요시에는 인적 물적자원을 강제 수용할 수 있는 초비상권超非常權이라 할 수 있다. 전쟁물자가 부족해지자 마침내 사찰의 동종銅鐘, 불구佛具를 비롯하여 가정의 유기그릇, 수저, 조상으로부터 물려받은 제기祭器까지도 강제 공출供出하였다.

즉「조선보물고적명승천연기념물보존령」이란 제령制令이 있어 문화재 보호 차원의 제도적인 법이 있었으나 '국방목적의 달성을 위하여 국가의 전력을 가장 유효하게 발휘할 수 있도록 인적 물적 자원을 통제 운용' 하는 국가총동원법 앞에서는 무용지물이었다. 그 결과 민족문화와 문화재가 무참히 파괴되고 수탈되었다.

청자상감투조구갑문갑 발견

4월에 전남 장흥군 남면 모산리의 한 고분으로부터 합자, 유호, 장방경, 침통

---

335 李玟洙,「日帝下 韓. 日人의 經濟生活에 關한 硏究」,『西巖 趙恒來教授 華甲記念 韓國史學論叢』, 동아시아 문화사, 1992, p.973.

등과 함께 화장갑으로 추정되는 청자상감투조 구갑문갑靑磁象嵌透彫龜甲文匣이 출토되었다. 이는『박물관진열품도감』제15집에 실려 있다.

청자상감투조구갑문갑

1939년 5월 5일

충청남노 대건물 선화당을 백제박물관으로 개축하여 그 낙성식을 갖다.[336]

1939년 5월 6일

북한산 진흥왕순수비 훼손 조사

경기도 고양군 소재 북한산 신라 진흥왕순수비眞興王巡狩碑는 1934년 8월 27일부로 보존령에 의해 보물 제8호로 지정된 것인데, 태병太柄을 사용해 접합한 비의 일부를 누군가가 고의로 굴려 떨어뜨려 놓았다. 총독부에서 아리미쓰 교이치有光敎─와 오와다 모토히코小和田元彦가 1939년 5월 6일에 현지에 출장하여 비의 훼손 상황을 살피고 5월 15일 복서를 제출했다.

---

336 『東亞日報』1939년 4월 22일자.

비의 훼손상황(화살표에 가르키는 것이 떨어져 내린 비의 일부, 1939년 5월 촬영)

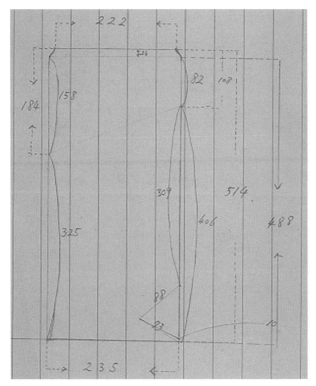

북한산 진흥왕순수비 도면

이번의 훼손은 고양군 산림감시자의 말에 의하면 3월 하순에 일어난 것으로 추정하고 있다. 복명서에는 관련 사진 및 도면을 첨부하여 다시 접합하여 원상태로 돌려놓는 것이 적절하다는 의견을 밝히고 있다.[337]

『동아일보』1939년 5월 10일자에는 다음과 같은 기사를 게재하고 있다.

진흥왕의 순수비
히이커의 발끝에 짓밟혀
조사대 진상을 보고
북한산에 있는 신라 진흥왕순수비는 조선 사람 손으로 된 최고의 것으로 일찍 소화9년 보물 제8호로 지정되어 존중되고 또 등산객으로 하여금 고적을 상완케 하던 것이 뜻하지도 아니한 하이카의 손에 파괴를 당하여 듣는 자로 하여금 경악케 하는 사실이 발생하였다.
비석은 일찍 어느 때부터인지 모르나 상부에 비스틈이 끊어져서 긴 편이 1척6촌 짧은 편이 8촌3부로 이것을 이어 붙이기 위하여 길이 5.6촌 되는 쇠못 세 개를 가운데 세워서 이를 연접시켜서 오던 것인데 이 깨어진 것과 또 연접한 것은 연대가 모르나 이씨조 연대일 것이나 작년과 금년 이른 봄까지 상관없던 것이 최근 깨어진 상부부분이 없어져 버렸다는 소식이 전해졌다.

---

337 「북한산 진흥왕순수비(眞興王巡狩碑) 훼손 상항 조사 복명서」, 『국립중앙박물관 소장 조선총독부박물관 공문서』, 목록번호 : 96-380.

『동아일보』1939년 5월 10일자 기사

총독부 학무 당국에서는 보물의 보존의 견지에서 즉시 조사를 떠나기로 되어 재작일 박물관 소화전小和田 주임 이하가 현장에 가보았던바 그대로 깨뜨러지고 또 상부는 두루 수색한 결과 비석 선 자리에서 약 30미터 서북편 모래 위에 떨어졌음을 발견했다.

마침 남쪽으로 떨어졌더라면 비석 상부는 형체도 찾을 수 없을 것인데 그것은 불행 중 다행이고 박물관 당국에서는 그것을 도로 붙이거나 그렇지 않으면 상부를 총독부박물관에 보관시킬려고 한다.

비석의 연대는 분명치 않으나 대개 진흥왕23년대일 것으로 보아서 지금부터 약 1370년 전대의 세운 것으로 화강암으로 되고 길이 5척1촌2분이고 비 중앙의 넓이가 2척3촌6분이고 둘레가 5척5분인데 일찍이 개석을 얹은 자리가 있고 또 대석이 있다.

승가사에서 약 4백미터 높이 되는 은평면 구기리 비봉산 마루턱 위에 섰는데 김정희, 김정연 두 분이 비모에다 새긴 글이 있고 정축 6월 8일에 김정희가 쓴 것으로 미루어 보아서 당시에는 남은 글자가 68자이었으나 지금은 볼 수가 없이 마멸되었고 원래 비문은 12행으로 각 22자씩이었으나 지금은 알아 볼 길이 없다고 한다.

당국에서는 이 사실에 대하여 전번 봉은사의 화재로 20여만 원의 손해를 본 것을 비롯하여 산회도 일어나는 것 둥이 하이카들이 사회도덕을 무시한 행동에서 나오므로 특히 경무 당국에서는 이것을 기회로 삼아 짓밟아 버린 태도를 취하는 일에 대하여 단호한 처벌을 하기로 결정하였는데 특히 하이카들의 부도덕한 추태에 대하여 사복경관들을 보내어 행동을 감시하는 일까지 할 터이라 하며 일편 산림감시인들로 하여금 이에 당하게 할 터이라 한다. 이에 대하여 학무 당국은 말하되

실로 원통한 일이다. 이렇게 귀중한 것을 이처럼 없이 여기는 것과 특히 일부러 힘을 드려서 고적을 파괴하는 일이 경성부근에서 행해지니 실로 한심한 일이다. 경무당국과 농림당국과도 협력하여 이러한 부도덕한 자들의 근절을 기하고 싶다.

1939년 5월 18일

전남 반남면 고분 조사

전남 나주 반남면에서의 옹관출토고분의 조사는 일찍이 총독부에서 고적조사사업으로 이미 수차 조사되었다. 다니이谷井 일행은 1918년에도 발굴을 더하여 이 고분군에서 도합 6기의 고분을 발굴 조사하였고 그 발굴품은 총독부박물관에 수장하였다.

이 곳의 고분들은 원형圓形 또는 방대형方臺形의 한 봉토내封土內에 1개 내지 7, 8개의 도제옹관陶製甕棺을 매장한 특수한 구조를 가지고 있어 일본인 학자들에게는 대단한 관심의 대상이었는데 그간 빈번히 도굴을 당하여 이런 유례가 드문 유적의 원상原狀을 거의 잃어버리기에 이르러 이에 고적연구회의 1938년도 사업으로 본 고분군의 발굴조사를 추가하여 총독부박물관의 사와 슌이치澤俊—와 아리미쓰 교이치有光教—가 1939년 5월 18일부터 5월 28일에 걸쳐 5기의 옹관고분의 발굴조사와 1기의 석실고분을 실측조사를 하였다.[338]

신촌리 제6호분은 이미 도굴의 흔적이 있었으며 동네 사람들 중에 穴의 내외에 다수의 옥류, 철도鐵刀의 파편 등이 산란한 것을 실제로 보았다고 한다. 발굴한 결과 2개의 옹관을 얻는데 불과했다.

신촌리 제7호분은 반남심상소학교의 남측 대지의 산림 중에 소재하는 것으로 분의 한 변의 길이가 20미터 가량 되는 것으로 정상이 깎이어 평탄하게 되

---

338 有光教一,「羅州潘南面古墳の發掘調査」,『昭和13年度古蹟調査報告』, pp.19-20.

었으며 도굴한 구멍이 3개가 있었다. 발굴을 하였으나 옹관은 이미 모두 파괴되고 상반이 결실된 옹관 하나와 관옥 한 개를 발견하였다.

덕산리 제3호분은 정상부에 1미터 이상의 구멍이 있고 발굴한 결과 파괴된 옹관 3조를 검출하는데 불과했다.

덕산리 제2호분은 중앙에 큰 도굴구멍이 있었고 마제석촉 1본을 검출하는데 불과했다.

덕산리 제5호분은 대소 7개의 도굴 구멍이 있었고 다수의 옹관이 매장되었을 것으로 생각되니 옹관은 없고 석편 수 개를 얻는데 불과했다.[339]

1939년 5월 30일

내선일체 강화에 언론계의 적극적인 협력을 강요

미나미 지로(南次郎) 총독

미나미 총독은 1939년 5월 30일 총독부 제1회의실로 전국 언론인 대표 38명을 소집하여 내선일체 강화에 언론계의 적극적인 협력을 강

339 有光敎一,「羅州潘南面古墳の發掘調査」,『昭和13年度古蹟調査報告』, pp.21~33; 齋藤忠,「昭和14年度に於ける朝鮮古蹟調査の槪要」,『考古學雜誌』제30권 제1호, 1940년 1월; 有光敎一,『有光敎一著作集』제3권, 1999.

요하였다. 그는 "내선일체의 방침은 이미 확고부동의 것으로 되었다. 이를 구현하기 위해서는 여하한 곤란이나 장애도 단호히 헤쳐 나가지 않으면 안 된다. 내선일체의 구현이야 말로 내 필생의 대사업이다"[340]라고 하며 단호한 어조로 요망했다. 이는 불응하면 용서치 않겠다는 협박인 것이다.

얼마 후 총독부수사관 나카무라 에이고中村榮孝 등이 중심이 되어 국사교과서를 일본주의의 입장에서 새로 편찬하여 가르치게 하였다.[341] 중등과정 학교에서는 우리 역사를 일본역사와 병합하여 그 부분으로서 가르치되 극히 제한적이었다. 또한 일본어로써 일본역사, 일본전설, 일본풍습을 교육하여 조선의 고유한 습성을 파괴함으로서, 조선 역사관과 민족관을 완전히 소멸시키고 자기 비하병卑下症에 머물게 하여 스스로 무력감에 빠지게 하려는 의도로 보인다.

이와 더불어 신문, 잡지, 도서 등을 검열하는 총독부경무국 도서과에서는 신문사법과 출판법에 규정된 강압규정을 확대 적용했다. 기사의 삭제, 발간된 신문과 잡지의 압수 등에 혈안이 되어 약간의 조선적인 기질만 나타내어도 즉각 정간停刊, 폐간廢刊시켰다. 민족지 동아일보, 조선일보 등은 1940년 8월에 강제 폐간시켰다.[342]

구한말 일정의 강압에 의한 출판법의 발효 이후 즉 1909년 5월부터 1941년

340 『東亞日報』 1939년 6월 1일자.
341 綠旗聯盟, 『今日の朝鮮問題講座』, 綠旗日本文化研究所, 1939, p.36.
342 동아일보의 경우에는 '신문파지를 소홀히 처분', '물가안정을 위한 가격 정지령'을 위반했다는 등 생트집을 잡아 강제 폐간시켰다.
   1940년 8월 11일자가 폐간호가 되었다. 폐간사에서 "그러나 한번 뿌려진 씨인지라 오늘 이후에도 싹 밑엔 또 싹이 트고 꽃 우엔 또 새 꽃이 필 것을 믿어 의심치 않는 바이다"라고 부르짖고 있다(『東亞日報』 1967년 4월 1일자).

1월 31일까지 사이에 일정日政에 의해 한국 내에서 발매금지를 당한 단행본의 처분이유를 보면, 총 492건 중에서 출판법위반이 18건, 풍속이 20건이고 나머지는 모두 치안을 이유로 발금發禁조치하였다.[343] 따라서 통치수단으로 발금하였음을 알 수 있다.

내선일체라는 것은 한국인에 대한 차별을 철폐하는 것을 표방하고[344] 있지만 실제는 전 한국인의 병력자원화에 있었던 것이다. 이에 따라 모든 언로는 차단하고 황국신민화, 말 잘 듣는 노예화에 주력했던 것이다.

343 「日政下 發禁圖書 目錄」, 『日政下의 禁書 33卷』, 新東亞 別冊附錄, 1977년 1월.
발금된 전체목록 중에서 중요하다고 생각되는 33권의 목록은 다음과 같다.
昭儀新編(1902 柳麟錫), 埃及近代史(1905 張志淵), 歷史輯略(1905 金澤榮), 越南亡國史(1907 玄采), 幼年必讀(1907 玄采), 瑞士越國地(朴殷植), 演說法方(1907 安國善), 大韓新地志(1907 張志淵), 勉菴先生文集(1908 崔益鉉), 禽獸會議錄(1908 安國善), 夢見諸葛亮(1908 劉元杓), 乙支文德(1908 申采浩), 社會勝覽(1908 金丙濟), 十九世紀歐洲文明進化論(1908 李埰雨), 獨立精神(1910 李承晩), 自由種(1910 李海朝), 滄江集(1911 金澤榮), 夢拜金太祖(1911朴殷植), 梅泉集(1912 黃玹), 韓國痛史(1913 朴殷植), 大韓獨立血戰記(1919 김영우), 大韓獨立運動之血史(1920 朴殷植), 님의 沈黙(1926 韓龍雲), 提倡我朝鮮獨立文化之一二語(1927 朴容萬), 月南李商在(1929 安在鴻), 詩歌集(1929 金東煥), 朝鮮民族更生의 道(1930 崔鉉培), 朝鮮敎育의 缺陷(1930 朱耀燮), 甲午東學亂(1930 金東縉), 屠倭實記(1931 金九), 平和와 自由(1932 金東煥), 李朝戰亂史(1935).
344 1942년 5월에 조선총독을 사임하고 일본으로 돌아간 南次郎은 그 해 10월 28일 천황 임석하에 열린 고문관회의에서 "조선은 최근까지 수천 년에 걸쳐 한 나라를 형성해온 때문에 그 사상, 인종, 습관, 언어 등을 달리하는 이민족임은 엄연한 사실"이라고 하고 있다(「樞密院會議」, 1942년 10월 28일자, 孫禎睦, 『(日帝强占期) 都市計劃硏究』, 一志社, 1990, p 344에서 재인용).

1939년 5월 31일

현화사7층석탑 내 유물 절취범 검거

1937년 8월 28일 폭풍우가 있던 밤에 일대 괴음과 같이 보물 제156호로 등록된 개풍군 영남면 현화리 현화사의 7층석탑의 맨 밑층 제1층이 깨어지고 그 속에 들어있던 보물이 감쪽같이 없어진 사건이 생겼다. 낙뢰에 의한 것인지 보물을 탐한 도적의 소위인지 알지 못하게 파괴되어 이 소식을 들은 개성서의 서원과 개성박물관장 고유섭, 총독부박물관원이 현장에 출장하여 조사를 하였으나 명백한 단서를 찾지 못했다.[345]

그 동안 개성경찰서에서는 범인 수색에 상당히 힘을 써왔으나 단서를 찾지 못하고 있었는데, 5월 31일 저녁에 개성 부내를 배회하는 수상한 청년 두 명을 검거 취조한 결과 그들은 경기도 개풍군 청교면 양릉리에 사는 백남철과 동리 정인순으로 이들은 공범 두 사람과 합하여 4명이 1937년 8월에 개성군 남면 현화

『매일신보』1939년 6월 3일자.

345 『東亞日報』1937년 9월 5일자.

리에 있는 명찰 현화사7층석탑 안에 비장한 금제사리탑을 절취하여 개성부내
어느 고물상에 단돈 6백 원을 받고 팔아먹은 사실을 자백하였다.

　개성경찰서에서는 곧 이 사실을 경기도 형사과에 통첩하여 문제의 금제사리
탑은 지금 어디로 팔려갔는지를 수사하게 하였다.[346]

　『매일신보』 1939년 6월 4일자에는 다음과 같은 기사가 있다.

　　현화사 탑 속에 있는 국보를 절취한 범인 두 명은 개성서에서 취조중인데
　　전기 정인순은 소화12년 8월 27일 폭풍우가 심한 날 현화사에 있는 석탑
　　에 벼락이 떨어져서 무너졌다는 말을 듣고 그 탑 속에 보물이 있다는 것을
　　추측하고 조덕진과 공모한 후 28일 오전 3시쯤 현장에 가서 허무러진 3번

　　째 탑 속에서 순금으로 만든 주전자 1
　　개와 순은으로 만든 조선사발 1개를 절
　　취하여 가지고 달아났다가 1937년 10월
　　20일 쯤 부내 북본정에서 전당포를 하
　　는 박재규에게 그 물건을 현금 5백 원을
　　받고 팔았는데, 박재규는 다시 그 물건
　　을 경성 남대문통에 있는 삼화三和상회
　　에 가서 현금 711원 85전에 팔아버렸다
　　하며 삼화상회에서는 두 가지 보물을 전
　　부 녹여서 다른 물건을 만들어 버렸다는

파괴된 현화7층석탑 모습(『매일신보』 1939
년 6월 4일자)

346 『每日申報』 1939년 6월 3일자.

데 사건이 국보로써 중대하니 만큼 이에 관련한 삼화상회 점원 등을 연일 취조 중인데 취조에 따라서 문제가 확대될 수도 있다고 한다.

1939년 5월

부여 부소산성의 실측조사

부여 부소산 남록은 현재 부여신궁이 조영되고 있는 지역으로 산성에 대하여 실측조사를 하고, 일부는 발굴을 했다. 총독부박물관 요네다 미요지米田美代治와 이종국李鍾國이 1939년 5월 상순에 부소산성에 출장하여 실측을 행하고, 사비루 부근의 고대高臺 및 중앙부의 지역을 발굴하여 사비루 부근 지역에서 석불두石佛頭, 석비소편石碑小片을 발견했다. 고대 중앙부에서는 초석 등을 발견하여 건물지를 확인하고 '의봉2년儀鳳二年'의 명이 있는 평와편을 발견했다.[347]

황해도 황주에서의 석기시대 거주지 조사

1939년 5월 하순 황해도 황주군 황주면에서 석기시대의 주거지가 발견되었다. 조선고적연구회 고이즈미 아키오小泉顯夫 등이 조사를 하여 석검편, 석포정,

---

347 齋藤忠, 「昭和14年度に於ける朝鮮古蹟調査の槪要」, 『考古學雜誌』, 1940년 1월.

석족, 토기 등을 발견되었다.[348]

선운사 불상 도난 사건 범인은 검거했으나 불상은 일본으로 반출

명찰인 고창 선운사의 사보인 철불(고 3척 좌불상), 교본敎本 그리고 깊이 비장하여 둔 당효령 등의 도난 사건이 1937년 3월에 발생하였다. 당시 경찰은 이 사건을 해결하려고 백방으로 노력하였으나 종시 단서를 잡을 수가 없었다. 이런 가운데 4년이 지난 후 문제의 실마리를 잡게 되었다.

그 실마리는 선운사의 사보를 훔쳐간 범인들끼리 이익금 분배 과정에서 분규가 생겨 사건이 외부로 새나가게 된 것이다. 1939년 5월에 정보를 입수한 고창경찰서에서는 서울과 군산 등지에서 활동 중인 유력한 골동상인들을 검거하는 동시에 분실 당시 선당암감원禪堂庵監院으로 있던 이현규 외 1명을 체포하여 취조를 하였다.

이들을 조사하는 과정에서 이들의 배후에는 또 다른 관련자가 있음을 밝혀내었다. 배후에서 이들을 조종한 자는 군산에서 공직에 있는 모 유력자였다. 이 자는 골동상에게 1500원을 주어 백주에 선운사를 방문하여 사찰의 역사를 조사하게 한 후 당시 감원인 이현규를 매수하여 사보를 절취하게 했다. 절취한 사보는 자동차로 군산에 운반하여 약 6개월 동안 숨겨 두었다가 불상은 일본 히로시마廣島 모 골동상에 3만원에 매도하였고, 당효령은 부산 모 골동품점에 매도하였다.

348　齋藤忠,「昭和14年度に於ける朝鮮古蹟調査の概要」,『考古學雜誌』, 1940년 1월.

『동아일보』 1939년 6월 23일자 기사

　　도난 사건 관련자 일당 5명이 고창경찰서에 검거된 후에 정읍검사분국에서 취조를 받아 39년 9월 18일 제1법정에서 개정되었다. 사건 내용을 보면 피고 이삼구는 자기가 선운사에 인부로 있어 절 내용을 잘 알고 있으므로 나주 골동상 김길수, 군산 골동상 광길훈光吉薰과 3인이 공모하여 1937년 3월 27일 밤에 이삼구가 선운사에 잠입하여 방울을 훔쳐 군산의 부의원인 유력자인 우에타 보쿠上田朴에게 매각하고 다시 동년 4월 17일 밤에 전기 3명이 불상을 훔쳐 자동차에 실고 군산까지 가서 우에타 보쿠上田朴에게 대금 3천 3백원을 받고 매각하였다. 우에타는 그 후 다시 부산의 골동상 가시무라 쓰네오柏村恒雄에게 의뢰하여 방울은 대구의 골동상에게 6백원에 팔고 불상은 한국에서 팔기 곤란하여 일본 히로시마시廣島市의 요시모토吉本란 골동상인에게 맡겨 매각하도록 한 것이라고 한다.

9월 18일 법정에서 심의를 마치고 검사의 논고와 구형이 있었는데, 우에타와 가시무라는 징역 1년 6개월, 벌금 2백원, 김길수, 광길훈, 이삼구는 징역 2년이 언도되었다.[349]

1939년 6월 5일

평양 청암리 폐사지 조사

조선고적연구회의 사업으로 작년 요네다 미요지米田美代治, 고이즈미小泉 평양박물관장에 의해 발굴이 있었고, 이번에 계속하여 1939년 6월 5일부터 1개월간 요네다와 고이즈미가 다시 재개하여 발굴조사를 했다. 출토유물로는 다수의 고구려와, 간지재명도기干支在銘陶器, 김동제광배편金銅製光背片 등을 발견했다.[350]

『동아일보』 1939년 7월 1일자에는 다음과 같은 기사가 있다.

---

349 『東亞日報』 1939년 6월 23일자, 9월 20일자.
350 齋藤忠, 「昭和14年に於ける朝鮮古蹟調査の槪要」, 『考古學雜誌』, 1940년 1월.

고구려사원터 발견

왕궁지라든 청암리 발굴 수확

세면기洗面器 등 귀중한 유물 속출

평양고적보존회의 청암리 발굴작업은 대규모의 기단의 형상으로 미루어
보아 고구려의 왕궁지인 것으로 추측되어 고고학계에 비상한 흥미를 갖게
하여 왔는데 수일 전에 재차 발굴을 시작한 동 발굴대는 작년에 나타난 기
단 주위의 그 부근 일대를 계속 발굴하여 오던 중 지난 28일에 이르러 다
시 3개소의 고대건물 기단을 발굴하였다. 이것은 모두 고구려시대의 건축
물 기단부에 다시 고려의 사원을 건축하였던 것이 기단의 배치로 보나 그
축조법 및 기와 위에 세워진 사寺라는 글자로 보아 완연히 나타났다고 한
다. 그리하여 작년 가을에 세키노 박사의 설에 의하여 왕궁지의 설이 농후
하던 청암리 발굴 고적지는 이로써 고구려 사원지寺院址인 것으로 번복되

평양 청암리 폐사지 서측에서 본 문지

었는데 이번 발굴 작업에 특별한 성과로는 지금까지 한 개도 발굴을 보지 못했던 고구려시대의 세면기를 발굴한 것이라 한다. 이 세면기는 '丁酉年'이라는 제조연대를 표시한 토기로 역사상으로 미루어 보면 고구려 장수왕이 집안현 왕궁으로부터 평양에 천도한 이후 3차의 정유丁酉를 지난 것에 미루어 그 시대에 제조된 것으로 추측된다고 한다.

1938년 조사에서만 해도 청암리의 유적지는 왕궁지로 인식되기도 했으나,[351] 이번의 조사에서 고구려시대와 고려 때의 사원지임이 밝혀지게 되었다.

1939년 6월 9일

《원재선십일씨애장서화골동매립회》

1930년대 중반에 들어오면 경성미술구락부를 찾는 한국인이 증가하고 수집열이 높아지자 한국인들이 주주로서, 세화인으로써 참여하여 활동하기도 한

---

351 『每日申報』1939년 1월 19일자에는 다음과 같은 기사가 있다.
　　개문되는 신비경, 청암리 부근의 고구려왕궁지
　　작년 가을 대동강 상류 청암리 부근에서 행한 조선고적연구회의 고구려유적 발굴 작업에서 고구려왕궁지가 발견되어 학계에 큰 센세이션을 일으킨 채로 사정에 따라서 일시 작업을 중지하였던바 동 연구회에서는 14년 신춘을 맞이하여 그 발굴 작업을 속행하므로써 기대되는 바 학계의 희망에 대답하는 한편 동 연구회에서 수년래의 현안으로 내려오던 석암리 부근에 있는 우수한 낙랑고분 2개소의 발굴사업을 하기로 되었다. 이 두 가지 사업에 의하여 힉적 신비세계가 개문될 것이라고 기대되는 바 많다.

다.[352] 또한 후반부터 경성미술구락부의 경매가가 급등하고 한국인의 수요가 늘어나자 1939년에는 역으로 일본에 반출해 있던 한국 고미술품이 한국에 들어와 경성미술구락부에서 경매가 이루어지기도 했다.

이 경매는 1939년 6월 9일에 이루어졌는데 이영개가 주선을 하여 이루어지게 되었다. 출품자들은 한일합방을 전후하여 한국에 건너와 관리 등으로 근무하면서 서화 골동을 수집하여 일본으로 귀국한 11명의 수장가들로 대부분 한국에서 사법관으로 활동하던 자들이다.[353] 이들은 한국에서 활동하는 동안 막대한 한국 고미술품을 수집하여 퇴임하고 귀국하면서 수집품들을 고스란히 가져갔던 자들이다. 출품 수는 서화 300여 점, 도자기 100여 점 기타 50여 점 총 450여 점이나 되었다.[354]

352　1931년 경성미술구락부의 주주들을 살펴보면, 총 64명인데 이 중에는 한국인 3명 즉 李屋禧燮(문명상회), 李村淳璜(한남서림), 吳鳳彬(조선미술관 운영) 등이 포함되어 있다. 1937년부터는 이희섭, 이순황, 유용식, 오봉빈 등이 세화인으로 참여를 하였다.

353　和田, 柿原, 辻, 中村, 中山, 山口, 國分, 前澤, 三宅, 島村, 工藤 등 11명의 수장가.

354　京城美術俱樂部, 『元在鮮十一氏愛藏 書畵骨董賣立目錄』, 1939.

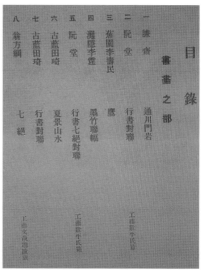
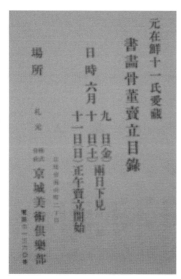

元在鮮十一氏愛藏

書畫骨董賣立目錄

日時 六月 九 日〔金〕
十 日〔土〕　兩日下見
十一日〔日〕正午賣立開始

場所 京城美術俱樂部

札元

『元在鮮十一氏愛藏 書畫骨董賣立目錄』
일시 : 1939년 6월 9일～11일
장소 : 경성미술구락

『元在鮮十一氏愛藏 書畫骨董賣立目錄』 도판

*목록에 나타난 수량

	품명	수량	비고
書畵之部	謙齋 筆 通川門岩		간송미술관 소장[130]
	阮堂 筆 行書對聯		
	阮堂 筆 行書七絶對聯		
	豹菴 筆 溪谷孤亭圖		
	蕙園 筆 耕作圖		
	李上佐 筆 花鳥圖 등	200여 점	목록번호 1~292(10여점은 목록에서 생략)
陶器, 骨董之部	靑磁象嵌雲鶴酒瓶		목록번호 300
	銅製銀象嵌香爐		목록번호 325, 海印寺所傳
	白高麗香盒 등	100여 점	목록번호 301~382 (이하 십수 점 목록에서 생략)
총계		450여 점	

이 때 간송이 경락한 것으로는 겸재 정선의 '통천문암도通川門岩圖', 명의 정운붕丁雲鵬이 그린 '무량수불도無量壽佛圖' 등을 비롯한 수점이 있다.

이 경매회를 중계한 이영개는 일본 동경에서 살고 있으면서 주로 일본인을 상대로 장사를 하였는데 그는 일본화를 많이 소장하고 있었다. 해방 후에는 동경과 서울을 드나들면서 일본인들이 국내에 남기고 간 일본화를 싼값으로 사들여 일본으로 가져가 팔곤 하였던 자이다.

해방 직후에는 일본인들과 결탁하여 전일본인 소유였던 을지로 2가 199번지 일대의 가옥 및 대지를 비롯하여 남산동 6번지 일대 충무로 일대의 주택 등 수

---

355 이 때 간송이 경락한 것으로는 겸재 정선의 '通川門岩圖', 명의 丁雲鵬이 그린 '無量壽佛圖'등을 비롯한 수 점이 있다.

억 원에 달하는 토지 건물을 해방 전에 소유한 것처럼 등기를 이전하였다가 이것이 탄로나 공판에 회부되어 징역을 언도 받기도 하였다.[356]

해방 후에도 그는 당시 치안국장을 역임하고 이왕가재산관리총국장이던 윤우경에게 교섭하여 구황실 재산인 유명한 일본화 4점과 그가 일본에서 가져온 우리나라 서화작품과 교환을 하였다. 교환한 한국서화는 안중식의 '광화문도대폭光化門圖大幅', 겸재의 '비원주회루대폭秘苑宙會樓大幅', '함흥본궁도대폭咸興本宮圖大幅', 필자미상의 '궁중송헌도십곡병풍宮中送獻圖十曲屛風' 등 4점이다.

일본화는 모두 일본 대가들의 작품이다. 후에 이것이 말썽이 되어 윤우경이 법망에 걸리게 되자 이영개도 오랫동안 한국에 들어오지 못했다.[357]

정선의 '통천문암도(通川門岩圖)'
간송미술관 소장

---

356 『東亞日報』1949년 10월 28일자.
357 당시『東亞日報』1961년 12월 27일 자에 다음과 같은 기사가 있다.
박창암 혁명검찰부장은 61년 12월 26일 독직 등의 협의로 기소되어 있는 전구황실재산 관리총국장 윤우경이 구황실재산총국에 보관 중이던 시가 5천만원짜리 미술품 5점을 (도합 2억 5천만원)일본에 팔아먹으려고 시도하였다고 발표하였다. 박 부장은 윤 피고 인에 대한 첫 공판을 하루 앞둔 이날 "문화재 보호에 대한 일반국민들의 경각심을 환기 하는 한편 얼마 남지 않은 국보를 밀수출하려 하는 매국노는 지엄하게 단죄할 것이라 는 혁명의 입장을 국민들에 특별히 보고 하려 한다"고 말하고 "윤우경은 일제 때 고등 계 주임을 지낸 일본의 주구임에도 회개는 커녕 매국노적 행위를 하였다"고 하였다. 그 에 의하면 미술품은 구황실재산총국에서 비싸게 사들였던 것이며 감정인에게 의뢰하 였던바 1점당 5천만 환이 된다고 한다. 그러나 그는 동 미술품이 어느 시대 어느 나라

1939년 6월 13일

고령 지방 고분 조사

　일제는 중일전쟁 이후 내선일체를 강조하기 위하여 소위 '임나일본부'의 물증자료를 찾아 시국의 정세에 따라 내선일체의 자료로 삼고자 했다. 이러한 분위기 속에서 경북여자고교장 시라가미 주키치白神壽吉는 "내선일체의 사적이 찬연한 임나대가야 사적이 있는 고령은 금일의 반도학계에 있어서 무이의 탐구열을 자아내고 있는 바" 내선일체의 자료로 삼기 위해 고령 금림왕릉 등을 발굴해야 한다고 발언했다. 이런 정책의 일안으로 고령의 금림왕릉을 비롯한 4기의 고분을 발굴하게 된다.

누구의 작품인지는 밝히지 않았다. 그는 또한 윤 피고인이 동 관리국총국에 보관 중이던 진서에 손을 대어 경무대에 진상품으로 악용하였으며 문제의 미술품은 일본에 있는 우리 국보와 자의로 교환하려고 했다고 말하고 있다.

전구황실재산사무총국장 윤우경(당시 62세)에 대한 '부정축재 및 독직피고 사건'첫 공판이 61년 12월 27일 혁명재판소 4호법정에서 열렸다. '윤피고인이 구황실재산사무총국 소유 임야를 부정 불하하는 한편 미술품을 일본에 도피케 함에 적극 협조하고 고서적을 이승만 전 대통령에게 대여형식으로 바쳤다'고 공소장을 낭독하였다.

윤 피고인에 대한 공소사실은 구황실재산총국장으로 재직하면서 1958년 11월 동사무총국 소속 국유재산인 서울 성북구 산2번지 1호 임야 37,938평을 재단법인 배재학당에 수의계약형식으로 부정 불하함으로써 배재학당으로 하여금 4천4백5십만7천삼백56환의 부정이득을 취함에 적극협조하고, 1957년 9월 일본과 한국 간을 왕래하는 골동품상 이영개에게 덕수궁미술관 소장의 일본화 「야의 화」(연수어단 작), 외 1점과 우리나라 동양화 「景福宮圖」(안심전 작) 외 1점을 교환하여 주고 1958년 6월경에는 역시 일본화 「裸婦」(中村謙 作)와 「咸興本宮圖大幅」(筆者未詳)외 3점을 교환 인도하여 시가 2억5천만 상당의 미술문화재를 일본으로 도피케 함에 적극 협조하였다는 등의 혐의이다.

고령에서의 고분군은 일찍이 1910년 세키노 일행에 의해 조사가 있었고, 1915, 1916년 구로이타의 조사가 있었으며 1918년 하마다, 우메하라에 의해 발굴조사가 있었다. 이후 고령지방의 고분은 도굴을 당하여 대부분의 고분이 황폐하게 되었다.

이번의 조사는 1939년 6월 13일부터 7월까지 아리미츠 교이치有光敎一, 사라가미 주키치白神壽吉, 오사카 긴타로大坂金太郎가 전 금림왕릉을 비롯한 4기 발굴했다. 이곳에서 순금제이식, 은제전립식, 유리옥, 철검을 위시하여 도기 등 3개소의 고분에서 150여 점을 발굴했다.[358]

당시 신문에는 다음과 같은 기사가 있다.

찬연! '임나문화', 고령서 발굴된 진품 150여 점

'조이기탄순절비調伊企灘殉節碑' 건립을 계기로 하여 내선일체의 사적에 찬연한 이채를 발휘하며 등장한 임나대가야국의 사적이 있는 고령은 금일의 반도 학계에 있어서 무이無二의 탐구열을 자아내고 있는바 경북고여고교장 백신수길 씨의 발언에 의하여 지난 6월 13일부터 본부 기수 유광 일행이 대가야국성지에 근접한 금림왕릉의 발굴에 착수한 이래 착착 그 사실을 증좌證左하는 귀중한 자료 순금제세환식이식, 은제전립식, 유리옥, 검, 청동제개 등을 위시하여 인골, 도기 등 3개소의 고분에서 150여 점을 발굴하여 귀중한 자료를 학계에 제공한 것으로써 다시 부근 일대의 고분군에 대하여 고고의 메스를 가할까 하던 차에 유광 씨는 돌연 북지나 방면의 학술연구차로 떠나게 된 관계로 부득이 발굴 중도에 일시 중지를 하였던 상태에 이

358 齋藤忠, 「昭和14年度に於ける朝鮮古蹟調査の槪要」, 『考古學雜誌』, 1940년 1월.

慶北耳山古塚서에發堀된
任那伽倻國의古文化
純金製귀거리•王冠等實物이쏟아저

『동아일보』 1939년 7월 5일자 기사

른 것이다. 이를 우려한 백신 수길 씨 및 경주박물관장 대판 규태랑 양씨는 2일 급히 만나 일행은 고령군청에서 유광 씨, 정기창 군수와 회견하고 본부로 발송직전의 전기 발굴물을 관람한 후 발굴현장에 나아가 발굴중지로 인하여 매몰된 왕릉위에 서서 백신, 대판 씨 등은 금후에 있어서의 발굴 결의 임나문화의 탐구 등에 대하여 노력을 경주하기로 맹약하였는데, 3일 귀임한 유광 씨의 보곡에 의하여 수일 중에 재차 대판 씨 혹은 본부에서 책임자가 급행하여 이 사업을 계속할 것이다(『매일신보』 1939년 7월 5일자).

경북 이산고총에서 발굴된 임나가야국의 고문화

경상도라면 옛날부터 신라문화의 찬란한 옛 국토로 알려졌는데 요즘 고령군내에서 임나가야국의 옛 성지를 발견하여 신라에 못지않는 빛나는 문물을 가졌던 나라가 경상도내에 또 있었다는 것은 일전 보도한 바이거니와 그 뒤 고령군내 이성산성에 고총 약 180여개가 있는 것을 발견하여 이것이 혹시 임나국과의 무슨 관련이나 있지 않을까 하는 생각으로 총독부에서 유광 문학사 일행이 내려와 약 3주일 전부터 이것의 발굴에 착수한바 3일 그 중 큰 분묘 속에서 실로 생각지도 못한 진중한 물품이 수없이 쏟아

져 나와 놀라게 하였다. 첫째 순금제귀걸이 한 쌍이 나왔는데 그 만든 품
이 신라의 것과는 달라 훨씬 정교한 중 더욱 놀란 것은 그 조그만한 귀걸
이를 돌아가면서 역시 순금제의 정교한 방울을 달았으며 그 외 은제의 왕
관이 나왔는데 장식 등은 신라 것과 비슷하면서도 다르고, 또 은제등자 한
쌍과 유리옥 및 비취옥이 수없이 쏟아져 나왔는바 아직도 계속하여 파내
는 중으로 이것의 발굴이 따 끝나는 날에는 신라문화와 달리하여 새로운
크나큰 수확이 고고학계 빛나는 것으로 각 방면의 주목이 자못 크다(『동
아일보』1939년 7월 5일자).

고분 발굴의 목적은 순전히 소위 '임나일본부'의 물증자료를 찾아 시국의 정
세에 따라 내선일체의 자료로 삼고자 했던 것이다.

1939년 6월 15일

부여신궁 조영을 결정하다.

중일전쟁이 장기화로 나아가게 되자 일제는 전쟁준비에 모든 것을 총동원하게
되었으며, 한국인을 충량한 황국신민화를 하기에 몰두하였다. 이 때 '내선일체'를
내세워 한국 젊은이들을 전쟁터로 내몰았으며, 내선일체를 강조하기 위한 정신
찍 집징으로 1939년 6월 15일 총독부 고시 503호로 부여신궁조영을 결정하였다.
일본으로부터 부여신궁이 관폐대사로 승인이 난 후 미나미는 관폐대사 부여

신궁 창립에 대하여 다음과 같은 '근화謹話' 라는 것을 발표하였다.

삼가 사승史乘을 징徵하건데 내선일체의 소인素因은 멀리 유구悠久한 고대에 발하여 황송하옵게도 황조열성皇祖列聖은 항상 예려叡慮를 해외 반도의 지에 미치시어 일찍이 부를 임나에 두어 대륙경영의 기틀을 삼았으며 고려, 백제, 신라, 삼국이 서로 세를 다투매 당하여서는 바른 것을 돕고 위태로움을 구함으로서 언제나 반도의 화평을 유지하고 공존공영의 실實을 거둘 것을 기하였으므로 삼국도 또한 각각 성은이 넓고 두터움에 감격하여 교친을 게을리 하지 않고 공사세시貢使歲時로서 왕래하고 <중략>
황공하옵게도 부여신궁의 제신祭神으로 결정되오신 응신천황, 제명천황, 천지천황, 신공황후의 시대에 재在하여서는 피차의 문화는 교류하고 민족은 융합하여 상호 돈목敦睦함으로써 일가의 화친을 이루고 일시동인一視同仁의 성화聖化와 내선일체의 연유와 동아공영의 대의를 만대에 걸쳐 소시昭示해 온 것이었으며 따라서 그 높은 성덕의 정도는 만민이 함께 추모 경앙해 마지않는 바입니다(『동아일보 1939년 6월 16일자).

일찍이 임나일본부를 두어 한반도를 경영하였으며, 고구려, 백제, 신라가 서로 세력다툼을 할 때는 시비를 가려 바르게 하여 위기를 구하고 한반도의 평화를 유지해 주었다는 것이다. 그리고 이 같은 누대의 성은에 감격하여 신하의 예를 다했다는 터무니없는 것을 만들어 낸 것이다.

이것은 모두가 억지 임나일본부설에 기본하며, 날조한 광개토대왕비문의 억지 해석에 근거한 것이다.

이에 한 술 더 떠서 충청남도지사 정교원鄭僑源은 「내선일체의 윤리적 귀결」
이란 제하의 글에서,

지금 부여신궁 어조영에 봉사하는 근로대의 성초聖鍬는 흘러내리는 땀방울
과 함께 존귀하게 빛난다. 생을 황국에서 받은 자라면 이 땅에 가서 누구든
지 내선의 깊이 맺은 줄을 더 굳게 맺고저 함을 볼 것이다. 사변 진전에 따
라 내선일체는 논의의 시대를 지나서 이윽고 실천단계에 들어갔다. <중략>
사실史實에 비춰 보건데 역사시대 이래로 임나, 백제, 고구려, 신라 등과 일
본과의 관계는 때로 일진일퇴가 있었는데, 지금의 내지가 아직 완전히 통
일을 보지 않은 이전에 있어서 반도의 여러 나라에 대해서 일찍이 야마토
조정은 유액보호誘掖保護의 손을 폈으며 혹은 물사를 준다든지 혹은 주둔
시키든지 혹은 관직을 설設하고 때로는 응징膺懲을 가하여 문화의 교류를
계획한 것 등 참으로 밀접 불가분의 관계가 있는 것은 현저한 사실이다.
이들 많은 사실 중에는 이해관계라든지 국제관계로서는 설명할 수 없는
윤리적 해석이 적지 않다. <중략> 이런 의미에서 내선일체는 옛날에의 복
귀다. 잘못하면 지금 사람들은 내선일체라는 것을 시세나 행정의 방편이
라고 말하지만 결코 그런 것이 아니다. 내가 믿는 바의 내선일체는 조선통
치의 최고이상인 동시에 내선 양자의 윤리적 귀결이라 생각한다.[359]

이러한 엉터리 논리는 결국 날조한 광개토대왕비문에 근거한 것이라고 하

359 鄭僑源, 「내선일체의 윤리적 귀결」, 『삼천리』 제13권 1호, 1941년 1월.

니, 당시로서는 감히 이를 반박할 여지가 없었다.

부여신궁 조영 사업은 1939년부터 5개년 연속사업으로 일본과 백제 신라의 관계에 있어 특별히 교섭이 깊었던 응신천황, 제명천황, 친지천황, 신공황후의 4주의 신을 제신으로 한다고 했다. 그리고 내선일체 강화의 정신적 전당으로 충청남도 부여군 부여면에 부여신궁 창립과 사격을 관폐대사官弊大社로 한다는 것이다.[360]

신궁의 격에는 관폐사, 국폐사, 부현사, 향사, 촌사 등이 있고 관폐사는 관폐대사, 관폐중사, 관폐소사가 있고, 국폐사에는 국폐대사, 국폐중사, 국폐소사가 있다.[361] 1936년 8월에 신사령을 발포함과 동시에 경성신사와 부산 용두산신사를 관폐소사로 격을 높이고, 1937년 5월에는 대구신사와 평양신사를 관폐소사로 격상시켰다.[362] 그리고 새로 조영할 부여신궁의 사격을 관폐대사로 했다는 것은 일본과 동격의 제신을 모신다는 의미로, 부여신궁은 천황이 친히 제례에 참석해야 되는 신궁으로 그 격으로서 가장 높은 것이다. 이는 한국인에 대해 차별을 없앤다는 표방 아래 철저하게 내선일체의 정신적 전당으로 하고자 함에 있는 것이다.

경지境地는 부소산 일대의 약 50만평을 사용할 것으로 하여 1940년 여름에 부여신궁조영이 착수되었다.[363]

전 부여박물관장 홍사준은 부여신궁 조영에 대한 일제의 의도를 다음과 같

360 『朝鮮總督府告示』第503號, 官報 號外, 1939년 6월 19일.
361 岩下傳四郎, 『大陸神社大觀』, 大陸神道聯盟, 1941, pp.21-22.
362 岩下傳四郎, 『大陸神社大觀』, 大陸神道聯盟, 1941, p.47.
363 山口公一, 「戰時期(1937-45) 朝鮮總督府の神社政策」, 『韓日關係史 研究』, 韓日關係史 研究會, 1998, pp.138-139.

이 회고하고 있다.

그 때 일본에 있는 천황의 궁성을 부여신궁이 완성되면 옮긴다는 말이 있었습니다. 이것은 궁성을 부여로 옮긴다는 뜻이 아니라 장차 신궁이 완성되면 천황이 자주 이곳 부여에 건너옴으로써 조선 사람들에게 황민사상을 더욱 강하게 불어넣고 그 영향을 대륙에까지 뻗치게 하겠다는 의도로 해석이 됩니다. 그러니까 일본제국은 부여를 동경 다음으로 제2의 왕도로 건설하여 반도와 대륙의 정신적 수도로 삼으려 한 것이죠. 따라서 부여의 신궁건설은 여러 가지 측면에서 출발된 것이며 <중략>

그러면 그들은 애 부여를 택했을까? 그 대답은 간단합니다. 그들이 가장 숭배하는 나라는 백제였으며 그 본고상이 부어이기 때문입니다. 백제가 그때 문화를 일본에 전해주지 않았다면 오늘날의 일본이 있을 수가 없습니다. 이것은 한일 모든 역사가들의 공통된 견해입니다. 그렇기 때문에 역대 총독, 군사령관들은 조선에 부임하여 부여를 분방하는 것이 관례로 되어 있습니다. 또 하나의 이유는 당시 서울에도 남산에 신궁이 있습니다만 서울은 이조의 왕궁이 있고 아직도 밑바닥에는 도도한 빈항정신이 흐르고 있었기 때문에 거기에다 전 대륙의 황민화도장과 심벌을 세운다는 것은 부적당하다고 생각한 것입니다. 신궁에는 여러 격이 있는데 부여의 신궁은 서울 남산의 신궁보다 월등히 높아 일본 동경의 신궁과 맞먹는 말하자면 1급 신궁이었던 것만 보아도 그것을 알 수 있습니다.[364]

---

364 邊平燮, 『實錄 忠南半世紀』, 創學社, 1983, p.176에서 옮겨옴.

부여신궁 조영이 결정되자, 6월 16일 부여박물관 후정 광장에서 오전 8시 부여신명신사봉고제를 시행했다.[365]

1939년 6월 17일

임나대가야국성지비 및 일본군인 순절비제막식

당시 전쟁에 몰입하던 일제는 부여에는 부여신궁을 건설하면서 내선일체의 교육장으로 만들고, 한편으로는 소위 내선일체를 강화하기 위한 자료를 만들기 위해 지방교육회를 중심으로 '향토사연구회'를 조직하였다. 향토연구회는 각 도에 사적조사주사史蹟調査主事 또는 위원을 두어 향토사연구 사무를 통제하였다.[366] 그리고 전국 각 지방의 사화史話, 전설傳說 등을 조사하여 내선일체에 유리한 것은 이를 신문 잡지 등에 발표하였다. 이는 옛날부터 우리나라 지방 사적이나 전설에는 왜구나 왜적과의 항쟁에 관한 내용이 많았던 것을 감안하면 저들에게 유리한 것만을 취출取出하겠다는 심산으로 보인다.

경북 고령에도 내선일체의 교육장으로 만들기 위해 희한한 구상을 하였다. 즉 고령군 고령읍내 고령보통학교 운동장은 옛날 임나국의 일본부가 있던 곳

---

365 「부여박물관 일지」, 『博物館新聞』, 1974년 4월 1일자.
366 朝鮮總督府, 『朝鮮總督府 時局對策調査會諮問案參考書』 '鄕土史研究會要領試案' 條, 1938년 9월, pp.22-23.

으로 꾸미고 고령읍내를 감도는 회천藒川은 신라와 일본군이 전투를 한 고적지로 꾸미는 구상이었다.

이 지역에서 신라와 일본이 전투를 했다는 허구에 대해『매일신보』에서는 "소학교 보통학교의 국정교과서에까지 편입되어 널리 아동에게 충신의열의 표본으로 그의 도를 가르치고 있는 바이나 그 역사적 이엄연한 내선일체의 사실도 지금에는 단순히 일부 전문가의 지식밖에는 되지 못하여 팻말 하나 박혀있지 않을 뿐만 아니라 특히 대구부로서도 하등의 대중적 시설을 보지 못

고령면 금림소학교 교정에 건립한 임나대가야국성지 비(『동아일보』 1939년 6월 20일자)

하여 여간 유감되게 생각하지 않던 중" 마쓰모토松本 내무부장이 경주를 시찰할 때 우연히 이 사실을 알게 되어 대구의 도시적 발전과 시국에 대응하여 내선일체 충신의열의 유적을 널리 천하에 소개하는 동시에 고적보존의 취지하에 이 임나의 고적에 팻말을 박고 대구역전의 명소안내에 게재할 것을 간담 요망하게 되었다고 한다.[367]

---

367 『매일신보』1937년 10월 23일자에는 다음과 같은 기사가 있다.
　고령군 고령읍내 고령보통학교 운동장은 옛날 임나국의 일본부가 있던 곳으로 현재 고

이러한 기사가 나가고 난 후 일부 친일인사와 일본인들이 중심이 되어 '임나대가야국성지비'를 건립할 의견이 대두되고 이를 실행하기 위해 소학교 보통학교 아동의 헌금으로 건설을 추진했다.

드디어 1939년 6월 17일에 임나대가야국성지비 및 일본군인 순절비제막식이 고령면 금림소학교 교정에서 거행되었다. 가와무라河村 검사장, 도지사, 마에다前田 헌병대장, 서병조, 서병주 두 중추원참의, 김재환, 오오시마大島 대구향군연합분회장, 등 관민 다수 참여하에 고령군수 사회로 식을 진행하여 제막이 있은 후, '임나고적전람회'를 개최하였다.[368]

1939년 6월

6월에 고이즈미 아키오小泉顯夫에 의해 평남 대동강면 오야리 전곽분 1기가

령읍내를 감도는 會川은 신라왕의 군세에 調伊企難 3부자가 유린을 하다 못하고 결국 참수되어 장렬한 죽음을 한 고적인데 그에 대한 이야기는 소학교 보통학교의 국정교과서에까지 편입되어 널리 아동에게 충신의열의 표본으로 그의 도를 가르치고 있는 바이나 그 역사적 이 엄연한 내선일체의 사실도 지금에는 단순히 일부 전문가의 지식밖에는 되지 못하여 팻말 하나 박혀있지 않을 뿐만 아니라 특히 대구부로서도 하들의 대중적 시설을 보지 못하여 여간 유감되게 생각하지 않던 중 송본(松本)내무부장이 경주를 시찰할 때 우연히 이 사실을 알게 되어 대구의 도시적 발전과 시국에 대응하여 내선일체 충신의열의 유적을 널리 천하에 소개하는 동시에 고적보존의 취지하에 이 '이기나'의 터와 임나의 고적에 팻말을 박고 명소안내에 게재할 것을 간담 요망하게 되었다고 한다. 다시 일부 유력자간에 이것을 기회로 '이기나'의 비를 소학교 보통학교 아동의 1전거금錢據金으로 건설할 의견이 대두되어 벌써부터 준비가 시작되었다고 한다.
368 『매일신보』 1939년 6월 21일자.

발굴되었다.[369]

황해도 신계군에서의 고구려고분 조사

1939년 6월상순 황해도 신계군 적여면에서 금제이식 1대가 발견되어 총독부 박물관 가야모토 가메지로栂本龜次郎가 출장하여 조사한 결과 대형평판석大形平板石이 노지爐址 부근에서 발견되었다.[370]

고령군 지산동 제39호분 조사

아리미츠 교이치有光教一에 의하면 1939년 6월경에 아리미츠 본인이 고령궁 지산동의 고분을 발굴했다고 한다.[371] 그리고 철족鐵鏃, 금동제시통金銅製矢筒, 금동제환두태도, 금제이식 등이 『유리원판목록집 Ⅲ』의 원판번호 195-1~5로 기재되어 있는데 1939년에 아리미츠가 발굴한 지산동 제39호분 출토 유물이라 한다.[372] 이는 아리미츠가 언급한 고분과 동일한 것으로 추정된다.

369 齋藤忠, 「昭和14年に於ける朝鮮古蹟調査の概要」, 『考古學雜誌』, 1940년 1월.
370 齋藤忠, 「昭和14年度に於ける朝鮮古蹟調査の概要」, 『考古學雜誌』, 1940년 1월.
371 有光教一, 『有光教一著作集』 제3권, 1999.
372 국립중앙박물관, 『유리원판목록집 Ⅲ』, 1999. 원판번호 195-1~5.

1939년 7월 3일

부여신궁 참도 및 시가지 계획

총독부에서는 7월 3일에 열렸던 총독부 시가지계획위원회에서 부여에 실시할 도시계획안을 체택하였다. 이번에 체택된 신도시 건설의 시가지계획령 실시의 골자를 보면 현재의 부여읍내에 1,338만여 평을 구획정리의 지역으로 하고 폭 25m되는 큰길 10개와 12m 내지 20m 되는 큰길 27개를 뚫어 큰 도시로서 도로시설을 하겠다는 계획이다.

이 계획 실시는 금년 내에 착수하여 신도시를 꾸미는데 박차를 가할 터이며 다시 부소산성의 신궁으로 참배하는 참궁도로도 4개년 계획으로 새로 내리라 한다. 즉 명년도부터 4개년 계획으로 450만원을 들여 조치원부터 부여에 이르는 60km로 다시 논산으로부터 17km 강경으로부터 21km의 새길을 만들어 자동차 전용도로를 만들어 각처로부터 밀려들 참배자의 편의를 도모하겠다는 것이다. 그 외 각 고적을 유람할 수 있는 유람도로도 만들 계획을 수립했다.[373]

---

373 『每日申報』1939년 8월 2일자.

1939년 7월 12일

강원도 평강 신성산성지(新城山城址) 조사

고원 최영희崔泳喜, 촉탁 가야모토 가메지로榧本龜次郎은 1939년 7월 12일부터 19일까지 농림국 임정과와 공동으로 강원도 평원군 평강면 신정리 소재 신성산성지新城山城址, 철원 궁예 사적 등을 조사했다.[374]

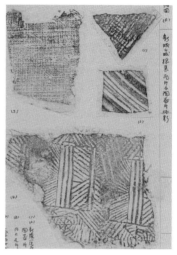

신성산성(新城山城) 채집
와편(瓦片) 및 도기편(陶器片) 탁영

1939년 7월 20일

7월 20일 제주도 관음사에서 불이 나 대웅전과 승방 한 채가 불탔다.[375]

---

374 「강원도 평강 新城山城址 조사 복명서」, 『국립중앙박물관 소장 조선총독부박물관 공문서』, 목록번호 : 96-431.
375 『每日申報』 1939년 7월 25일자.

1939년 7월

한반도 전토를 파헤치겠다는 구상

그간에 고적조사사업은 고적연구회에서 기부금 등으로 시행해 왔는데, 1940년부터 10년의 계획으로 총독부에서 국고國庫로 계상計上하여 발굴 사업 등을 수행하기로 하고 제1착으로 경주 일대를 집중적으로 조사하기로 했다.『동아일보』1939년 7월 14일자에는 다음과 같은 기사가 있다.

전 조선에 10년 계획으로 고적 유물을 적극 발굴, 명년도에 15만원 計上,
제1착으로 경주 일대에 주력
'지하박물관' 지상으로
조선의 산과 들을 파기만 하면 금은보석이 나와 땅덩어리 전체가 그대로 한 개의 광상鑛床으로 되어 있지만은 또한 땅을 파는 곳마다 고적 보물 기념물 등이 속출하여 이 땅의 역사가 오랜 것과 지난날의 미술문화가 찬란하였다는 것을 사실로 증명하고 있다. 평양, 경주, 부여 등 과거 도읍지를 말할 것도 없고 때로는 산간오지의 철로 기타 공사장에서도 진귀한 고물이 많이 나오는 터이다. 그래서 벌써 경주 신라 유적과 강서의 낙랑 유적을 많이 파내어 고고학상에 산 재료로 삼을 뿐 아니라 문화 전승에 큰 역할을 하고 있어서 각지의 박물관시설이 비록 적기는 하되 세계에 소리쳐가면서 대충동을 주고 있다. 그런데 금번 총독부에서는 아직도 지하에서 녹슬고 있는 고적을 전부 파내기 위하여 명년도 예산에 그 경비 15만원을 계상하고서

앞으로 10개년 계속사업으로 역사상 증명할만한 유명 무명의 고대보물을 발굴하기로 하였다. 물론 각지의 고적을 모두 발굴할 것이나 금번 계획의 목표는 경주 일대에 많이 있는 고분을 파는데 주력하리라는바 경주에서는 이미 금관총 등 다수의 고분을 많이 파기도 했지만 아직도 고분은 많이 남아 있고 경주 일대가 사실 그대로 한 개의 커다란 지하박물관을 이루고 있는데 이 계획이 실현되는 날에는 지하에 매장되어 있는 그 박물관이 그대로 지상에 나타나서 조선 문화의 옛 모양을 더욱 빛나게 할 것이라 한다. 그리고 그 발굴한 고적은 현재 건설 도중에 있는 총독부 박물관에 대부분 진열하게 될 것으로 학계에서는 물론 벌써부터 일반의 기대가 크다고 한다.

꾸준히 계속할 터, 학무국 소화전小和田 씨 담

총독부 학무국 고적계의 소화전 씨는 말한다.

금번 계획은 경주의 고분을 파는 것이 중심이 되겠으나 부여, 평양 등지의 것도 파게 될 것입니다. 이때까지 고분, 고적을 많이 파기도 했지만 그 비용은 대부분 고적연구회에서 부담하였고 그렇지 않으면 민간의 기부 등으로 하여 왔으나 국고로써 15만원 경비를 계상하고 고적 발굴 10개년 계획을 세운 것은 금번이 처음이올시다. 예산이 무사히 통과되어 이 문화사업이 실현되기를 기대하고 있습니다.

총독부의 이 같은 구상은 전시체제에 있어서는 사실 불가능한 구상이며, 이같은 구상은 시간이 갈수록 예산 부족 벽에 부딪쳐 조사는 물론이거니와 고적 및 유물이 파괴당하는 예가 비일비재했다.

평양 상오리 폐사지 조사

7월부터 8월에 걸쳐 평남 대동군 임원면 상오리의 폐사지를 고이즈미小泉와 사이토齊藤가 발굴하여 고구려와, 각형금동금구角形金銅金具, 금동심엽형수식金銅心葉形垂飾, 금동제풍탁편金銅製風鐸片 등을 발견했다.[376]

부여신궁 진좌지청불식,
중견청년수련소 및 부여분관 개관식
(『매일신보』 1939년 8월 3일자)

1939년 8월 1일

부여신궁 진좌지청불식(鎭坐地淸祓式) 거행

1939년 8월 1일에 부여신궁 진좌지청불식鎭坐地淸祓式이 부소산에서 오노大野 정무총감, 오다케大竹 내무국장, 충남지사, 지방과장 외 국민대표 5백여 명이 참가한 가운데 거행되었다. 이날 행사는 중견청년수련소 개소식과 총독부박물관 부여분관 개관식도 함께 이루어졌다.

---

376 齋藤忠, 「昭和14年に於ける朝鮮古蹟調査の概要」, 『考古學雜誌』, 1940년 1월; 小泉顯夫, 『朝鮮古代遺跡の遍歷』, 六興出版, 1986.

이 세 가지 행사는 사실 부여신궁 조영과 밀접한 연관성을 가지는 것이다. 중견청년수련소는 총독부 학무국에서 제작한 교재를 가지고 내선일체와 군사교육을 하는 곳으로, 각도에서 도지사가 추천하는 남여 500여 명을 교대로 입소시켜 훈련을 시키는 수련소이다. 건물은 1939년 초에 착공하여 7월말에 완공하였는데 신궁조영 근로봉사대의 숙사로 사용하기도 했다. 총독부박물관 부여분관은 백제문화와 일본문화의 연관성을 공개하는 중요한 전시공간이었다. 이러한 세 가지 행사가 동시에 이루어진 것은 우연이 아니라 차후 이런 공간을 효율적으로 활용하여 내선일체의 교육장으로 하겠다는 것이다.

1939년 8월 6일

고령 전 금림왕릉 도굴단 검거

전 금림왕릉의 경우에는 이미 1차 도굴을 당했던 것으로, 아리미츠 일행이 발굴에 착수 했을 때 벌써 교묘한 수단으로 몇 군데가 도굴당한 흔적이 있었다고 한다. 아리미츠 일행은 이 사실을 경찰에 신고하여 고령경찰서에서는 은밀한 수사에 착수했다. 그 후 유력한 단서를 얻어 고령경찰서에서는 1939년 8

『동아일보』 1939년 8월 16일자.

월 6일 고령읍 이산산복에 잠복하고 있던 주범 김모를 체포하고 공범 3명도 체포를 했다. 도굴한 유물은 이미 대부분 팔아먹고 나머지 일부만 증거물로 압수했다. "도굴범이 심히 교묘하여 전문적 기술을 가진 배후의 흑막이 있는 듯해서 수사범위를 넓히고 있다"고 하는데[377] 이들은 매수자, 판매책 등을 가진 전문 도굴단으로 추정된다.

1939년 8월 18일

부여신궁조영사무규정 발표

1939년 8월 18일에는 총독부 훈령 제50호로 '부여신궁조영사무규정'을 발표하였다.[378]

그 규정을 보면, 제1조에 조선총독부에 부여신궁조영회와 부여신궁조영사무국을 두었으며, 제2조에 위원회는 총독의 자문에 의하여 부여신궁 조영에 관한 중요사항을 조사 심의한다고 했다. 제3조 이하에는 기관으로 위원장에 정무총감을 초대하고 위원으로는 총독부내 고등관과 학식 경험이 있는 사람 중에서 임명하는 것으로 하고 있다. 사무국에서는 총독부 경리부와 부여출장소를 두고 내무국장이 취임하고 다시 고문을 두기로 하였다.

---

377 『동아일보』 1939년 8월 16일자.
378 『官報』 1939년 8월 18일.

신궁 조영은 1939년부터 1943년까지 5개년 계획으로 그 개요를 보면, 경내지 및 부속용지는 21만 8천42평이고, 경비예산은 국비 총액 1백5십만 원, 찬조금 1백만 원으로 책정되었다.

조영 사업에 국비로 하는 조영물로는 본전(22평), 축사전(32평), 좌우복랑(34평), 등랑(13평), 착상전(20평), 내원회랑(67평), 배전(46평), 익랑(72평), 신고(6평), 신찬소(35평), 기타 지주사, 보식사, 제기고, 신찬소, 도랑, 수수사, 재관, 사무소, 창고, 직사, 신교 등이다. 부여신궁 봉찬회의 봉찬사업으로 시행할 조영물로는 누문, 협문, 외회랑, 귀빈전, 참배인 휴게소, 상수도, 방화시설 등이다.[379]

1939년 8월 18일 총독부 훈령 제50호로 '부여신궁 조영사무규정'에 의해 운영위원회 위원장을 맡게 된 조선총독부 정무총감 오노 이치로大野綠一郎는 세부 시행에 따라 문제점을 살피기 위해 부여를 방문하였다. 오노 총감은 부소산을 비롯하여 부여 일대를 돌아보며 필요한 조치가 무엇인가, 공사에 따른 문제점이 무엇인가를 현지 군수와 박물관장에게 물었다.

이때 제기된 문제점으로 인력 수급책과 부소산 지구를 고적보존지역으로부터 해제하는 것 등이었다. 즉 당시 부여읍의 인구로는 이 거대한 공사를 담당할 인력이 없다는 것이며 외부에서 인력을 충당한다 해도 이들을 수용할 숙박시설이 전혀 없다는 것이다.[380] 그리고 부소산 남쪽 지역(현재 삼충사가 있는 자리)이 신궁 조영지로 정해진 만큼, 우선 고적보존지역으로 묶여 있는 이 일대를 해제해야 된다는 것이었다. 오노 정무총감은 상경하여 이러한 문제점을

379 岩下傳四郎, 『大陸神社大觀』, 大陸神道聯盟, 1941, pp.67-68.
380 邊平燮, 『實錄 忠南半世紀』, 創學社, 1983, p.179.

미나미 총독에게 보고를 하였다.

미나미 총독은 바로 각 도지사를 소집하여 다음과 같이 훈시했다.

이제 우리는 황공하옵게도 천황의 황은을 입어 부여에 신궁 조영공사를 하게 되었다. 따라서 이 성스러운 역사는 어느 일부만이 참석해서는 안 되며 천황폐하의 신민은 마땅히 여기에 동원되어야하고 그것을 황공하게 생각해야 한다. 이 역사에는 내선일체의 모범을 보여야 하고 이 역사를 하나의 황도수련으로 생각해야 한다. 앞으로 모든 학생들은 소학생에서 대학생에 까지 황도의 수련으로 참여해야하며 모든 공무원들도 빠짐없이 동원되어야 한다. 앞으로 이에 대한 세부동원계획이 주무국에서 발표될 것이니 각 도지사는 이 계획을 충실히 이행하기 바란다.[381]

대공사에 참여하는 인력은 황도수련의 일환으로 전 국민을 동원하겠다는 것이다. 이어 미나미는 부여에 일시에 5백 명 이상을 수용할 수 있는 숙박시설을 즉시 만들도록 지시하였다.

---

381 邊平燮, 『實錄 忠南半世紀』, 創學社, 1983,에서 재인용.

1939년 8월

경주 집경전이 폐허로 변해가다.

경주 집경전이 돌보지 않아 행노병
자와 걸인들의 거처가 되어 훼손되고
추물로 변해 가다.

방치된 을지문덕 장군의 석상과 비

『동아일보』 1939년 8월 6일자 기사

을지문덕 장군의 석상과 석비는 어느 때 제작된 것이지는 알 수 없으나 안주
의 서 용현리 용담포 위의 을지공터라는 곳에 오랜 세월을 거치면서 버려져 방
치되어 있었다고 한다. 그런데 어떤 몰지각한 자가 자기 손자가 이곳에서 놀다
가 다리를 다쳤다는 이유로 석비 일부를 용담포에 던져버렸다고 한다.[382] 그 후

---

382 이것이 처음 발견된 후 안흥학교에 보관했었는데,『별건곤』제12·13호(1928년 5월)에
게재한「乙支公石像과 基祠宇」에는 다음과 같은 내용이 있다.
안주의 서 룡현리 龍潭浦의 上 안주의 城 밑에 멀리 청천강을 감하할만한 병릉이 있고
그 구릉에는 一片 石像과 一片 碑碣 또는 數間의 廢址가 있어 古老가 전하되 이를 乙
支公의 石像 또는 祠宇라 하며 그 지명을 속칭「乙支公터」라 하야 아동 주졸이라도「乙
支公터」를 모르는 이 없었는데 挽近 100년 내외에 석상은 땅에 묻힘이 되고 그 祠宇는
터조차 없어지고 비갈은 그 近家의 어떤 頑夫가 자기 집 兒孩가 그 碑石 위에서 놀다가
다리를 傷하였다는 이유로 그것을 꺽어서 그 앞 룡담포에 던저버렸는데(지난 乙亥 庚
子 年間의 일) 왕석 융희 년간에 안주에 안흥학교가 설립하며 安昌鎬 氏가 그곳에 왔다
가 그 말을 듣고 學校生徒들과 같이 지금의 乙支公터에서 그 石像을 찾고 룡담포에서
그 비의 상부를 얻어 당시의 안흥학교이오 현재의 農學校의 뜰 동편 구석에 置하엿는

안주에 안흥학교가 설립되어 도산 안창호가 이곳에 왔다가 그 말을 듣고 학교 생도들과 같이 을지공터에서 그 석상을 찾고 용담포에서 그 비의 상부를 얻어 당시의 안흥학교에 옮겨 보관했다.

그 후 언젠가 을지문덕의 석상과 비는 백상루로 옮겨졌는데 그 시기는,『매일신보』1932년 7월 16일자에 게재한 고영한高永翰의「누대순례기, 백상루 편」에 "백상루 안에는 을지문덕의 석상을 안치하여 그 위훈을 천추에 전하고 있다"라고 하고 있어 1928년 이후 1932년 7월 이전에 백상루로 옮긴 것으로 볼 수 있다. 그런데 백상루로 옮겨진 후에 누구 돌보는 이 없이 버려져 있어 되어 을지문덕석상은 세 쪽이 나고 비석은 반밖에 남지 않았다고 한다.

『동아일보』1939년 8월 8일자에는 다음과 같은 기사가 있다.

데 석상은 고 약 4척 폭 약 1척 4촌의 全身甲胄像으로서 물론 風磨雨洗하야 간신히 그 輪廓을 認할 뿐이오. 그 後面은 조금도 琢磨를 不加한 天然 石面 그대로 인바 暫間 보아도 1,000년 以前의 古朴한 옛 風韻을 認하겠으며 碑碣은 약 1척 5촌의 上部 折面으로서 乙支公의 功績을 기록한 것인데 下半部가 없음으로 그 내용을 읽을 수는 없으나 崇禎 紀元 224년 丁未라 云云하엿슨 즉 아마 그 廢棄된 石像을 보고 感慕의 情으로 근대에 어떤 이가 策立한 것에 분명하다.

안주의 한 기자가 쓴「순회탐방 명승고적」,『동아일보』1926년 4월 1일자에는 다음과 같은 내용이 있다.

을지공석상

본래 읍 서 용담포 상안(上岸)에 있던 바 을지공석상이 있던 곳은 그 동리에서는 자래(自來)로 을지공 을지공하여 숭배하여 오던 중 하루는 어떤 아해가 석상 근처에 가 놀다가 다리가 상하였다고 그 부친이 석상 상부를 꺽어서 용담포에 던졌던 것을 거금 약 20년 전 안흥학교에서 찾아내서 교정에 가져다가 지금까지 세워 두었는데 몇십년 전까지도 비각이 있었다함을 들건대 그간에 혹 비각이 파괴되어 풍우에 시달린 적도 많았겠지만 대개는 비각이 있어 온 듯한데도 굳센 석상이 부스러지게 된 것을 보면 을지문덕 당시에 만든 석상이 아닌가 한다.

초니草泥에 묻친 을지공비乙支公碑, 안주 인사 비각 건립을 갈망

관서보다 전선에 있어서 귀중한 승전비로 되어 있는 안주 북성 백상루 뜰 앞에 있는 을지공의 비는 지금으로부터 1328년 전 고구려 영양왕 때 멀리서 내침한 수병 백만을 격퇴시킨 을지 장군의 승전을 기념하기 위하여 건립한 비석과 을지 장군의 상인데

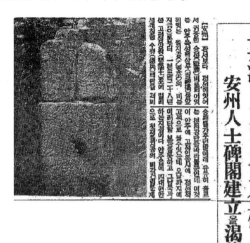

『동아일보』 1939년 8월 8일자 기사

천여 년에 많은 파란을 겪은 비문과 상은 어느 때는 흙에 묻히고 어느 때는 물에 들어가 찾아볼 길이 없던 바 얼마 전 뜻있는 인사의 손을 거쳐 백상루 울타리 안에 보관되었는데 일반 탐승객으로서 보기에도 설은 3분파가 된 을지공의 상과 반분밖에 남지 않은 비문조각은 잡초에 묻히어 무엇인지 분간할 수 없으리만큼 되어 철부지 인간의 발길에 채이고 또는 의자석도 되다시피 되었는데 너무나 세월이 무정하여 춘풍추우 모진 비와 풍랑을 겪어오는 장군의 화상(석상)은 탐방하는 인사에 무정을 말하는 듯 조석으로 찬이슬 먹으며 천여 년 전에 승패를 구추던 발 아래 유유히 흐르는 청천강만을 바라볼 뿐인데 이것이 안주에 고적인 동시에 전선적 고적으로 볼 수 있는데 오늘까지 보관을 못하고 그냥 묵과하는 지경이다(사진은 을지공비).

이 같이 조선인에게는 역사적으로 또 민족의 자긍심을 불러일으킬 수 있는 귀중한 유물이나, 이를 말살하려는 일제로서는 보존에 관심을 둘 리가 없다.

결국 비각 건립은 1940년 2월에 안주의 한 인사가 100원을 또 다른 인사가 10원을 내겠다고 하여 건립운동이 전개되고 있다고 하나[383] 완공을 보았는지는 미상이다.

1939년 9월 10일

고적애호일을 맞아 강화회와 인쇄물로 내선일체 관념을 강조

9월 10일 고적애호일을 맞아 경성부를 비롯하여 도내 각 초등학교와 중등학교에서는 고적애호일과 또는 이에 대한 학구적 연구를 깊이 할 것 등을 각 학교에 지시하였고, 그 외에도 이에 대한 강화회 및 좌담회를 열기로 했는데 그 행사를 대별해 보면 다음과 같다.

1. 고대의 내선관계 사실에 의해서 금일의 내선일체가 된 유래를 깊이 인식시키는 훈화로써 이를 강화할 일
2. 각 학교의 건아단健兒團을 시켜서 고저적의 정화 청소를 할 것
3. 경성부내에서는 학교 건아단으로 하여금 학교 부근의 고적지에 출동케하여 정화작업을 행하게 함

---

383 『東亞日報』 1940년 2월 6일자.

4. '고대의 내선관계'라는 인쇄물을 각 군 부에 배포하여 고적애호관념과 내선일체의 신념을 가지게 함

5. 경성부로부터는 부내의 고적, 보물, 천연기념물 등 일람표를 각 학교에 배포함

6. 군, 부의 유림과 혹은 지방 유력자 간에 좌담회와 강화회를 개최

7. 경기도에서 편찬한 경기지방의 명승사적을 이 때 널리 선전하여 도내 명승사적에 대한 일반지식을 널리함[384]

『매일신보』1939년 9월 10일자에는 다음과 같은 사설을 게재하고 있다.

고적애호일에 제하여 - 내선일체 사실의 강조

조선에 있어서 고적을 애호하는 정신을 함양 또는 강조하는 의의는 첫째로 물론 조선인으로 하여금 과거의 찬란하던 선조의 문화적 제유산諸遺産을 재인식시키는데 있지만 다음으로 더욱 중대한 의의를 갖게 하는 것은 내선일체의 정신을 강조, 철저함에 있어서 구체적 사실을 예증例證으로 열거하는 것이 가장 유력한 방법임을 생각할 때에 왕고往古에 있어서 양민족의 사실상 생활적 일체이었음을 입증하는 제고적諸古蹟을 일반에게 예시함이 가장 적절한 방도이기 때문이다.

---

384 『每日申報』1939년 9월 11일자.

1939년 9월 16일

평양부립박물관에서 《고구려사료전람회》가 9월 10일부터 16일까지 개최되다.[385]

1939년 9월

高麗時代名刹
清凉寺의 遺跡?
═仁川郊外에서 發堀

『동아일보』 1939년 9월 26일자 기사

전 청량사지를 불법 시굴하다.

인천고등여학교 교장 노노무라野村는 인천 근교의 송도유원지 산중에서 옛 사지의 초석을 발견하고 주변을 조사하여 옛 기와를 발견하고 옛 문헌을 대조하여 고려 때의 청량사淸凉寺로 추정하고, 재차 허가 없이 시굴하다.

---

385 『東亞日報』 1939년 9월 10일자.

1939년 10월 12일

《재경 모 씨 소장 서화골동 매립회》

1940년 10월 12일, 13일 양일에 걸쳐 경성미술구락부에서《재경 모 씨 소장 서화골동 매립회》가 열렸다.『재경모씨소장 서화골동 매립목록』을 보면 서화지부와 골동지부를 합쳐 220여 점이 출품되었다.

『재경모씨소장 서화골동 매립목록』 도판

1939년 10월 18일

조선보물고적천연기념물보존회에 의해 보물 297호부터 335호와 고적 88호부터 117호 및 천연기념물 71호에서 98호까지를 각각 지정하다.[386]

---

386 『朝鮮總督府官報』 1939년 10월 18일자; 『東亞日報』 1939년 10월 17일자.

1939년 10월 21일

《원 재선 모 씨 애장 서화골동 매립회》

1939년 10월 21일, 22일 양일간에 《원재선 모씨 애장 서화골동 매립회》가 경성미술구락부에서 개최되었다. 목록은 215번까지 나타나 있다.

1939년 10월 25일

3대째 수집한 골동품 기증

경성부내 신당동에 사는 김재선金在善 씨는 3대째 고서화 골동을 모아왔는데 그 골동 4백여 점을 25일 종로 흥인심상소학교에 기증했다. 이 속에는 태조대

기증 유물(『매일신보』 1939년 10월 27일자)

왕이 사용했던 벼루, 매월당, 한명회 등의 초상, 고현필첩古賢筆帖, 도자기 등이 포함되었다.[387]

해방 후 이 유물들의 행방이 미상이다.

1939년 10월 28일

공주 교촌리 고분 조사

1939년 10월 22일 공주읍 금정에서 배수구가 발견되었다는 보고를 받고 사이토 타다시齋藤忠와 이종국이 그곳으로 급행하여 10월 28일부터 2주간에 걸쳐 조사를 했다. 고분은 읍의 서북방 교외의 구릉상에 있었으며 봉토의 흔적으로 보이는 아랫단에 배수구가 발견되었다. 조사결과 전곽분으로 정상부 및 입구는 이미 붕괴되어 있었다. 이미 모두 도굴당하고 철정 외는 다른 유물을 발견할 수 없었다. 이 고분을 조사한 후에 부여가도 수금手禁고개 부근의 고분 2기를 조사했는데 2기 모두 횡혈식석실분으로 이미 도굴은 당했지만 1기에서 순금제지륜 1개, 김제장식품 2개, 금제심엽형장식품 1개, 은제지륜 3개, 다른 1기에서는 은제지륜 1개가 발견되었다.[388]

---

387 『每日申報』1939년 10월 27일자.
388 齋藤忠, 「昭和14年度に於ける朝鮮古蹟調査の概要」, 『考古學雜誌』 제30권 제1호, 1940년 1월; 早乙女雅博, 「新羅の考古學調査 100年の研究」, 『朝鮮史研究會論文集』 39, 朝鮮史研究會, 2001년 10월, p.84.

1939년 10월

1939년 10월과 11월에 걸쳐 고이즈미 아키오小泉顯夫가 평양 오야리의 전곽분 1기와 목곽분 1기를 발굴했다고 하나[389] 그 보고서가 보이지 않는다.

1939년 11월 1일

《조선공예전람회》

문명상회의 제5회《조선공예전람회》는 1939년 11월 1일부터 11월 5일까지 조선공예연구회 주최와 조선총독부 후원으로 일본 오사카 다카시야마高島屋백화점에서 개최되었다. 총 1,500점이 출품되었는데 1151번부터는 목록에서 제외되었다.

---

389 齋藤忠, 「昭和14年に於ける朝鮮古蹟調査の概要」, 『考古學雜誌』, 1940년 1월.

제5회 전람회 주요 목록

품명	목록번호	비고
樂浪靑銅斜稜文豆	1	 대동강면 출토
高句麗彩色白虎文雲母坩	2	 "본품은 평북 강계읍에서 출토, 저명한 고분의 벽화와 유사한 형식의 문양을 가지고 있다."
고구려녹유박산로	3	

품명	목록번호	비고
高麗靑磁象嵌菊花文筒茶碗	6	 "경성 中村誠의 구애장품으로 일찍이 명성이 자자"
고려청자상감초화류금문매병	7	 고려초기 작품, "본 품은 시대를 대표하는 절품"이라고 해설을 붙이고 있다.
낙랑현무주작문년호경	14	'元康三年五月造'

품명	목록번호	비고
고려종	43	靈 高麗靑銅喚鐘 高サ六寸二分
고려종	45	靈 高麗喚鐘 高サ六寸
고려청자표형음각포도문병	65	

품명	목록번호	비고
신라불	27~29	
육조금동불(31) 및 신라불	30~33	

품명	목록번호	비고
신라석조입불	26	 酒岩里 출토
철유양각목단문호	147	 『조선고적도보』15권 6386, 中村 구장
고려회삼도어문횡장호	155	 『조선고적도보』15권 6247, 中村誠 구장

품명	목록번호	비고
조선염부진사회포도문필통	208	 『조선고적도보』 15권 6609 中村誠 구장
조선진사와형수적	211	 『조선고적도보』 15권 6360
조선총진사육각합자	212	 『조선고적도보』 15권 6624, 中村 구장

품명	목록번호	비고
白磁辰砂筆洗	213	 『조선고적도보』 15권 6361, 中村 구장
白磁辰砂筆洗	214	 『조선고적도보』 15권 6363, 中村 구장
석조물	251~253	
~258 도판		
학술참고품 301~350		
낙랑 351~370		
고려 371~670		
조선 671~1150		
이하 1151·~1500 생략		

1939년 11월 7일

대구 월견산(月見山) 지석묘 조사

대구 봉산정 속칭 '자래바위' 라고 하는 월견산 구릉에는 4기의 지석묘가

있어 아리미츠 교이치有光敎一 촉탁이 파견되어 7일부터 다수의 인부를 사용하여 발굴에 착수하였다. 이후 10일부터는 후지타 료사쿠藤田亮策가 합세하여 함께 조사를 했다.[390]

다음과 같은 관련 기사가 있다.

대구 월견산 제2호 지석묘

대구부내 고등소학교 안 통칭 월견산에서 2천년전 삼한시대의 문화를 비장한 중요한 고고학상의 유물이 잔존하였을 뿐더러 이 고적의 구조는 반도 고적 발달의 기조로 된 독특한 기교가 남아 있는 것을 발견하였으므로 본부 학무국에서는 도 단국에 명하여 이를 발굴하기로 결정하여 본부박물관 촉탁 유광 문학사가 래구하여 7일부터 다수의 인부를 지휘하여 발굴을

---

390 齋藤忠, 「昭和14年に於ける朝鮮古蹟調査の槪要」, 『考古學雜誌』, 1940년 1월 ; 『東亞日報』 1939년 11월 11일자.

개시하였다. 그리고 10일에는 사계의 권위 성대교수 등전 박사 일행이 래구하여 정밀히 조사를 할 터이라 한다(『매일신보』 1939년 11월 10일자).

대구중학교정에서 석검과 석관 발굴
2천 년 전 석기시대의 것
성대교수 등전 씨와 재등 양씨는 대구부근에서 고분 발굴에 착수하여 일전 보도한 바와 같이 황금귀걸이 등을 발굴하더니 금번은 대구중학교 교정에서 돌기병 1기를 발굴하여 종래 발견되어 오던 것과는 구조가 닮은 구조가 석곽과 22일에는 석검 2자루, 석족 1개를 얻었다는데 모두 2천 년 전 석기시대의 것으로 고고학상 좋은 재료라고 한다(『동아일보』 1939년 11월 25일자).

1939년 11월 24일

《조선공예전람회》

문명상회의 제6회《조선공예전람회》에는 1939년 11월 24일부터 30일까지 조선공예연구회의 주최와 조선총독부 후원으로 오사카의 다카시마야高島屋백화점에서 개최하였다. 이번 전람회에는 일본왕의 감상일까지 지정하고 있다. 도록에는 오사카미술관의 고바야시小林의 글이 실려 있고 약사사 관주貫主의 「조선미술의 가치」란 글이 실려 있는데, "조선의 미술공예는 아국(일본)의 모태적 존재이다"라 하고 있다.

제6회 전시장 모습

홍보물(국립중앙박물관도서실 기증자료실 자료)

도록에는 조선총독 미나미 지로南次郎의 제자 '內鮮一體', 조선정무총감 오오
노大野의 '溫故知新', 귀족원의원 네즈 가이치로根津喜一郎의 '福壽'가 실려 있다.

도판6의 '조선진사당초문면취병', 도판7의 '청화백자진사봉황문명', 도판8의
'청화백자진사연화문대병'은 "모두 경성의 명가의 소장품으로 동씨는 본회 주
최의 이 전람회에 깊은 이해를 가지고 특별히 출품한 것" 이라고 해설을 붙이

고 있다. 이것은 모두 장택상이 소장하던 것으로 이희섭이 구입하여 전시 판매한 것이다.

당시 한국인으로서는 도자기 수장가로는 간송을 제외하면 장택상이 제일이었다. 장택상의 소장품에는 고적도보에 수록된 것과 그 외 보물급에 속하는 조선백자가 많이 있었다. 이에 평소 눈독을 드려온 이희섭은 장택상과 접촉하여 수차《조선공예전람회》에 내놓을 것을 종용하였으나 장택상이 거부하자 우회작전을 썼다. 골동상 윤명선은 "그는 창랑 장택상의 수장품을 노리고 장택상 부인에게 당시로서는 어마어마한 고가인 다이아몬드 2캐럿트짜리를 선물로 주고 창랑을 설득하도록 끈질기게 부탁을 했고 끝내는 하나 둘씩 빼내는데 성공을 했다"고 한다. 장택상이 수장하였던 진사편호의 경우는 이희섭이 6천원에 사서 일본에서 3만원에 팔기도 하였다. 제6회 전람회의 도록을 보면 장택상의 소장품으로 있던 백자가 8점이 나와 있는데 하나같이 명품이라 할 수 있는 것들이다. 그런데 해설에는, 전소장자의 이름을 밝히기를 꺼려했음인지 "경성의 명가 장가의 소장품" 또는 "장가의 전품" 이라고 기록하고 있다.

품명	목록번호	비고
高麗白磁陽刻蓮瓣七稜香爐	1	 묘지와 함께 수록 渡邊定一郞의 구장이었던 것으로 문명상회를 거쳐 일본으로 반출된 '高麗白磁陽刻蓮瓣七稜香爐'가 소개되어 있다. 『渡邊家御所藏品賣立目錄』에는 도판 100번으로 실려 있다. 『조선미술공예전람회도록』에 도판 1로 실린 '高麗白磁陽刻蓮瓣七稜香爐)'는 비명(碑銘)과 함께 나온 것으로 비명도 함께 도판으로 실려 있다. 그 비문에 '熙宗七年'이라는 諡年이 있어 고려 중기에 제작한 것으로 추정되고 있다. 도록의 해설에서 "현재 고려백자가 조선 내에서 제작된 것을 부정하는 일부 설을 불식"시킨 예로 들고 있다.

품명	목록번호	비고
白磁辰砂唐草文面取瓶	6	 "경성의 名家 張家의 소장품"(장택상 구장)
朝鮮染付辰砂鳳凰文大皿	7	 "경성의 名家 張家의 소장품"(장택상 구장)

품명	목록번호	비고
朝鮮染付辰砂蓮花文大甁	8	 "경성의 名家 張家의 소장품"(장택상 구장)
朝鮮辰砂菊花文壺	9	

품명	목록번호	비고
朝鮮染付吉祥文七稜香爐	10	 "本品은 경성의 명가 장가의 傳品"
朝鮮染付山水人物文大皿	11	 "본품은 경성 장가의 전품으로 門外不出의 重寶"
朝鮮染付山水樓閣文瓶	12	"본품은 경성 장가의 전품으로 門外不出의 重寶"

품명	목록번호	비고
朝鮮染付花蝶文水注	13	『조선고적도보』 제15권 6443으로 수록. "본품은 경성 장가의 전품으로 門外不出의 重寶"
朝鮮染付吉祥文切子瓶	14	"본품은 경성 장가의 전품으로 門外不出의 重寶"
신라청동사자	1660	
낙랑녹유대향로	1661	

품명	목록번호	비고
高麗靑銅鍾	45	쓰보타(坪田良平)는 그의 저서『조선종』(1974)에서, 1939년 11월 제6회《조선공예전람회》에 출품되었던 고려시대 종 2구를 소개하고 있다. 하나는 坪田良平의『조선종』(1974)에서'재일 소재미상 종(b)'로, 이 종은 1939년 11월 일본 오사카에서 개최된《조선공예전람회》의 도록에 '고려청동종'이라는 제목으로 게재되어 있는 사진이 유일한 자료로 주성연대는 13세기로 추정된다.

품명	목록번호	비고
高麗靑梵鍾	1711	『조선종』(1974)에서 '재일 소재미상의 종(d)'로 坪田良平은 제작년대를 12세기로 추정하고 있다. 1939년 11월에 개최된 《조선공예전람회》에 출품된 것으로 1711번으로 게재된 사진이 유일한 자료라고 한다.
고려청자운학문매병	1651	
계룡산어문대병	1637	
白磁透彫水滴	1761	『조선고적도보』 제15권 6331로 수록 이병직 구장

품명	목록번호	비고
朝鮮白磁透彫煙管掛 및 朝鮮染付盛上手煙管	1762, 1763	 『조선고적도보』제15권 6343으로 수록 장택상 구장
朝鮮染付十二角小皿	1794	 『조선고적도보』제15권 6541로 수록 장택상 구장
朝鮮染付梅文鉢	1799	 『조선고적도보』제15권 6560으로 수록 장택상 구장
~2140까지 목록 이하 2141~2500 생략		

* 조선자기 수장가 장택상

창랑 장택상은 1893년 경북 칠곡에서 태어나 영국에 유학하여 수학 도중 귀국하여 청구회 회장직을 맡기도 했다. 해방 후 군정하에서 수도경찰청장으로 발탁되어 당시로서는 한국인으로 권력의 정점에 있었다. 정부 수립 후에는 초대외무장관에 취임하였으며, 6·25 동란 때에는 부산에서 국무총리를 역임했다.

장택상은 영국 유학을 하고 돌아와 고미술품 수집에 몰두하였다. 선진국에서 가졌던 고미술품에 대한 인식의 영향도 있었지만 수천석지기의 거부에다 고미술품에 대한 선천적인 심미안이 있었다.

장택상은 본인에게는 특별히 드러나는 친일 행위가 보이지 않으나, 맏형인 길상은 1914년 물산공진회 평의원으로 있으면서 여러 공사에 1천원을 헌납하고 총독부로부터 은배 표창을 받기도 했다. 바로 위 직상은 중추원 참의까지 지낸 친일 행각이 두드러진 집안이다. 장택상은 일찍부터 고미술에 관한 감식안이 대단했으며 특히 조선 백자 감식으로는 가장 뛰어난 사람이라 할 수 있을 정도로 특별히 조선백자에 애착을 가지고 우수한 백자를 많이 소장하였다.『조선고적도보』에는 그의 소장품이 여러 점이 실려 있다.

1937년에『조광』지의 기자가 장택상을 방문한 기록이 있다. 1937년 장택상 댁을 방문한 '조광'지 기자가 창랑의 "골동 수집은 언제부터 시작했느냐?"는 질문에, "20년 전부터"라고 대답하고 있어 1917년경이 되는데, 한국인으로서는 수집의 선구적인 사람이라 할 수 있다. 당시는 대개 일본인 장사꾼들에 의해 수집되어 다시 일본인들과 극소수의 한국인에게 팔렸는데, 일본인 장사꾼들이 한국인들로부터 살 때는 보통 오전, 십전에 불과했으나 팔 때는 몇 십원 몇 백원에 팔았다. 서울에만 해도 이런 도자기로 생활하는 일본인 상인들이 5, 6백

명이나 되었고 그 판매가격이 칠, 팔십만 원에 달했다고 한다. 이런 거액의 것이 모두 한국인의 손에서 십 전 이십 전에 팔려나간 것들이다.

장택상이 당시까지 수집한 도자기에 들인 돈이 5-6만 원 정도 되었으며 당시 가격으로는 10만원 성도 된다고 한다. 그 중에 제일로 치는 것은 '청화백자난문수병'과 '청화백자매화문식목발' 로서 가격은 한 개 오천원 정도라 한다.[391] 1937년까지 창랑이 수집한 고미술품은 무려 1천여 점이나 되었다.

1930년대 초에 서울 수표교 근처에 있는 장택상의 사랑방에는 골동에 취미가 있는 인사들이 자주 모였다. 이때 모인 인사들이 장택상과 함석태, 한상억, 이한복, 이만규, 도상봉, 박병래, 손재형 등이 모여 골동에 대한 이야기로 세월을 보냈다고 한다. 이들은 주로 그날 그날 수집한 물건에 대해 품평을 하고 골동계의 돌아가는 정보를 수집하기도 했다. 창랑에게는 또 유용식이라는'자주호랑이'라는 별명이 붙은 자와 한영호라는 2명의 골동 거간이 있어 식객처럼 장택상의 사랑에 머물면서 창랑의 수집을 도왔다고 한다.

이광수가 허영숙에게 보낸 편지 내용에 세계에 자랑할 만한 공예품을 가지고 있는 인사를 열거하면서, 장택상의 '조선백자매화형필통', '청화백자연적' 등을 들고 있다.

장택상의 수집은 도자기가 주이지만 서화도 많이 수집하였다.『조선고적도보』제14권에는 그의 소장품인 장승업 필 '한산추성도寒疝秋聲圖'가 실려 있다. 그의 서화 안목이 어느 정도인지, 1934년 6월에 조선미술관 주최의《조선 중국 명작 고서화 전람회》에 서화 작품을 출품하면서 동아일보에 게재한 '조선 중국

---

391 기자,「朝鮮色, 朝鮮質을 지랑하는 陶磁器 收集의 權威 張澤相氏」,『朝光』, 1937, p.32~35.

서화의 특색' 이란 글을 보면,

조선화의 생명은 평화요 담백이다. 색채로 보아도 조선화는 중국이나 일본화와 같이 혼란하지 아니하고 천주淺朱와 담록淡綠을 상용하여 조선 산천 초목과 가옥 방구房具에 적합하도록 노력하였다. 이로 보면 우리 조선화는 세계 화계畵界에 특수한 지위를 점거하고 있다하겠다. 예술을 실생활에 응용할 줄 알았다. 참 위대한 일이다. 이조 5백년 중에 조선 미味를 될 수 있는 대로 사출寫出하려고 노력한 화가는 정겸재 일 것 같다. 조선 산천을 실사한 화가는 겸재 뿐이다. 겸재는 기술도 우미할 뿐 아니라 지방 색채를 우리의 실생활에 가미하려고 자기의 기술을 무한이 연마하였다. 대개의 화가는 중국의 화본을 모사한데 불과하고 자연을 직접 사출寫出하지 않고 종속적으로 자연을 모사하였다. 겸재는 이런 등의 루습陋習을 단호히 잘라버렸다. 위대한 사상가요. 시인이오. 기예가다. 단순한 화가로 볼 수 없다.[392]

이라 하고 있다. 이는 일부이지만 장택상의 서화에 대한 감식안을 엿볼 수 있는 일면이라 할 수 있다. 《조선 중국 명작 고서화 전람회》에서 장택상이 출품한 것은 조선화 32점, 중국화 29점, 총 61점으로 가장 많은 서화를 출품 전시하였다.

장택상은 골동수집에 있어 이재에도 대단히 밝았다. 그는 추사의 글씨를 여러 점 가지고 있었다. 어느 경매에서 1, 2백원하는 추사 글씨대련을 경쟁자도 없음에도 불구하고 2천원을 주고 낙찰시켜 주위를 놀라게 하였다. 돈 속이 밝

---

[392] 『東亞日報』 1934년 6월 17일자.

기로 소문난 장택상이 엄청난 가격으로 추사의 글씨를 낙찰시키고 태연히 경매장을 떠나는 것을 보고 골동상들은 "추사 대련은 2천원을 받았으니 앞으로 추사의 글씨는 그 정도는 불러야 격이 맞겠는 걸" 이라고 했다고 한다. 추사의 글씨가 폭등하자 장택상은 쾌재를 불렀다. 그가 가지고 있던 추사의 글씨도 덩달아 올랐던 것이다.[393] 장택상은 김정희의 서화를 상당히 많이 소장하고 있었는데 1932년 10월에 개최한 《완당유묵유품전람회》에서 완당 서 '고경당古經堂' 예액隸額, '어락야희漁樂野嬉' 예액, '행서병풍', '묵란' 등을 포함한 16점을 출품 전시하기도 하였다.[394]

장택상은 문명상회를 통해 우수품을 일부 처분을 하였으나 일제 강점기 말기에 폭격에 대비하여 그의 소장품 일부는 인촌농장에 소개를 하였다. 그러나 해방이 되고 38선이 생기면서 찾아오지 못하고 말았다.[395]

1939년 11월 28일

《경응의숙대학문학부고고실전람회》

일본 삼전사학회三田史學會 주최 《게이오기주쿠慶應義塾대학 문학부 고고실전람회》가 11월 28일부터 29일까지 동 대학 고고실에서 개최되었다. 일본, 조선,

---

393 윤명선의 「장택상의 상술에 놀아난 골동상」(『전통문화』, 1986년 5월)에 의하면 이외에도 몇 가지 악랄한 술수들이 기술되어 있다.

394 中村榮孝, 「阮堂遺墨遺品の展觀」, 『靑丘學叢』 제10호, 靑丘學會, 1932년 11월.

395 이상, 성구홍, 『유랑의 문화재』, 하연문화사, 2009.

중국 등지에서 수집한 출토품이 진열되었다.[396]

1939년 11월

수종사 사리탑 내 유물 박물관으로 이안

경기도 양주군 와부면 송촌리에 있는 수종사에서 고려시대의 유물인 사리항 아리가 발견되었다.

이것은 수종사 사리탑 안에 있던 것을 그곳 주지가 보관하던 것으로 그 항아리 속에는 순은으로 만든 육각탑이 들어 있고 또 육각탑 속에는 금동으로 만든 9층탑이 있으며 그 탑 안에는 수정으로 만든 사리호가 들어 있었다. 경기도 경찰부에서는 9일 총독부 편수과 가토加藤에게 감정한 결과 8백 년 전의 것으로 시가 1만 4, 5천 원 가량 되는 것으로 판명되었다.

그런데 원래 이것은 1939년 봄에 발견된 것으로 이와 같은 귀중한 보물이 세상에 나오게 된 것은 경기도 경찰부에 한 장의 투서가 들어왔는데, 그 내용인 즉 전기 수종사와 양주군 용문면 신점리 용문사의 주지로 있는 홍씨가 사욕을 채우기 위해 절 안에 있는 보물을 전부 팔아버렸다는 것이다. 즉시 형사대를 보내어 홍씨를 조사한 결과 홍씨는 수종사의 사리탑이 무너져감으로 그곳의 보물을 도적맞을까 염려하여 다른 곳에다 잘 보관하였던 것이라고 했다. 이와

---

396 美術研究所, 『日本美術年鑑』, 1941년 3월.

수종사 사리탑 내 발견 유물(『박물관진열품도감』 제15집)

같은 무고의 투서를 한 것은 홍씨를 중상하여 그 지위를 빼앗으려는 사람의 음모로 인정하고 경찰부에서 그 투서한 사람을 찾고자 하는 한편 보물은 총독부로 보내어 보관케 하였다.[397]

1939년 12월 1일

경상남도 통영군 광도면 안정리 반야암般若庵이 폐지되다.[398]

---

397 『每日申報』 1939년 11월 11일자; 『東亞日報』 1939년 11월 11일자.
398 『朝鮮總督府官報』 1939년 12월 1일자.

1939년 12월 4일

《조선뢰호고도전朝鮮瀨戶古陶展》이 12월 4일부터 6일일까지 삼채회三彩會 주최로 은좌조일구락부銀座朝日俱樂部에서 열렸다.[399]

같은 해

도쿄제실박물관 회화실에 오가사키岡崎正也 소장 수월관음도水月觀音圖와 키시岸偉ー 소장 묘구도猫狗圖 2폭이 진열되었다.[400]

가야모토 가메지로榧本龜次郎가 평남 순천군의 고구려고분 2기를 발굴하다.[401]

---

399 美術研究所, 『日本美術年鑑(1939)』, 1940.
400 美術研究所, 『日本美術年鑑(1939)』, 1940.
401 早乙女雅博, 「新羅の考古學調査 100年の研究」, 『朝鮮史研究會論文集』 39, 朝鮮史研究會, 2001년 10월, p.84.

색인